A joint product of the national mapping agencies of the island of Ireland

Compiled and published by Ordnance Survey Ireland, Phoenix Park, Dublin 8, Ireland. Eircode D08F6E4
The inclusion of parts or all of Northern Ireland is by permission of the Land & Property Services who retain copyright in the data used.

Unauthorised reproduction infringes Ordnance Survey Ireland, Government of Ireland and Crown copyright.

All rights reserved. No part of this publication may be copied, reproduced or transmitted in any form or by any means without the prior written permission of the copyright owners.

© Ordnance Survey Ireland 2018

© Crown Copyright and Database Right 2018

Arna thiomsú agus arna fhoilsiú ag Suirbhéireacht Ordanáis Éireann, Páirc an Fhoinnuisce, Baile Átha Cliath 8, Éire. Eircode D08F6E4
Áirítear Tuaisceart Éireann uile nó cuid de, le cead na Seirbhísí Talún agus Maoine, ar leo cópcheart na sonraí a úsáidtear.

Sáraíonn atáirgeadh neamhúdaraithe cóipcheart Shuirbhéireacht Ordanáis Éireann, Rialtas na hÉireann agus na Corónach.

Gach cead ar cosnamh. Ní ceadmhach aon chuid den fhoilseachán seo a chóipeáil, a atáirgeadh nó a tharchur in aon fhoirm ná ar aon bhealach gan cead i scríbhinn roimh ré ó úinéirí an chóipchirt.

© Suirbhéireacht Ordanáis Éireann 2018

© Crown Copyright and Database Rights 2018

7th Edition Published 2018
6th Edition Published 2015
5th Edition Published 2013
4th Edition Published 2011
3rd Edition Published 2010
2nd Edition Published 2007
1st Edition Published 2004

GW00642336

Mo... A
Eol...

Motorway Schemata C
Scéimrí Mótarbhealach

Legend to National Maps H
Eochair Eolais do na Léarscáileanna Náisiúnta

National Maps 1
Léarscáileanna Náisiúnta

City Maps 71
Léarscáileanna na gCathracha

71 Dublin / Baile Átha Cliath
73 Belfast / Béal Feirste
75 Cork / Corcaigh
77 Derry/Londonderry / Doire
78 Armagh / Ard Mhacha
79 Galway / Gaillimh
80 Kilkenny / Cill Chainnigh
81 Limerick / Luimneach
82 Lisburn / Lios na gCearrbhach
83 Newry / An Iúr
84 Waterford / Port Láirge

Road Safety Information 85
Eolas maidir le Sábháilteacht ar Bhóithre

Garda Information 87
Eolas an Gharda Síochána

Gazetteer 89
Gasaitéar

Motoring Information - Republic of Ireland
Eolas Gluaisteánaíochta

EXAMPLES

Regulatory Traffic signs

Generally circular with a red border and black symbol or letters on a white background. These signs must be obeyed they show a course a driver must follow and an action they are required to take or forbidden to take. Mandatory Regulatory signs are blue and white These signs indicate the direction traffic must take at junctions.

Pass Either Side

Traffic May Not Proceed in the Direction of the Arrow

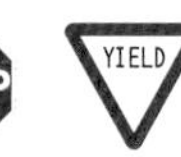

STOP

Warning traffic signs

These signs are diamond or rectangular in shape and have a black border symbol or letters on a yellow background.
These signs warn road users of hazards ahead.
These signs will have an orange background for roadworks.

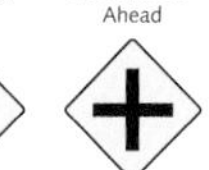

Sharp Corner Ahead · Roundabout Ahead · Series of Bends Ahead · T Junction with Dual Carriageway · Advance Warning of a Major Road Ahead

Junction Ahead With Roads of Less Importance · Junction Ahead with Road or Roads of Equal Importance · Slippery Stretch of Road Ahead · Sharp Rise Ahead · Road Works Ahead

Direction/Information signs

These signs show directions and the location of services or places of tourist interest.
Blue background motorway.
Green background national road.
White background Regional road
Brown background Tourist information.

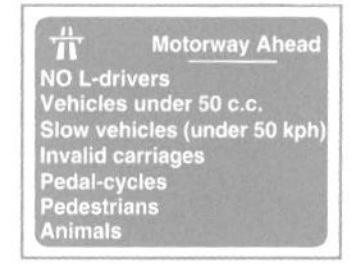

General Speed limits

Motorways	120km/h
National primary and secondary	100km/h
Regional and local roads	80km/h
Built up areas	50km/h

You must obey speed limit signs at all times.
Speed limits can vary for different vehicle types.

Maximum speed limit

Motoring Information - Northern Ireland
Eolas Gluaisteánaíochta

Traffic signs: Signs giving orders

Signs with red circles are mostly prohibitive.
Signs with blue circles but no red border mostly give positive instruction.

Give priority to vehicles from the opposite direction

No left turn

Motor vehicles prohibited

No U-turns

No right turn · Turn left (right if symbol reversed)

Traffic signs: Warning signs

Mostly triangular.

Crossroads

Double bend, first to the left (may be reversed)

Two-way traffic

Road narrows on both sides

Staggered junction

Distance to "Stop" line ahead

Traffic signs: Direction signs

Mostly rectangular.
Signs on motorways - blue backgrounds.
Signs on primary routes - green backgrounds.
Signs on non-primary and local routes - black borders

Roundabout ahead at junction of three primary routes

Junction ahead of two non-primary routes

Start of motorway · End of motorwa

General Speed limits

Motorways	70mi/h
Elsewhere	60/70mi/h
Built up areas	30mi/h

You must obey speed limit signs at all times.
Speed limits can vary for different vehicle types.

Maximum speed limit

National speed limits apply

Distance Chart / Conversion Tables / Scale

Conversion Tables Distances

1 Mile =1.609344 Kilometres
1 Kilometre = 0.621371 Miles
1 Yard = 91.4 Centimetres
1 Foot = 30.5 Centimetres
1 Inch = 2.5 Centimetres

Speeds

30 Kilometres = 19 Miles
50 Kilometres = 31 Miles
60 Kilometres = 37 Miles
80 Kilometres = 50 Miles
100 Kilometres = 62 Miles
120 Kilometres = 74 Miles

Weights

1 Pound = 0.45 Kilogrammes
1 Kilogramme = 2.20 Pounds

Volume

0.5 Pint = 0.28 Litre
1 Pint = .57 Litre
1 Litre = 0.22 Gallon

Pressure

Pounds per Square Inch (psi) - Kilogrammes per Square Centimetre (kpc).

26 psi = 1.83 kpc
28 psi = 1.96 kpc
30 psi = 2.10 kpc
32 psi = 2.24 kpc
36 psi = 2.52 kpc
40 psi = 2.80 kpc

Kilometres in black - 146
Miles in blue - 91

	Wexford	Waterford	Sligo	Shannon Airport	Rosslare Harbour	Roscommon	Portlaoise	Newry	Londonderry	Lisburn	Limerick	Larne	Killarney	Kilkenny	Galway	Dundalk	Dublin	Donegal	Cork	Belfast	Athlone	Armagh
Athlone																						158 / 98
Belfast																					285 / 177	64 / 40
Cork																				421 / 261	211 / 131	389 / 242
Donegal																			386 / 240	175 / 109	179 / 111	129 / 80
Dublin																		235 / 146	253 / 157	166 / 103	124 / 77	135 / 84
Dundalk																	87 / 54	167 / 104	343 / 213	83 / 52	205 / 127	55 / 34
Galway																286 / 178	208 / 129	202 / 125	198 / 123	370 / 230	85 / 53	241 / 150
Kilkenny															171 / 106	206 / 128	124 / 77	343 / 218	156 / 97	290 / 180	126 / 78	259 / 162
Killarney														209 / 127	208 / 129	385 / 239	303 / 188	396 / 246	85 / 53	469 / 291	223 / 139	440 / 273
Larne													506 / 314	327 / 203	406 / 252	120 / 75	206 / 128	181 / 112	457 / 284	36 / 22	320 / 202	100 / 63
Limerick												399 / 248	109 / 68	124 / 77	98 / 61	279 / 173	195 / 121	286 / 178	100 / 62	363 / 226	116 / 72	331 / 205
Lisburn											351 / 218	51 / 32	457 / 284	278 / 173	357 / 222	72 / 45	158 / 98	163 / 101	409 / 254	14 / 9	247 / 170	54 / 34
Londonderry										127 / 79	358 / 222	119 / 74	467 / 290	357 / 222	274 / 170	156 / 97	182 / 113	73 / 45	489 / 304	112 / 70	252 / 157	111 / 69
Newry									141 / 88	46 / 28	306 / 190	95 / 59	412 / 256	232 / 144	261 / 162	27 / 17	113 / 70	152 / 94	362 / 225	59 / 37	228 / 142	30 / 19
Portlaoise								198 / 123	324 / 201	243 / 151	116 / 72	288 / 179	218 / 135	50 / 31	161 / 100	171 / 106	84 / 52	256 / 159	171 / 106	255 / 158	77 / 48	225 / 140
Roscommon							108 / 67	192 / 119	219 / 136	229 / 142	154 / 96	264 / 164	274 / 170	158 / 98	79 / 49	161 / 100	156 / 97	148 / 92	245 / 152	228 / 141	32 / 20	157 / 98
Rosslare Harbour						237 / 147	129 / 80	279 / 173	401 / 249	323 / 201	179 / 122	279 / 173	259 / 161	92 / 57	291 / 181	249 / 155	158 / 98	387 / 240	192 / 119	336 / 209	206 / 128	295 / 183
Shannon Airport					224 / 139	161 / 100	140 / 87	333 / 206	345 / 214	377 / 234	27 / 17	257 / 147	137 / 85	159 / 99	85 / 53	306 / 190	217 / 135	273 / 170	124 / 77	390 / 242	135 / 84	359 / 223
Sligo				210 / 130	331 / 205	85 / 52	193 / 120	175 / 109	135 / 84	187 / 116	224 / 139	175 / 109	332 / 206	241 / 150	137 / 85	171 / 106	208 / 129	63 / 39	340 / 211	199 / 124	114 / 71	147 / 91
Waterford			329 / 204	153 / 95	75 / 47	208 / 129	100 / 62	274 / 170	400 / 249	318 / 198	127 / 79	274 / 170	192 / 119	50 / 31	230 / 143	247 / 153	165 / 102	383 / 238	127 / 79	331 / 206	179 / 111	301 / 187
Wexford		60 / 37	321 / 199	208 / 129	19 / 12	222 / 138	113 / 70	253 / 157	378 / 235	297 / 173	182 / 113	346 / 215	249 / 155	90 / 56	274 / 170	226 / 140	132 / 82	361 / 224	185 / 115	310 / 193	188 / 117	279 / 173
Wicklow	85 / 58	128 / 79	254 / 158	266 / 165	112 / 70	201 / 125	127 / 79	171 / 106	296 / 184	214 / 133	241 / 150	266 / 165	348 / 216	145 / 90	256 / 159	144 / 89	49 / 30	279 / 173	249 / 155	228 / 142	171 / 106	198 / 123

Distances are based on the national road network and may not be the shortest distances between two points.

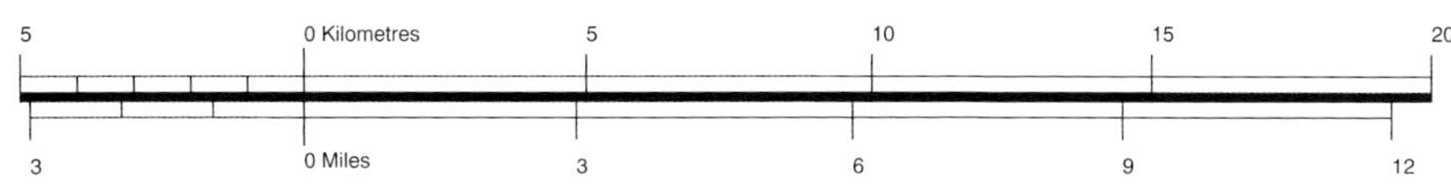

Scála 1:210 000 / Scale 1:210 000

Motorway Schemata
Scéimrí Mótarbhealach

M1/N1
Dublin to Belfast

North

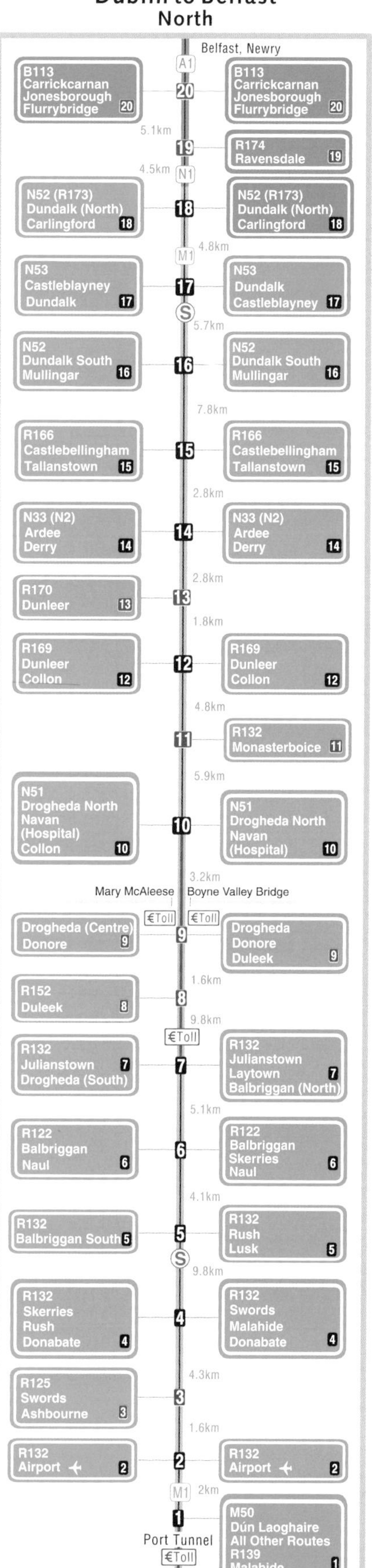

South

M2/N2
M50 Junction 5 to Ashbourne

South-East

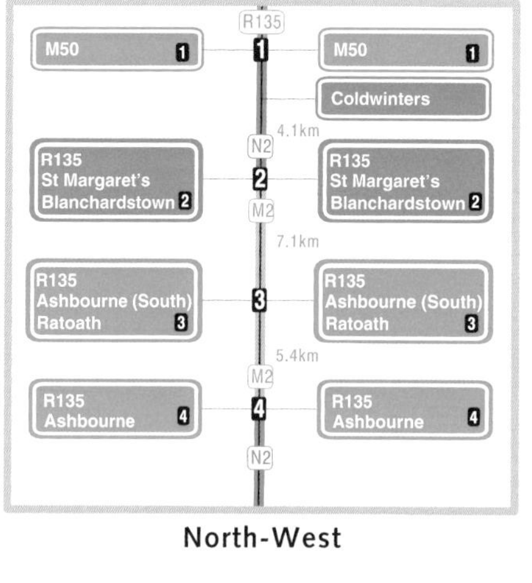

North-West

M3/N3
M50 Junction 6 to Kells

South-East

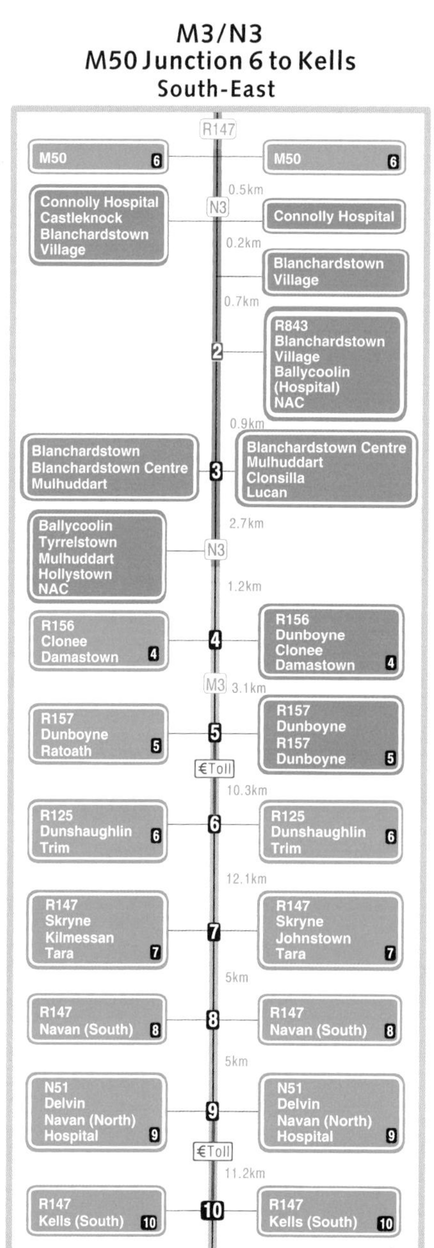

North-West

M4/N4
M50 Jn 7 to Correllstown

East

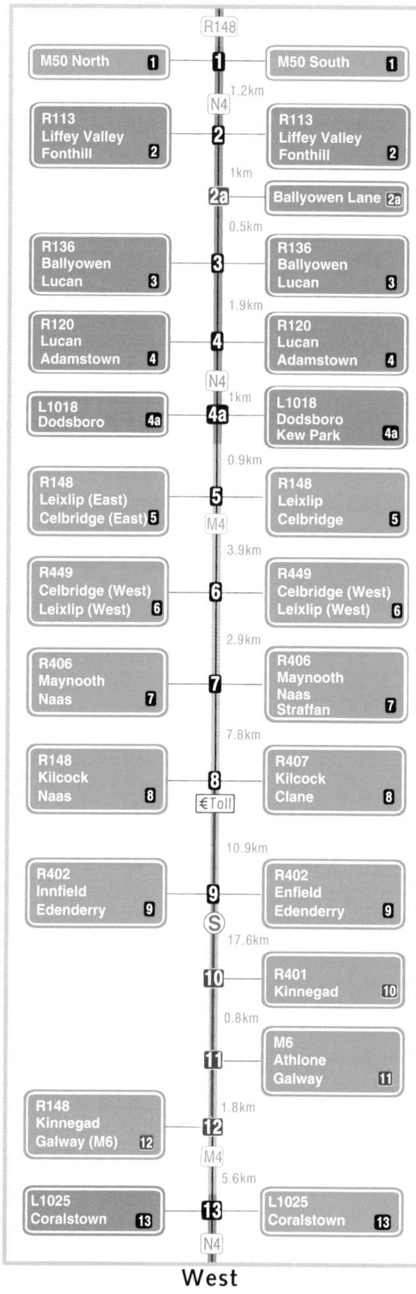

West

Key to Motorway Schemata

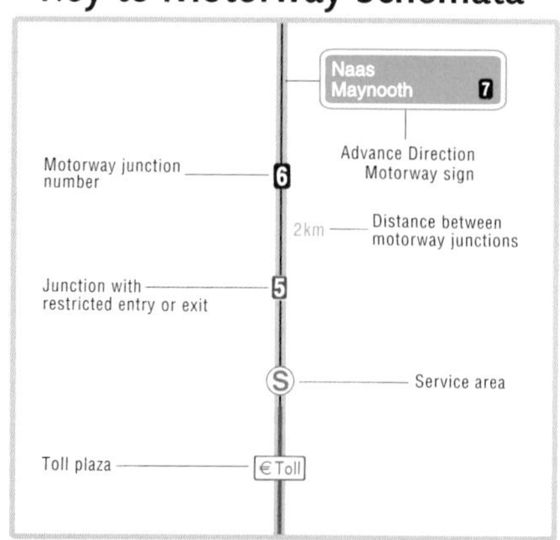

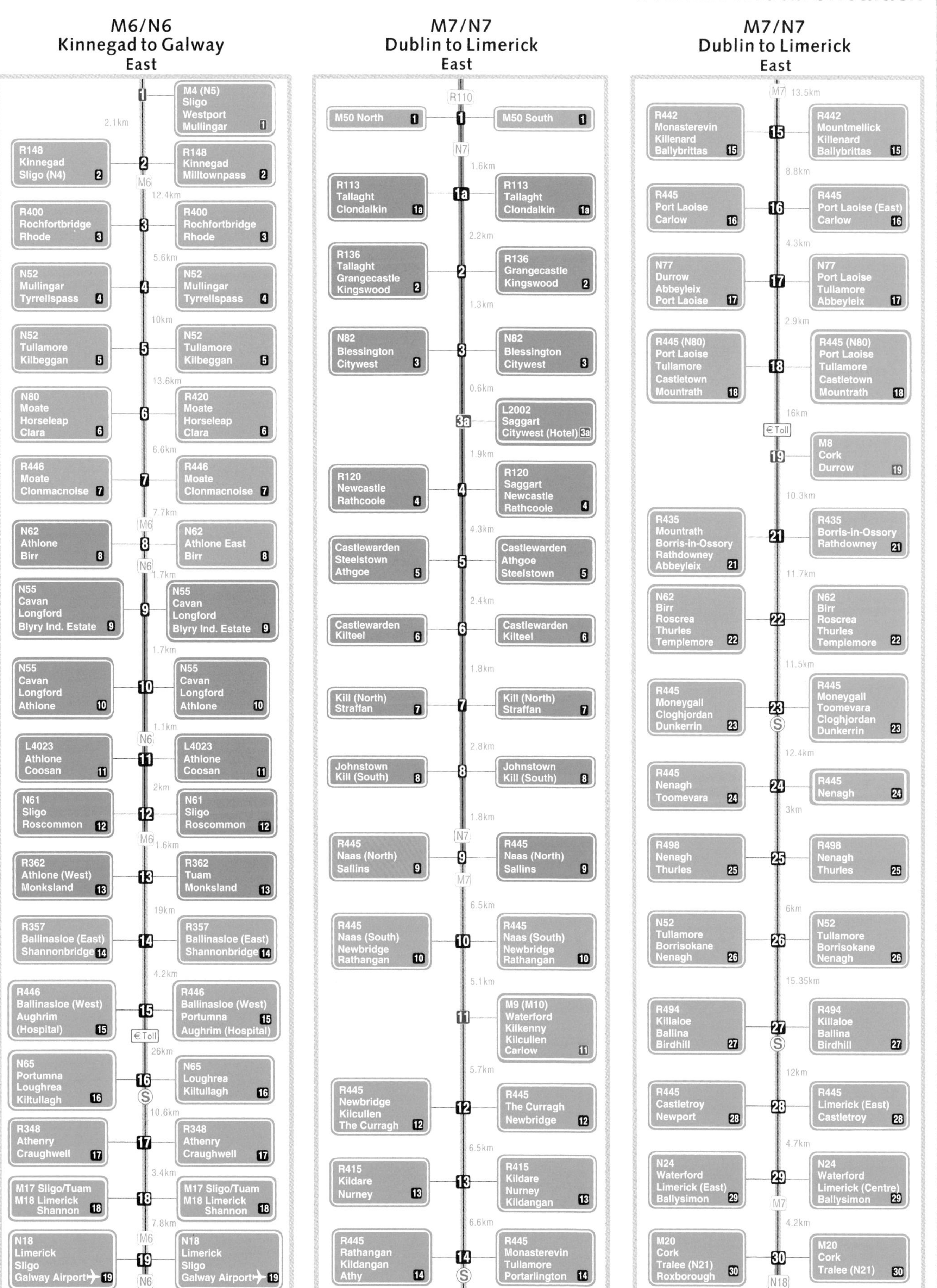
M6/N6
Kinnegad to Galway
East
1 M4 (N5) Sligo Westport Mullingar
2.1km
2 R148 Kinnegad Sligo (N4) | R148 Kinnegad Milltownpass
M6
12.4km
3 R400 Rochfortbridge Rhode | R400 Rochfortbridge Rhode
5.6km
4 N52 Mullingar Tyrrellspass | N52 Mullingar Tyrrellspass
10km
5 N52 Tullamore Kilbeggan | N52 Tullamore Kilbeggan
13.6km
6 N80 Moate Horseleap Clara | R420 Moate Horseleap Clara
6.6km
7 R446 Moate Clonmacnoise | R446 Moate Clonmacnoise
7.7km
M6
8 N62 Athlone Birr | N62 Athlone East Birr
N6
1.7km
9 N55 Cavan Longford Blyry Ind. Estate | N55 Cavan Longford Blyry Ind. Estate
1.7km
10 N55 Cavan Longford Athlone | N55 Cavan Longford Athlone
1.1km
N6
11 L4023 Athlone Coosan | L4023 Athlone Coosan
2km
12 N61 Sligo Roscommon | N61 Sligo Roscommon
M6
1.6km
13 R362 Athlone (West) Monksland | R362 Tuam Monksland
19km
14 R357 Ballinasloe (East) Shannonbridge | R357 Ballinasloe (East) Shannonbridge
4.2km
15 R446 Ballinasloe (West) Aughrim (Hospital) | R446 Ballinasloe (West) Portumna Aughrim (Hospital)
€ Toll
26km
16 N65 Portumna Loughrea Kiltullagh | N65 Loughrea Kiltullagh
S
10.6km
17 R348 Athenry Craughwell | R348 Athenry Craughwell
3.4km
18 M17 Sligo/Tuam M18 Limerick Shannon | M17 Sligo/Tuam M18 Limerick Shannon
7.8km
M6
19 N18 Limerick Sligo Galway Airport | N18 Limerick Sligo Galway Airport
N6
West

M7/N7
Dublin to Limerick
East
R110
1 M50 North | M50 South
N7
1.6km
1a R113 Tallaght Clondalkin | R113 Tallaght Clondalkin
2.2km
2 R136 Tallaght Grangecastle Kingswood | R136 Grangecastle Kingswood
1.3km
3 N82 Blessington Citywest | N82 Blessington Citywest
0.6km
3a L2002 Saggart Citywest (Hotel)
1.9km
4 R120 Newcastle Rathcoole | R120 Saggart Newcastle Rathcoole
4.3km
5 Castlewarden Steelstown Athgoe | Castlewarden Athgoe Steelstown
2.4km
6 Castlewarden Kilteel | Castlewarden Kilteel
1.8km
7 Kill (North) Straffan | Kill (North) Straffan
2.8km
8 Johnstown Kill (South) | Johnstown Kill (South)
1.8km
N7
9 R445 Naas (North) Sallins | R445 Naas (North) Sallins
M7
6.5km
10 R445 Naas (South) Newbridge Rathangan | R445 Naas (South) Newbridge Rathangan
5.1km
11 M9 (M10) Waterford Kilkenny Kilcullen Carlow
5.7km
12 R445 Newbridge Kilcullen The Curragh | R445 The Curragh Newbridge
6.5km
13 R415 Kildare Nurney | R415 Kildare Nurney Kildangan
6.6km
14 R445 Rathangan Kildangan Athy | R445 Monasterevin Tullamore Portarlington
S
West

M7/N7
Dublin to Limerick
East
M7 13.5km
15 R442 Monasterevin Killenard Ballybrittas | R442 Mountmellick Killenard Ballybrittas
8.8km
16 R445 Port Laoise Carlow | R445 Port Laoise (East) Carlow
4.3km
17 N77 Durrow Abbeyleix Port Laoise | N77 Port Laoise Tullamore Abbeyleix
2.9km
18 R445 (N80) Port Laoise Tullamore Castletown Mountrath | R445 (N80) Port Laoise Tullamore Castletown Mountrath
16km
€ Toll
19 M8 Cork Durrow
10.3km
21 R435 Mountrath Borris-in-Ossory Rathdowney Abbeyleix | R435 Borris-in-Ossory Rathdowney
11.7km
22 N62 Birr Roscrea Thurles Templemore | N62 Birr Roscrea Thurles Templemore
11.5km
23 R445 Moneygall Cloghjordan Dunkerrin | R445 Moneygall Toomevara Cloghjordan Dunkerrin
S
12.4km
24 R445 Nenagh Toomevara | R445 Nenagh
3km
25 R498 Nenagh Thurles | R498 Nenagh Thurles
6km
26 N52 Tullamore Borrisokane Nenagh | N52 Tullamore Borrisokane Nenagh
15.35km
27 R494 Killaloe Ballina Birdhill | R494 Killaloe Ballina Birdhill
S
12km
28 R445 Castletroy Newport | R445 Limerick (East) Castletroy
4.7km
29 N24 Waterford Limerick (East) Ballysimon | N24 Waterford Limerick (Centre) Ballysimon
M7
4.2km
30 M20 Cork Tralee (N21) Roxborough | M20 Cork Tralee (N21)
N18
West

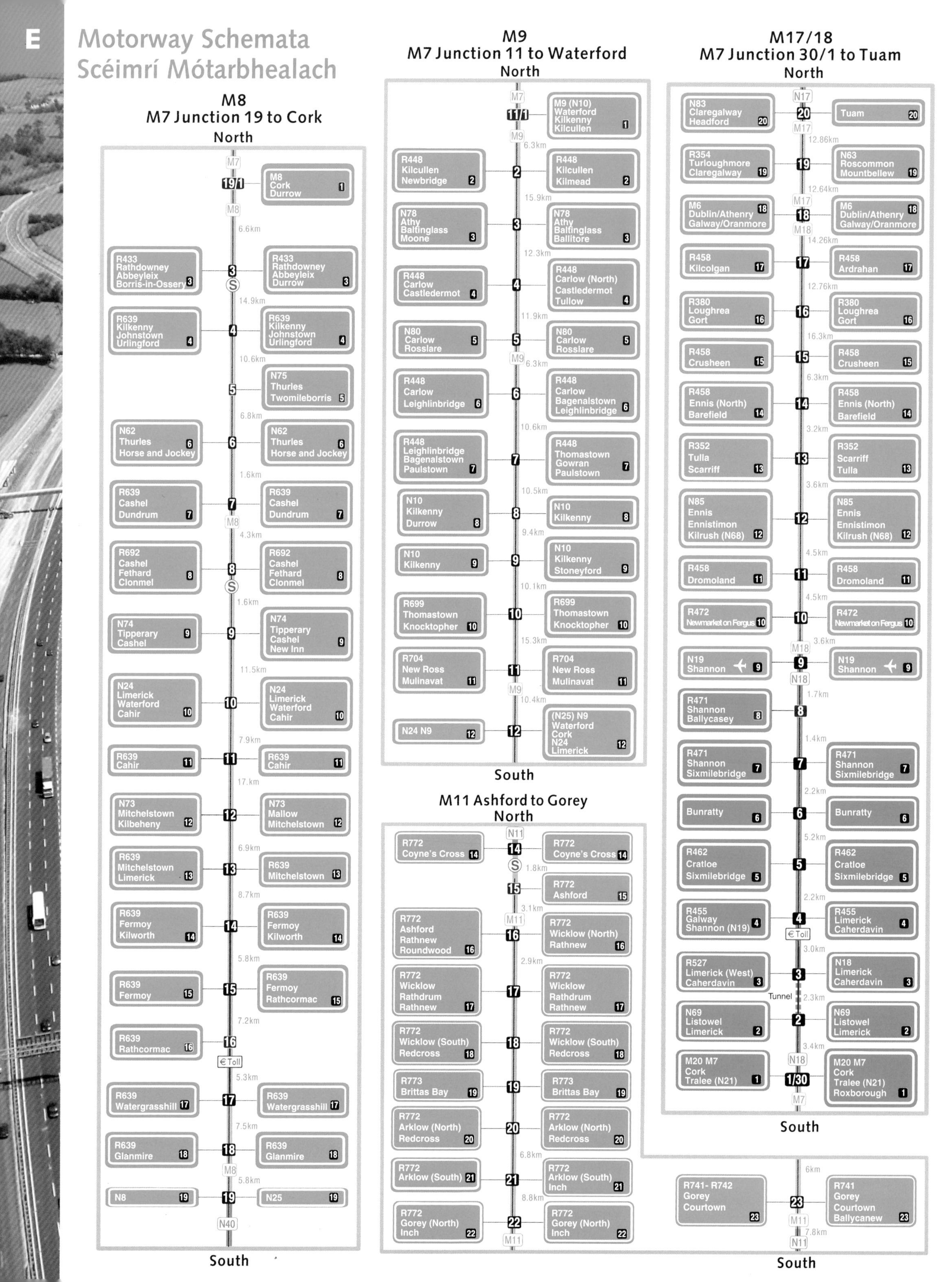
E
Motorway Schemata
Scéimrí Mótarbhealach
M8
M7 Junction 19 to Cork
North
M7
19/1
M8 Cork Durrow 1
M8
6.6km
R433 Rathdowney Abbeyleix Borris-in-Ossery 3
3
R433 Rathdowney Abbeyleix Durrow 3
14.9km
R639 Kilkenny Johnstown Urlingford 4
4
R639 Kilkenny Johnstown Urlingford 4
10.6km
5
N75 Thurles Twomileborris 5
6.8km
N62 Thurles Horse and Jockey 6
6
N62 Thurles Horse and Jockey 6
1.6km
R639 Cashel Dundrum 7
7
R639 Cashel Dundrum 7
M8
4.3km
R692 Cashel Fethard Clonmel 8
8
R692 Cashel Fethard Clonmel 8
1.6km
N74 Tipperary Cashel 9
9
N74 Tipperary Cashel New Inn 9
11.5km
N24 Limerick Waterford Cahir 10
10
N24 Limerick Waterford Cahir 10
7.9km
R639 Cahir 11
11
R639 Cahir 11
17.km
N73 Mitchelstown Kilbeheny 12
12
N73 Mallow Mitchelstown 12
6.9km
R639 Mitchelstown Limerick 13
13
R639 Mitchelstown 13
8.7km
R639 Fermoy Kilworth 14
14
R639 Fermoy Kilworth 14
5.8km
R639 Fermoy 15
15
R639 Fermoy Rathcormac 15
7.2km
R639 Rathcormac 16
16
€ Toll
5.3km
R639 Watergrasshill 17
17
R639 Watergrasshill 17
7.5km
R639 Glanmire 18
18
R639 Glanmire 18
M8
5.8km
N8 19
19
N25 19
N40
South
M9
M7 Junction 11 to Waterford
North
M7
11/1
M9 (N10) Waterford Kilkenny Kilcullen 1
M9
6.3km
R448 Kilcullen Newbridge 2
2
R448 Kilcullen Kilmead 2
15.9km
N78 Athy Baltinglass Moone 3
3
N78 Athy Baltinglass Ballitore 3
12.3km
R448 Carlow Castledermot 4
4
R448 Carlow (North) Castledermot Tullow 4
11.9km
N80 Carlow Rosslare 5
5
N80 Carlow Rosslare 5
M9
6.3km
R448 Carlow Leighlinbridge 6
6
R448 Carlow Bagenalstown Leighlinbridge 6
10.6km
R448 Leighlinbridge Bagenalstown Paulstown 7
7
R448 Thomastown Gowran Paulstown 7
10.5km
N10 Kilkenny Durrow 8
8
N10 Kilkenny 8
9.4km
N10 Kilkenny 9
9
N10 Kilkenny Stoneyford 9
10.1km
R699 Thomastown Knocktopher 10
10
R699 Thomastown Knocktopher 10
15.3km
R704 New Ross Mulinavat 11
11
R704 New Ross Mulinavat 11
M9
10.4km
N24 N9 12
12
(N25) N9 Waterford Cork N24 Limerick 12
South
M11 Ashford to Gorey
North
N11
R772 Coyne's Cross 14
14
R772 Coyne's Cross 14
1.8km
15
R772 Ashford 15
3.1km
R772 Ashford Rathnew Roundwood 16
M11
16
R772 Wicklow (North) Rathnew 16
2.9km
R772 Wicklow Rathdrum Rathnew 17
17
R772 Wicklow Rathdrum Rathnew 17
R772 Wicklow (South) Redcross 18
18
R772 Wicklow (South) Redcross 18
R773 Brittas Bay 19
19
R773 Brittas Bay 19
R772 Arklow (North) Redcross 20
20
R772 Arklow (North) Redcross 20
6.8km
R772 Arklow (South) 21
21
R772 Arklow (South) Inch 21
8.8km
R772 Gorey (North) Inch 22
22
R772 Gorey (North) Inch 22
M11
6km
R741- R742 Gorey Courtown 23
23
R741 Gorey Courtown Ballycanew 23
M11
7.8km
N11
South
M17/18
M7 Junction 30/1 to Tuam
North
N17
N83 Claregalway Headford 20
20
Tuam 20
M17
12.86km
R354 Turloughmore Claregalway 19
19
N63 Roscommon Mountbellew 19
12.64km
M17
M6 Dublin/Athenry Galway/Oranmore 18
18
M6 Dublin/Athenry Galway/Oranmore 18
M18
14.26km
R458 Kilcolgan 17
17
R458 Ardrahan 17
12.76km
R380 Loughrea Gort 16
16
R380 Loughrea Gort 16
16.3km
R458 Crusheen 15
15
R458 Crusheen 15
6.3km
R458 Ennis (North) Barefield 14
14
R458 Ennis (North) Barefield 14
3.2km
R352 Tulla Scarriff 13
13
R352 Scarriff Tulla 13
3.6km
N85 Ennis Ennistimon Kilrush (N68) 12
12
N85 Ennis Ennistimon Kilrush (N68) 12
4.5km
R458 Dromoland 11
11
R458 Dromoland 11
4.5km
R472 Newmarket on Fergus 10
10
R472 Newmarket on Fergus 10
M18
3.6km
N19 Shannon 9
9
N19 Shannon 9
N18
1.7km
R471 Shannon Ballycasey 8
8
1.4km
R471 Shannon Sixmilebridge 7
7
R471 Shannon Sixmilebridge 7
2.2km
Bunratty 6
6
Bunratty 6
5.2km
R462 Cratloe Sixmilebridge 5
5
R462 Cratloe Sixmilebridge 5
2.2km
R455 Galway Shannon (N19) 4
4
R455 Limerick Caherdavin 4
€ Toll
3.0km
R527 Limerick (West) Caherdavin 3
3
N18 Limerick Caherdavin 3
Tunnel
2.3km
N69 Listowel Limerick 2
2
N69 Listowel Limerick 2
3.4km
N18
M20 M7 Cork Tralee (N21) 1
1/30
M20 M7 Cork Tralee (N21) Roxborough 1
M7
South

Motorway Schemata
Scéimrí Mótarbhealach

M20
M7 Junction 30/1 to Tralee

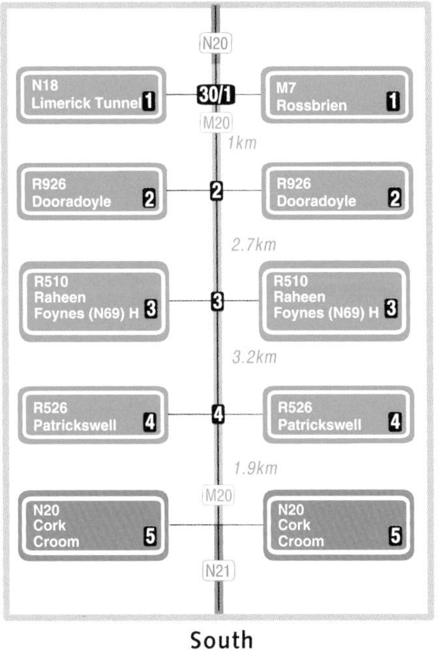

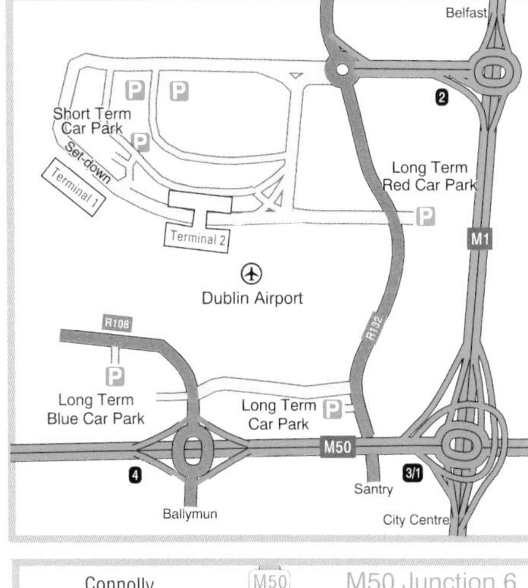

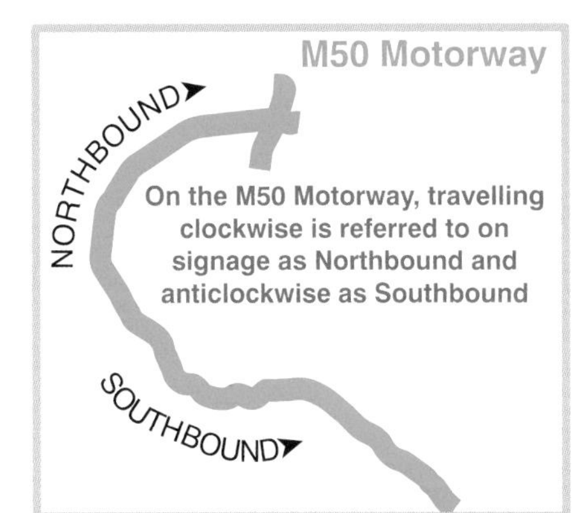

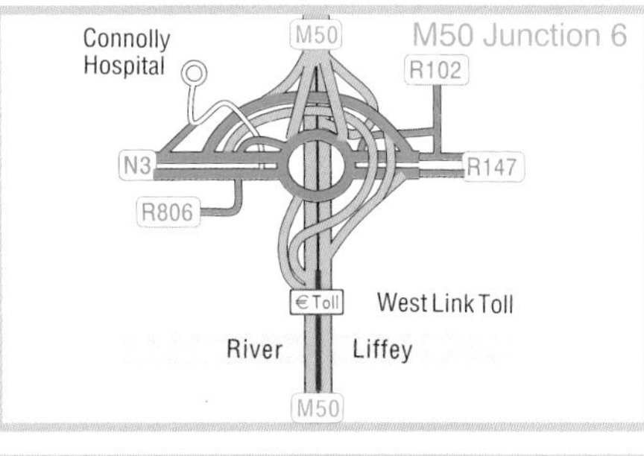

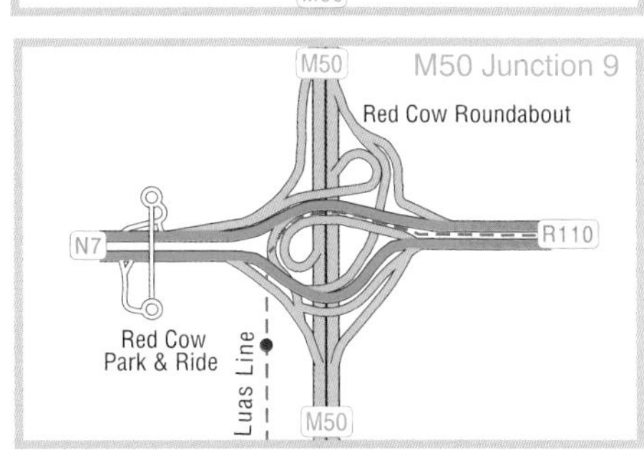

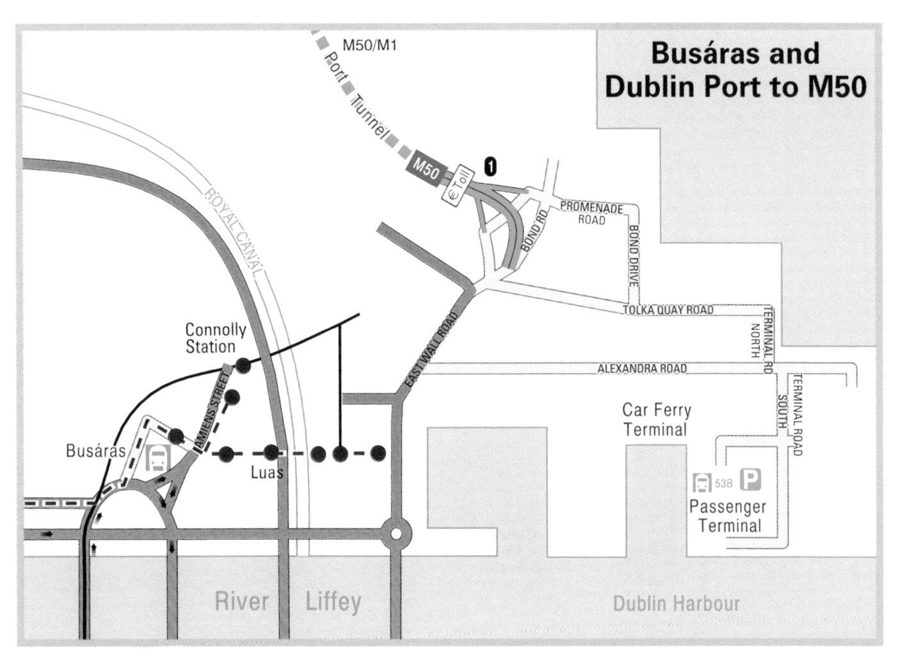

M50
Dublin Port to Bray

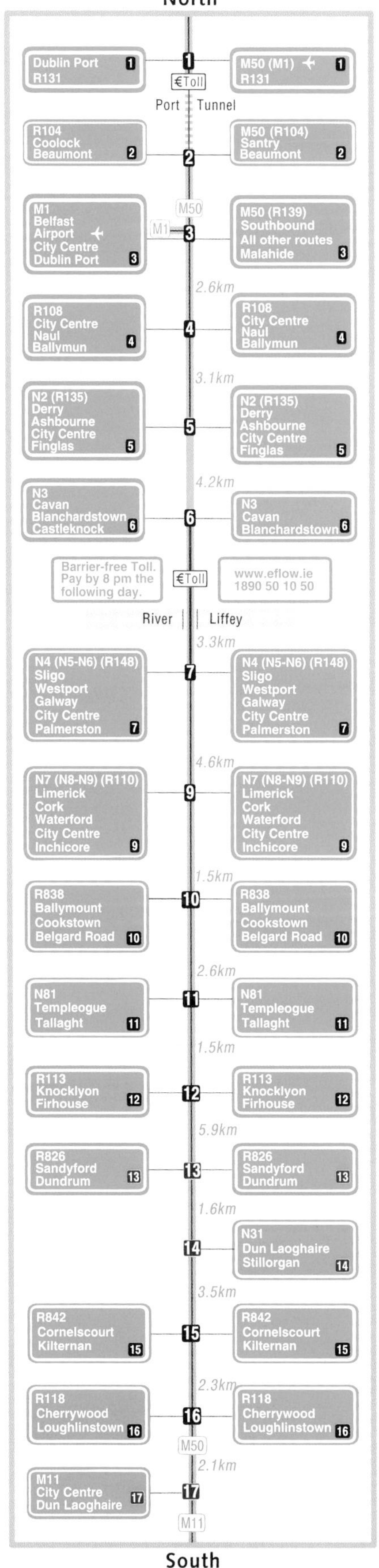

Motorway Schemata
Scéimrí Mótarbhealach

M1 Belfast to Dungannon

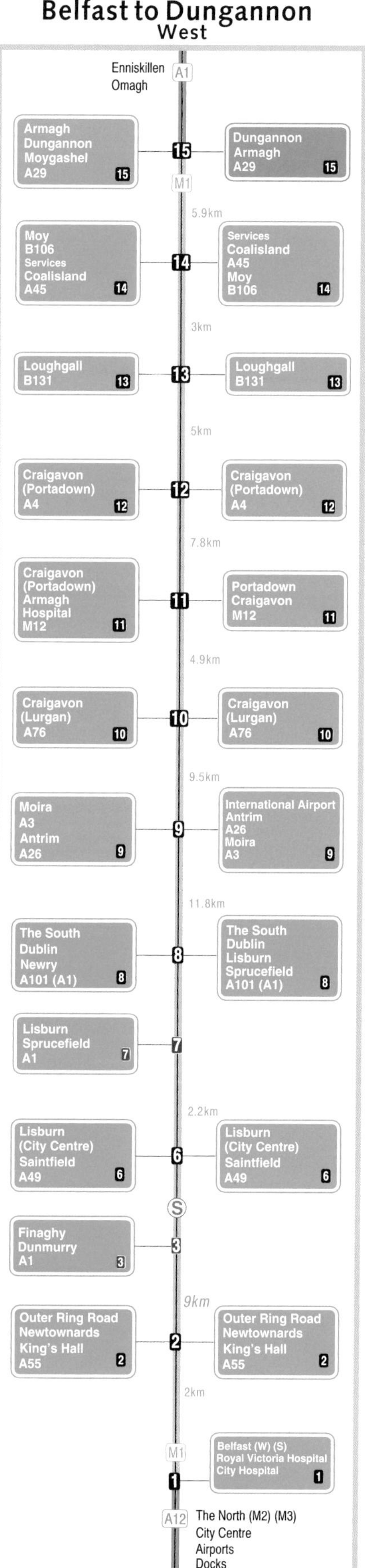

M2, M22 Belfast to Randalstown

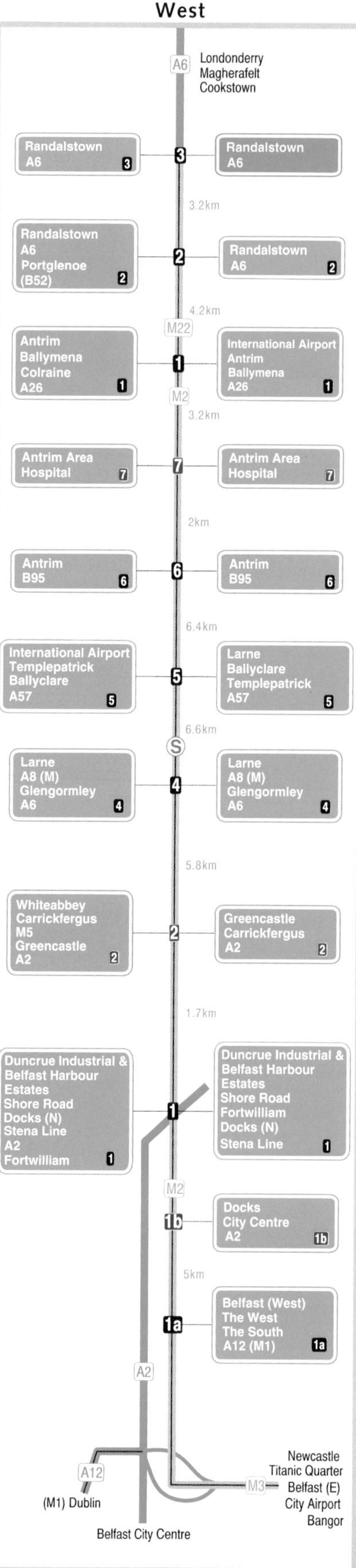

M2 Ballymena Bypass

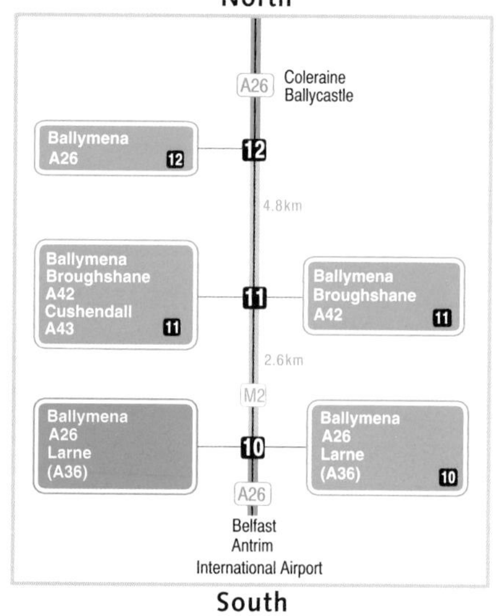

The Motorway schemata show the major motorway routes and junctions for Ireland.

These schemata are for route planning only indicating junction numbers.

The schemata are not to scale and therefore do not indicate the length of the road.

Key to Motorway Schemata

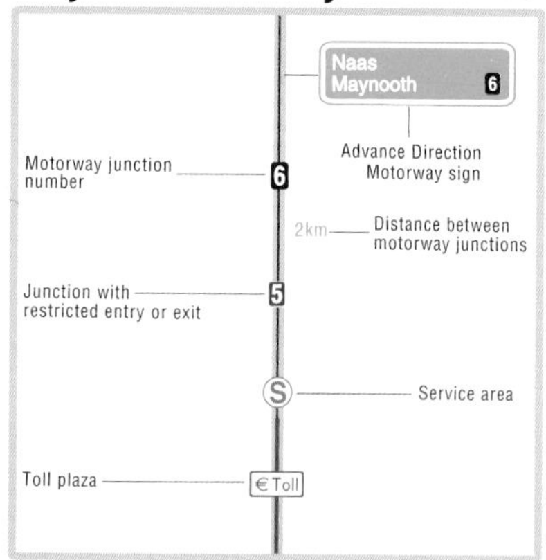

Legend to National Maps
Eochair Eolais do na Léarscáileanna Náisiúnta

	Gaeilge	English	Français	Deutsch
1 M 1 S Service € Toll	Mótarbhealach (Uimhreacha ceangail)	Motorway (Junction number)	Autoroute (Numero de l'échangeur)	Schnellstraße (Nummer der Anschlussstelle)
N 11 / A 11	Bóthar príomha náisiúnta	National Primary Road	Route nationale principale	Nationalstraße erster Ordnung
N 71	Bóthar tánaisteach náisiúnta	National Secondary Road	Route nationale secondaire	Nationalstraße zweiter Ordnung
	Bóthar á dhéanamh	Road under construction	Route en construction	Straße im Bau
R 574 / B 202	Bóthar Réigiúnach	Regional Road	Route Régionale	Landstraße
	Bóthar den triú grád	Third Class Road	Route de troisieme classe	Straße dritter Ordnung
7	Achair bhóthair (I gciliméadair)	Road Distances (in kilometres)	Distances routières (en kilomètres)	Entfernung (in Straßenkilometern)
R 574	Slí an Atlantaigh Fhiáin	Wild Atlantic Way	Routes Cotières	Touristische Küstenroute
N 11	Limistéir Lorgaireachta Luais	Speed Detection Zones	Zones de détection de vitesse	Geschwindigkeitsmessungs zone

In Northern Ireland roads are designated by the letter A, B or M.

In the Republic of Ireland roads are designated by the letter N, R or M.

The representation on these maps of a Road, Track or Path is no evidence of a right of way.

	Gaeilge	English	Français	Deutsch
	Láithreán (idrthurais carbhán)	Caravan site (transit)	Terrain de camping (pour caravanes)	Campingplatz für Wohnwagen
	Láithreán campála	Camping site	Terrain de camping	Campingplatz
	Brú de chuid (An Óige)	Youth Hostel (An Óige)	Auberge de Jeunesse (An Óige)	Jugendherberge (An Óige)
	Brú saoire Neamhspleách	Independent Holiday Hostel	Auberge de vacances Internationale	Unterknuftsmöglichkeit
P	Ionad pairceála	Parking	Parking	Parkplatz
	Láithreán picnicí	Picnic site	Aire de Pique-nique	Picknickplatz
	Ionad dearctha	Viewpoint	Point de vue	Aussichtspunkt
i / i Northern Ireland	Ionad eolais turasóireachta (ar oscailt ar feadh na bliana)	Tourist Information (regular opening)	Information Touristique (ouverture régulière)	Touristeninformation (regeimäßig geöffnet)
i / i Northern Ireland	(ar oscailt le linn an tséasúir)	(restricted opening)	(ouverture limitée)	(beschränkte Öffnungszeiten)
	Pointí radhairc Shlí an Atlantaigh Fhiáin	Wild Atlantic Way Discovery Point	Point de découverte	Sehenswerter Ort
	Pointí sár-radhairc Shlí an Atlantaigh Fhiáin	Signature Discovery Point	Signature point de découverte	Unvergesslicher Ort
	Tearmann Dúlra	Nature Reserve	Réserve naturelle	Natureschutzgebiet
A T Republic of Ireland	An Taisce ar oscailtar feadh na bliana	An Taisce always open	Propriété du An Taisce ouverte toute l'année	An Taisce Immer geöffnet
N T Northern Ireland	National Trust ar oscailtar feadh na bliana	National Trust always open	Propriété du National Trust ouverte toute l'année	National Trust Immer geöffnet
N T Northern Ireland	National Trust ar oscailt le linn an tséasúir	National Trust opening restricted	Propriété du National Trust ouverte en saison	National Trust nur während der saison geöffnet

	Gaeilge	English	Français	Deutsch
	An Ghaeltacht	Irish-speaking area	Zone gaélicophone	Landesregion, in der Irisch gesprochen wird
	Cathair/Baile mór	City/large town	Grande ville/ville	Großstadt/Stadt
	Baile eile	Other towns	Autres villes	Andere Städte
	Aerfort	Airport	Aéroport	Flughafen

	Gaeilge	English	Français	Deutsch
	Aerphàirc	Airfield	Aerodrome	Flugzeuglandeplatz
	Galfchúrsa, machaire gailf	Golf Course or Links	Terrain de Golf	Golfplatz oder Golfbahnen
	Ardeaglais	Cathedral	Cathédrale	Kathedrale
	Muileann gaoithe	Windmill	Moulin à vent	Windmühle
	Stáisiún cumhachta (uisce)	Power Station (Hydro)	Centrale électrique (hydraulique)	Kraftwerk (Wasser)
	Stáisiún cumhachta (breosla iontaiseach)	Power Station (Fossil)	Centrale électrique (fossile)	Kraftwerk (fossile Brennstoffe)
CH •	Séadchomhartha Ainmnithe	Named Antiquities	Monuments mentionnes	Namentlich aufgeführte altetümer
(1798)	Láthair Chatha (le dáta)	Battlefield (with date)	Champ de bataille (avec date)	Schlachtfeld (datiert)
▪	Ionad eile spéisiúla	Other Place of interest	Autre cuiosité Sonstige	Sehenswüdigkeit
	Ráschúrsa	Race Course	Hippodrome	Rennplatz
	Traein turasóireachta	Tourist train	Train Touristique	Touristeneisenbahn
	Loch	Lake	Lac	See
	Canáil, canáil (thirim)	Canal, Canal (dry)	Canal, Canal à sec	Kanal, Kanalbecken (trocken)
	Abhainn nó sruthán	River or Stream	Rivière ou Ruisseau	Fluß oder Bach
	Teach Solais in úsáid/as úsáid	Lighthouse in use/disuse	Phare que fonctionne/désaffecté	Leuchtturm benutzt/unbenutzt
	Line bharr láin	High Water Mark	Marque des hautes eaux	Hochwasserstand
shingle, mud, sand or loose rock	Line lag trá	Low Water Mark	Marque des basses eaux	Niedrigwasserstand
	Cuan/Cladach	Marina/Mooring	Marina/Amarrage	Marina/Verankern
	Trá (Bratach Gorm 2017)	Beach (Blue Flag 2017)	Plage (Drapeau blue 2017)	Strand (Blaue Markierungsfahne 2017)
Ferry V	Bád fartha (feithiclí)	Ferry (Vehicle)	Bac (Véhicules)	Fähre (Fahrzeuge)
Ferry P	Bád fartha (paisinéirí)	Ferry (Passenger)	Bac (Passager)	Fähre (Passagiere)

	Gaeilge	English	Français	Deutsch
Disused Railway	Iarnróid	Railways	Chemins de fer	Bahnlinie
	Staisiún traenach	Station	Gare	Bahnhof
	Tollán	Tunnel	Tunnel	Tunnel
LC	Crosaire comhréidh	Level Crossing	Passage à niveau	Bahnübergang

	Gaeilge	English	Français	Deutsch
	Teorainn idirnáisiúnta	International Boundary	Frontières internationales	Landergrenze
	Teorainn chontae	County boundary	Limite du Comté	Grafschaftsgrenze
	Páirc Náisiúnta	National Park	Parc National	Nationaler Park

	Gaeilge	English	Français	Deutsch
	Relif	Relief	Relief	Relief
	>550m	250-550m	150-250m	0-150m
△ 647	Cuaille triantánachta	Triangulation Pillar	Pilier de Triangulation	Trigometrische Säule
123•	Spota airde	Spot Height	Point Cuminant	Höhenpunkt

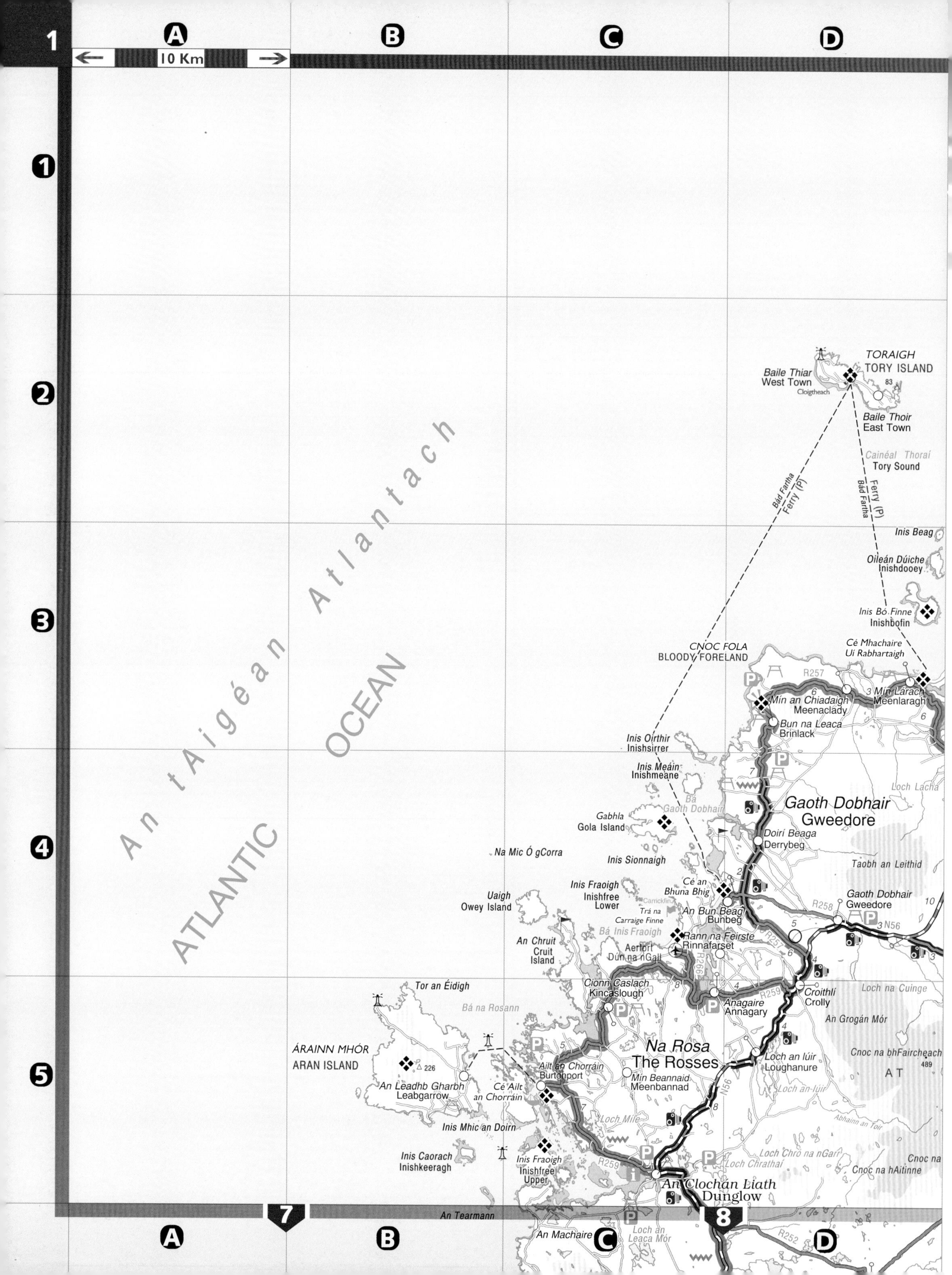
A
B
C
D
10 Km
1
2
3
4
5
An tAigéan Atlantach
ATLANTIC OCEAN
TORAIGH
TORY ISLAND
Baile Thiar
West Town
Cloigtheach
83
Baile Thoir
East Town
Cainéal Thoraí
Tory Sound
Bád Fartha
Ferry (P)
Inis Beag
Oileán Dúiche
Inishdooey
Inis Bó Finne
Inishbofin
Cé Mhachaire
Uí Rabhartaigh
CNOC FOLA
BLOODY FORELAND
R257
Mín an Chiadaigh
Meenaclady
Mín Lárach
Meenlaragh
Bun na Leaca
Brinlack
Inis Oirthir
Inishsirrer
Inis Meáin
Inishmeane
Loch Lacha
Bá Gaoth Dobhair
Gaoth Dobhair
Gweedore
Gabhla
Gola Island
Doirí Beaga
Derrybeg
Na Mic Ó gCorra
Inis Sionnaigh
Taobh an Leithid
Inis Fraoigh
Inishfree
Lower
Cé an
Bhuna Bhig
Gaoth Dobhair
Gweedore
R258
N56
Uaigh
Owey Island
Carrickfin
Trá na
Carraige Finne
An Bun Beag
Bunbeg
Bá Inis Fraoigh
Rann na Feirste
Rinnafarset
An Chruit
Cruit
Island
Aerfort
Dún na nGall
R266
Cionn Caslach
Kincaslough
Anagaire
Annagary
R259
Croithlí
Crolly
Loch na Cuinge
Tor an Éidigh
Bá na Rosann
An Grogán Mór
ÁRAINN MHÓR
ARAN ISLAND
226
Na Rosa
The Rosses
Loch an Iúir
Loughanure
Cnoc na bhFairsceach
489
AT
Ailt an Chorráin
Burtonport
Mín Beannaid
Meenbannad
An Leadhb Gharbh
Leabgarrow
Cé Ailt
an Chorráin
Loch an Iúir
Inis Mhic an Doirn
Loch Mhíle
Abhainn an Toir
Inis Caorach
Inishkeeragh
Inis Fraoigh
Inishfree
Upper
R259
Loch Chró na nGarr
Loch Chrathaí
Cnoc na
Cnoc na hAitinne
An Clochán Liath
Dunglow
An Tearmann
7
8
An Machaire
Loch an
Leaca Mór
R252

E
F
G
H
10 Km
1
2
3
4
5
Tullagh
Dunaff Head
Cionn Dhún Damh
CIONN FHÁNADA
FANAD HEAD
Bá Bhaile Uí Thiarnáin
Ballyhiernan Bay
Pointe na Rinne Móire
Pointe an Chamais
Machaire Dromann
Dumhaigh Bhig
Doagh Beg
Lenan Head
Gap of Mamore
Loch Chionn Droma
An Caiseal
Cashel Glebe
Ros Goill
HORN HEAD
CORRÁN BINNE
Pointe Rinn na Fachla
SHEEP HAVEN
CUAN NA gCAORACH
Ros Goill
Rosguill
FÁNAID
FANAD
Cnoc na Boirne
Portsalon
Port an tSalainn
Dunree Fort
Tawny
An Tamhnaigh
Ballymacstocker Bay
Dunree Head
Oileán an Bhráighe
Na Dúnaibh
Downies
Milltown
Baile an Mhuilinn
Rosnakill
Ros na Cille
DUNFANAGHY
Dún Fionnachaidh
Portnablaghy
Port na Bláiche
Rosapenna
Ballymacstocker Strand
Trá Thobar Glasáin
Toperglassan Bay
Marble Hill
Carraig Airt
Carrickart
The Workhouse
Ballymore
An Baile Mór
Ards Forest Park
Broad Water
Knockalla Mountain
Gleann Bhaire
Glenvar
LOUGH SWILLY
Loch Súilí
Bá Bhaile an Easa
Doe Castle
Cranford
Creamhgort
An Fál Carrach
Falcarragh
Carrowkeel
An Cheathrú Chaol
Lurganboy
Creeslough
Doe Castle View
Glen
An Gleann
L. Natooey
Gort an Choirce
Gortahork
An Craoslach
Glen L.
Loch an Ghleanna
Woodquarter Forest
Lough Nacreaght
Crockanaffrin
Ferry
An Mhucais
L. Donnell
RATHMULLAN
Ráth Maoláin
Rathmullan Wood
Lisfannon Beach
MILLFORD
Baile na nGallóglach
Cloich Chionnaola
Cloghaneely
DONEGAL
Dún na nGall
Greenan L.
Loughsalt Mountain
Lough Salt
Agannive L.
Ray
An Ráith
Inch Island
Sliabh Srath Greadaithe
Keel
Whale Head
An Eachla Mhór
Loch Alltáin
An Tearmann
Termon
Drummonaghan Forest
L. Fern
An Earagail
Errigal Mtn
Beagh
Glenveagh Castle
Loch Ghleann Bheatha
Kilmacrenan
Cill Mhic Réanáin
RATHMELTON
Ráth Mealtain
Sléibhte Dhoire Bheatha
DERRYVEAGH MOUNTAINS
Páirc Náisiúnta Ghleann Bheatha
Glenveagh National Park
Muine Mór
Dún Lúiche
Inshagh
Coolboy
An Cúl Buí
Leahanmore
Glebe House and Gallery
Treantagh
Na Treantachta
Newtown
Gartan Lough
Loch Gartáin
Church Hill
Mín an Lábáin
Ellistrin
Eileastran
Sliabh Sneachta
Churchill Forest
Manorcunningham View
Gleann Domhain
Glendowan
Searrach
Loch Beara
LETTERKENNY
Leitir Ceanainn
Manorcunningham
Mainéar Uí Chuinneagáin
Sléibhte Ghleann Domhain
GLENDOWAN MOUNTAINS
Binn tSúilí
Rashedoge
Church
Pluck
Drumoghill
Dooish Mtn
An Dubhais
Swilly
Newmills
Newmills Corn and Flax Mills
Knockbrack
Cronamuck
Baile Sui
8
9
N56
N13
N14
R245
R246
R247
R248
R249
R250
R251
R254
R255
R256
R268
752
662
652
678
494
337
336
363
344
278
227
252
222
255

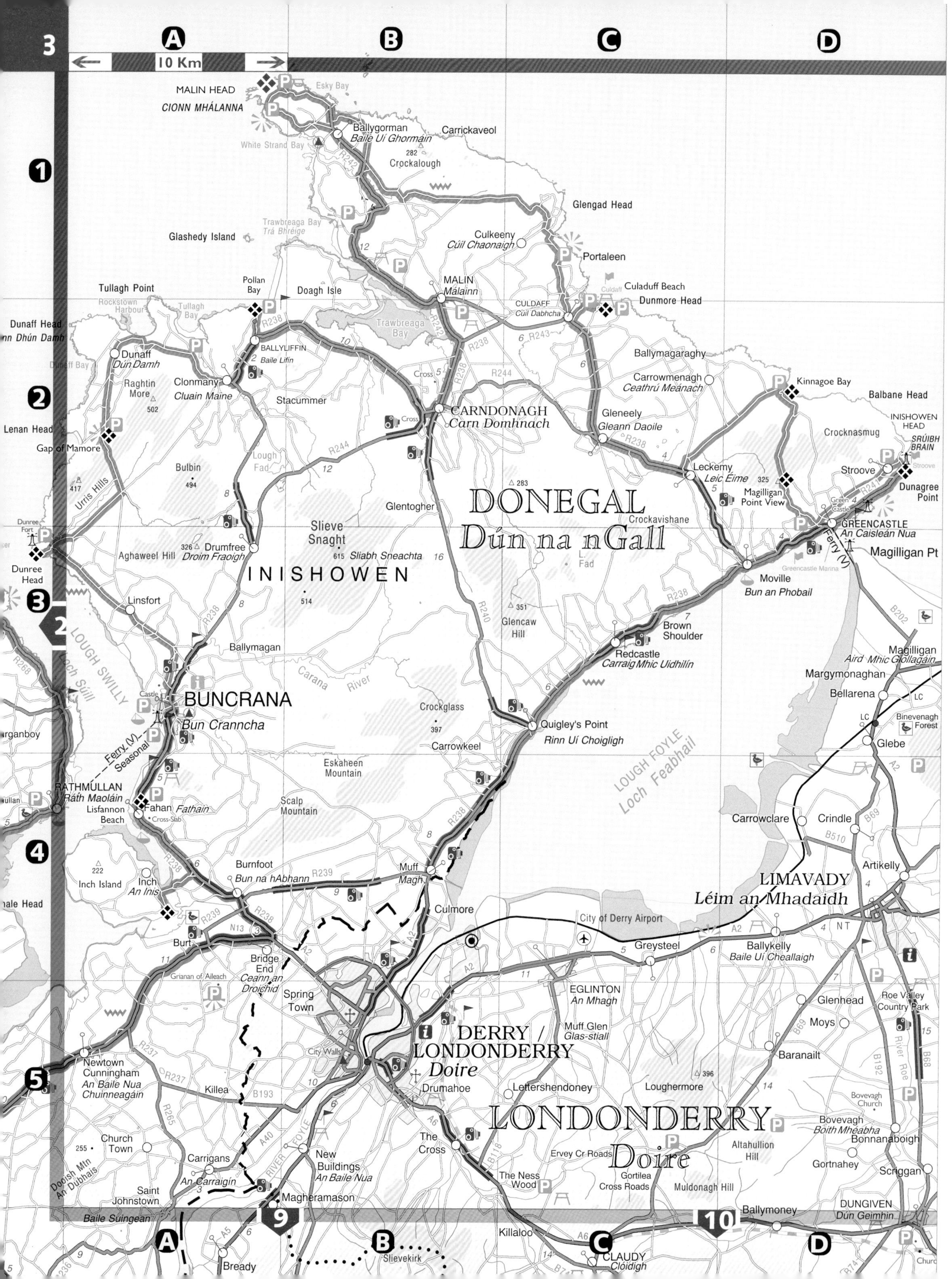
3
A
B
C
D
10 Km
1
2
3
4
5
MALIN HEAD
CIONN MHÁLANNA
Esky Bay
Ballygorman
Baile Uí Ghormáin
Carrickaveol
White Strand Bay
282
Crockalough
Glengad Head
Trawbreaga Bay
Trá Bhréige
Glashedy Island
Culkeeny
Cúil Chaonaigh
Portaleen
MALIN
Málainn
Culdaff Beach
Dunmore Head
CULDAFF
Cúil Dabhcha
Tullagh Point
Rockstown Harbour
Tullagh Bay
Pollan Bay
Doagh Isle
Trawbreaga Bay
Dunaff Head
Dunaff
Dún Damh
BALLYLIFFIN
Baile Lifín
Ballymagaraghy
Carrowmenagh
Ceathrú Meánach
Kinnagoe Bay
Balbane Head
Raghtin More
502
Clonmany
Cluain Maine
Stacummer
Cross
CARNDONAGH
Carn Domhnach
Gleneely
Gleann Daoile
INISHOWEN HEAD
SRÚIBH BRAIN
Lenan Head
Gap of Mamore
Lough Fad
Bulbin
494
Crocknasmug
Leckemy
Leic Éime
325
Magilligan Point View
Stroove
Dunagree Point
417
Urris Hills
283
Glentogher
DONEGAL
Dún na nGall
Crockavishane
GREENCASTLE
An Caisleán Nua
Dunree Fort
Slieve Snaght
615 Sliabh Sneachta
326
Aghaweel Hill
Drumfree
Droim Fraoigh
L. Fad
Ferry (V)
Magilligan Pt
Greencastle Marina
Dunree Head
INISHOWEN
514
Moville
Bun an Phobail
Linsfort
351
Glencaw Hill
Brown Shoulder
LOUGH SWILLY
Loch Súilí
Ballymagan
Redcastle
Carraig Mhic Uidhilín
Magilligan
Aird Mhic Giollagáin
Margymonaghan
Bellarena
Carana River
Castle
BUNCRANA
Bun Cranncha
Crockglass
397
Quigley's Point
Rinn Uí Choigligh
Binevenagh Forest
Glebe
rganboy
Ferry (V) Seasonal
Carrowkeel
LOUGH FOYLE
Loch Feabhail
Eskaheen Mountain
RATHMULLAN
Ráth Maoláin
Lisfannon Beach
Fahan
Fathain
Cross-Slab
Scalp Mountain
Carrowclare
Crindle
222
Inch Island
Inch
An Inis
Burnfoot
Bun na hAbhann
Muff
Magh
Artikelly
LIMAVADY
Léim an Mhadaidh
Culmore
City of Derry Airport
Burt
Greysteel
Ballykelly
Baile Uí Cheallaigh
Bridge End
Ceann an Droichid
Grianan of Aileach
Spring Town
EGLINTON
An Mhagh
Glenhead
Roe Valley Country Park
Muff Glen
Glas-stiall
DERRY / LONDONDERRY
Doire
Moys
City Walls
Newtown Cunningham
An Baile Nua Chuinneagáin
Killea
Drumahoe
Lettershendoney
396
Loughermore
Baranailt
River Roe
Bovevagh Church
LONDONDERRY
Doire
Bovevagh
Boith Mhéabha
Bonnanaboigh
255
Church Town
Dooish Mtn
An Dubhais
Carrigans
An Carraigín
RIVER FOYLE
New Buildings
An Baile Nua
The Cross
Ervey Cr Roads
Altahullion Hill
Gortnahey
The Ness Wood
Gortilea Cross Roads
Muldonagh Hill
Scriggan
Saint Johnstown
Magheramason
Baile Suingean
Ballymoney
DUNGIVEN
Dún Geimhin
9
10
Killaloo
Bready
Slievekirk
CLAUDY
Clóidigh

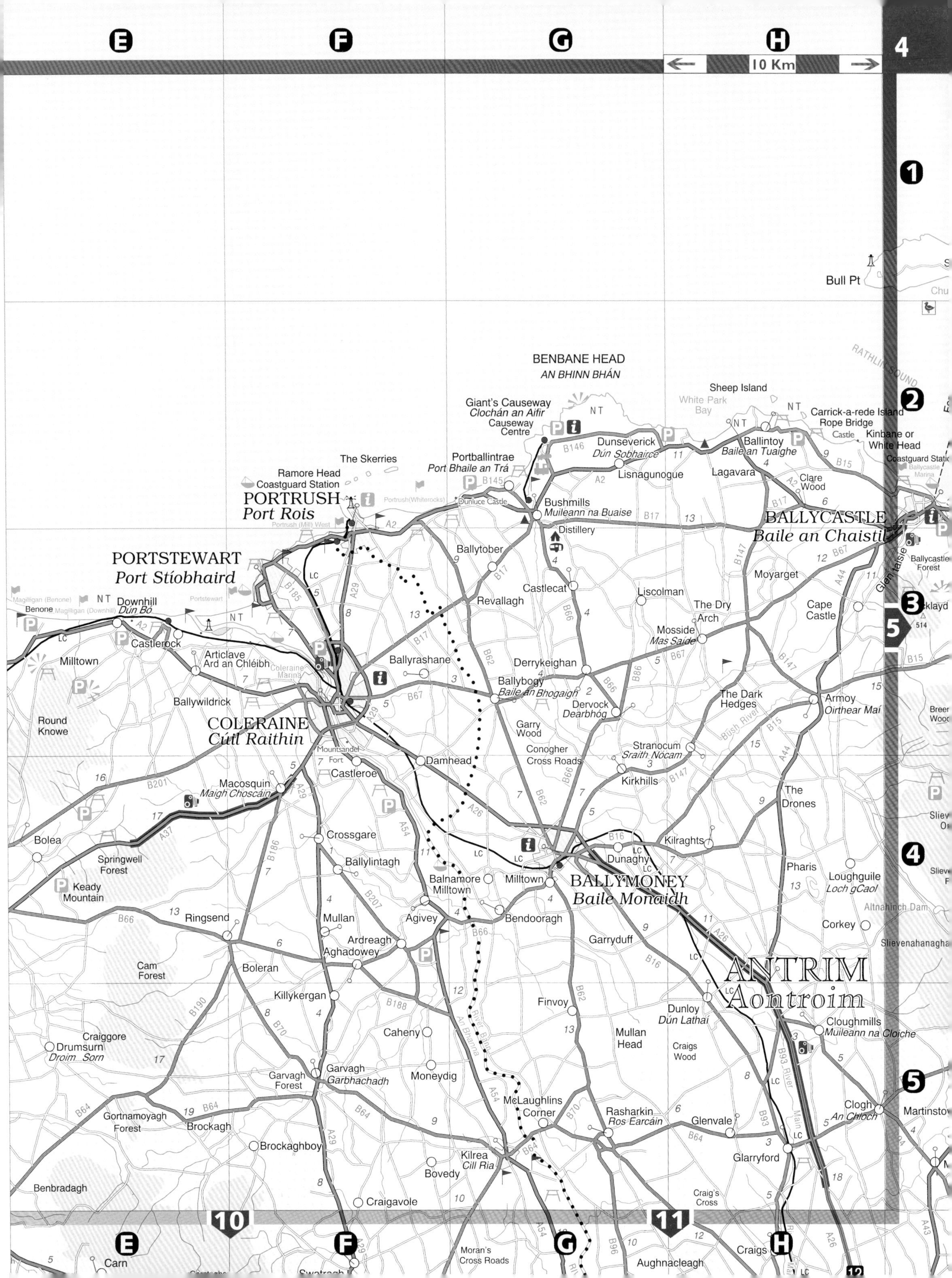

E
F
G
H
10 Km
1
2
3
4
5
Bull Pt
RATHLIN SOUND
BENBANE HEAD
AN BHINN BHÁN
Sheep Island
White Park Bay
Giant's Causeway
Clochán an Aifir
Causeway Centre
Carrick-a-rede Island Rope Bridge
Kinbane or White Head
Coastguard Station
Dunseverick
Dún Sobhairce
Ballintoy
Baile an Tuaighe
The Skerries
Portballintrae
Port Bhaile an Trá
Lisnagunogue
Lagavara
Clare Wood
Ramore Head
Coastguard Station
PORTRUSH
Port Rois
Dunluce Castle
Bushmills
Muileann na Buaise
Distillery
BALLYCASTLE
Baile an Chaistil
Ballycastle Forest
PORTSTEWART
Port Stíobhaird
Ballytober
Castlecat
Moyarget
Downhill
Dún Bó
Benone
Revallagh
Liscolman
The Dry Arch
Cape Castle
Milltown
Castlerock
Articlave
Ard an Chléibh
Mosside
Mas Saide
Ballyrashane
Derrykeighan
Ballybogy
Baile an Bhogaigh
Dervock
Dearbhóg
The Dark Hedges
Armoy
Oirthear Maí
Ballywildrick
Round Knowe
COLERAINE
Cúil Raithin
Garry Wood
Conogher Cross Roads
Stranocum
Sraith Nocam
Mountsandel Fort
Castleroe
Damhead
Kirkhills
The Drones
Macosquin
Maigh Choscáin
Bolea
Crossgare
Kilraghts
Springwell Forest
Ballylintagh
Dunaghy
Pharis
Keady Mountain
Balnamore Milltown
Milltown
BALLYMONEY
Baile Monaidh
Loughguile
Loch gCaol
Ringsend
Mullan
Agivey
Bendooragh
Corkey
Ardreagh
Aghadowey
Garryduff
Cam Forest
Boleran
ANTRIM
Aontroim
Killykergan
Finvoy
Dunloy
Dún Lathaí
Cloughmills
Muileann na Cloiche
Craiggore
Drumsurn
Droim Sorn
Caheny
Mullan Head
Craigs Wood
Garvagh Forest
Garvagh
Garbhachadh
Moneydig
Gortnamoyagh Forest
Brockagh
McLaughlins Corner
Rasharkin
Ros Earcáin
Glenvale
Clogh
An Chloch
Martinstown
Brockaghboy
Kilrea
Cill Ria
Bovedy
Glarryford
Benbradagh
Craigavole
Craig's Cross
River Bann
An Bhanna
Bush River
Moran's Cross Roads
Aughnacleagh
Craigs
Carn
Swatragh
10
11
12

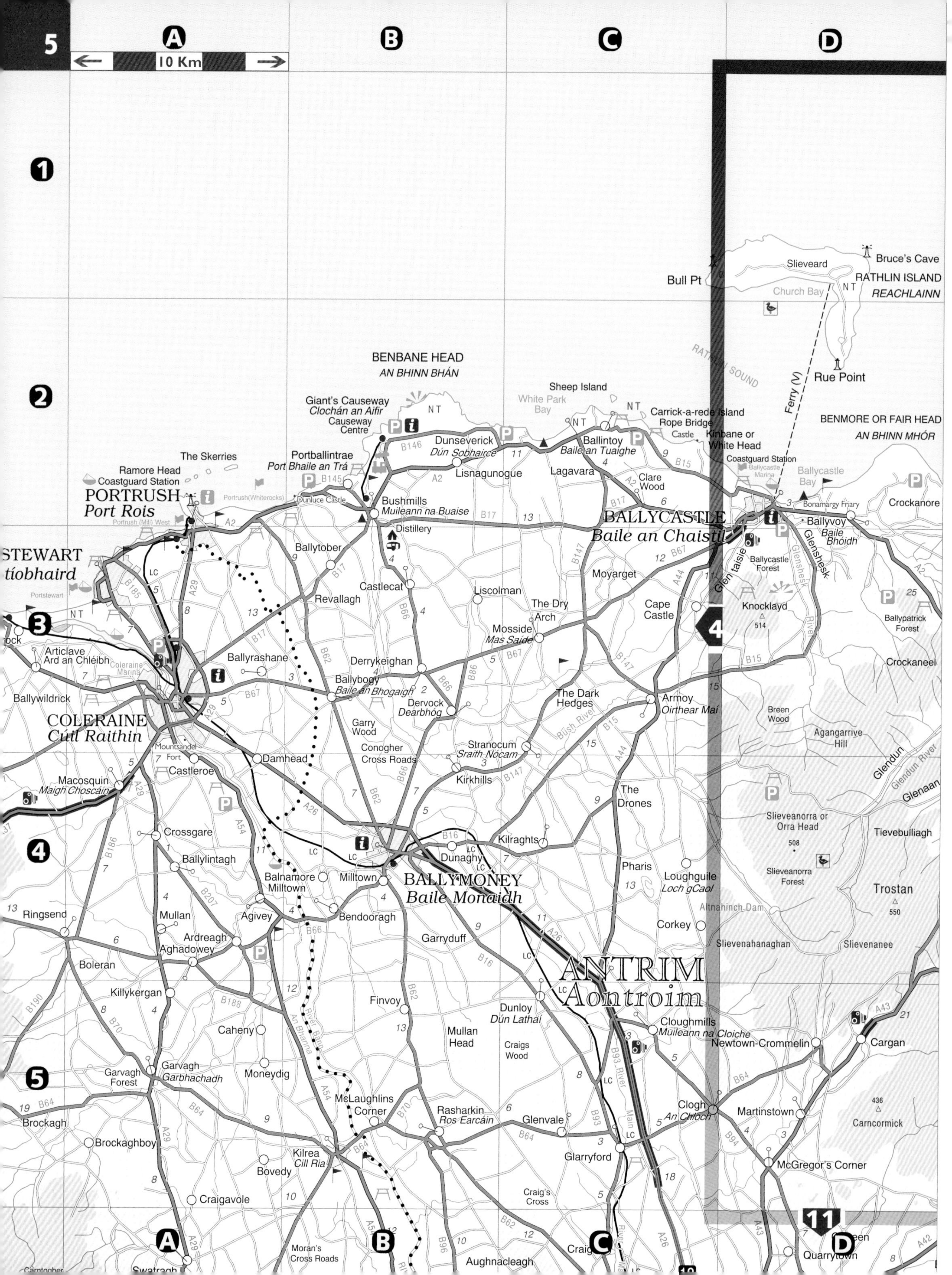
10 Km
RATHLIN ISLAND
REACHLAINN
Bruce's Cave
Slieveard
Bull Pt
Church Bay
Rue Point
RATHLIN SOUND
Ferry (V)
BENMORE OR FAIR HEAD
AN BHINN MHÓR
BENBANE HEAD
AN BHINN BHÁN
Sheep Island
White Park Bay
Carrick-a-rede Island Rope Bridge
Kinbane or White Head
Coastguard Station
Ballycastle Bay
Giant's Causeway
Clochán an Aifir
Causeway Centre
Dunseverick
Dún Sobhairce
Ballintoy
Baile an Tuaighe
Lagavara
Clare Wood
Portballintrae
Port Bhaile an Trá
Lisnagunogue
The Skerries
Ramore Head
Coastguard Station
PORTRUSH
Port Rois
Dunluce Castle
Bushmills
Muileann na Buaise
Distillery
BALLYCASTLE
Baile an Chaistil
Bonamargy Friary
Ballyvoy
Baile Bhóidh
Crockanore
Glenshesk
Glentaisie
Ballycastle Forest
Knocklayd
Ballypatrick Forest
Crockaneel
STEWART
tíobhaird
Portstewart
Ballytober
Castlecat
Moyarget
Liscolman
Revallagh
The Dry Arch
Cape Castle
Mosside
Mas Saide
Articlave
Ard an Chléibh
Ballyrashane
Derrykeighan
Ballybogy
Baile an Bhogaigh
Dervock
Dearbhóg
The Dark Hedges
Armoy
Oirthear Maí
Breen Wood
Agangarrive Hill
Ballywildrick
COLERAINE
Cúil Raithin
Garry Wood
Conogher Cross Roads
Stranocum
Sraith Nocam
Kirkhills
Castleroe
Damhead
Mountsandel Fort
Macosquin
Maigh Choscáin
Glendun
Glenaan
The Drones
Slieveanorra or Orra Head
Tievebulliagh
Crossgare
Kilraghts
Dunaghy
Ballylintagh
Balnamore Milltown
Milltown
BALLYMONEY
Baile Monaidh
Pharis
Loughguile
Loch gCaol
Slieveanorra Forest
Trostan
Ringsend
Mullan
Agivey
Bendooragh
Altnahinch Dam
Corkey
Ardreagh
Aghadowey
Garryduff
Slievenahanaghan
Slievenanee
Boleran
ANTRIM
Aontroim
Killykergan
Finvoy
Dunloy
Dún Lathaí
Caheny
Mullan Head
Craigs Wood
Cloughmills
Muileann na Cloiche
Newtown-Crommelin
Cargan
Garvagh Forest
Garvagh
Garbhachadh
Moneydig
River Bann
An Bhanna
Brockagh
McLaughlins Corner
Rasharkin
Ros Earcáin
Glenvale
Clogh
An Chloch
Martinstown
Carncormick
Brockaghboy
Kilrea
Cill Ria
Bovedy
Glarryford
McGregor's Corner
Craigavole
Craig's Cross
Moran's Cross Roads
Aughnacleagh
Quarrytown
Swatragh
Carntogher
Main River
Bush River
Glendun River
A
B
C
D
1
2
3
4
5
4
11

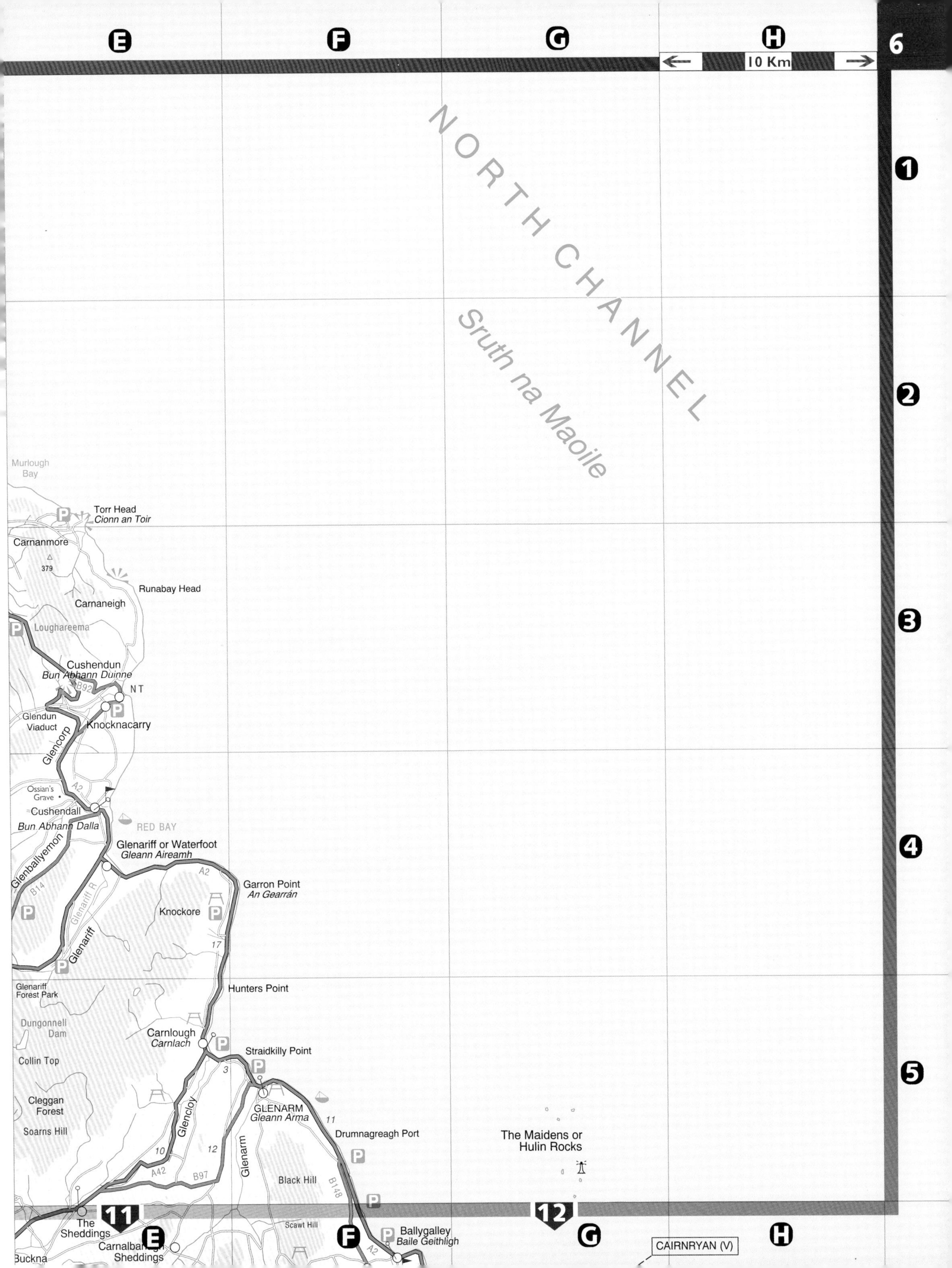
E
F
G
H
10 Km
NORTH CHANNEL
Sruth na Maoile
1
2
3
4
5
Murlough Bay
Torr Head
Cionn an Toir
Carnanmore
379
Runabay Head
Carnaneigh
Loughareema
Cushendun
Bun Abhann Duinne
B92
NT
Glendun Viaduct
Knocknacarry
Glencorp
A2
Ossian's Grave
Cushendall
Bun Abhann Dalla
RED BAY
Glenariff or Waterfoot
Gleann Aireamh
Glenballyemon
B14
Garron Point
An Gearrán
Glenariff R.
Knockore
17
Glenariff
Glenariff Forest Park
Hunters Point
Dungonnell Dam
Carnlough
Carnlach
Collin Top
Straidkilly Point
3
Cleggan Forest
Glencloy
GLENARM
Gleann Arma
11
Soarns Hill
Drumnagreagh Port
The Maidens or Hulin Rocks
10
12
Glenarm
A42
B97
Black Hill
B148
The Sheddings
11
12
Scawt Hill
Ballygalley
Baile Geithligh
Carnalbanagh Sheddings
Bucknа
CAIRNRYAN (V)
G
H

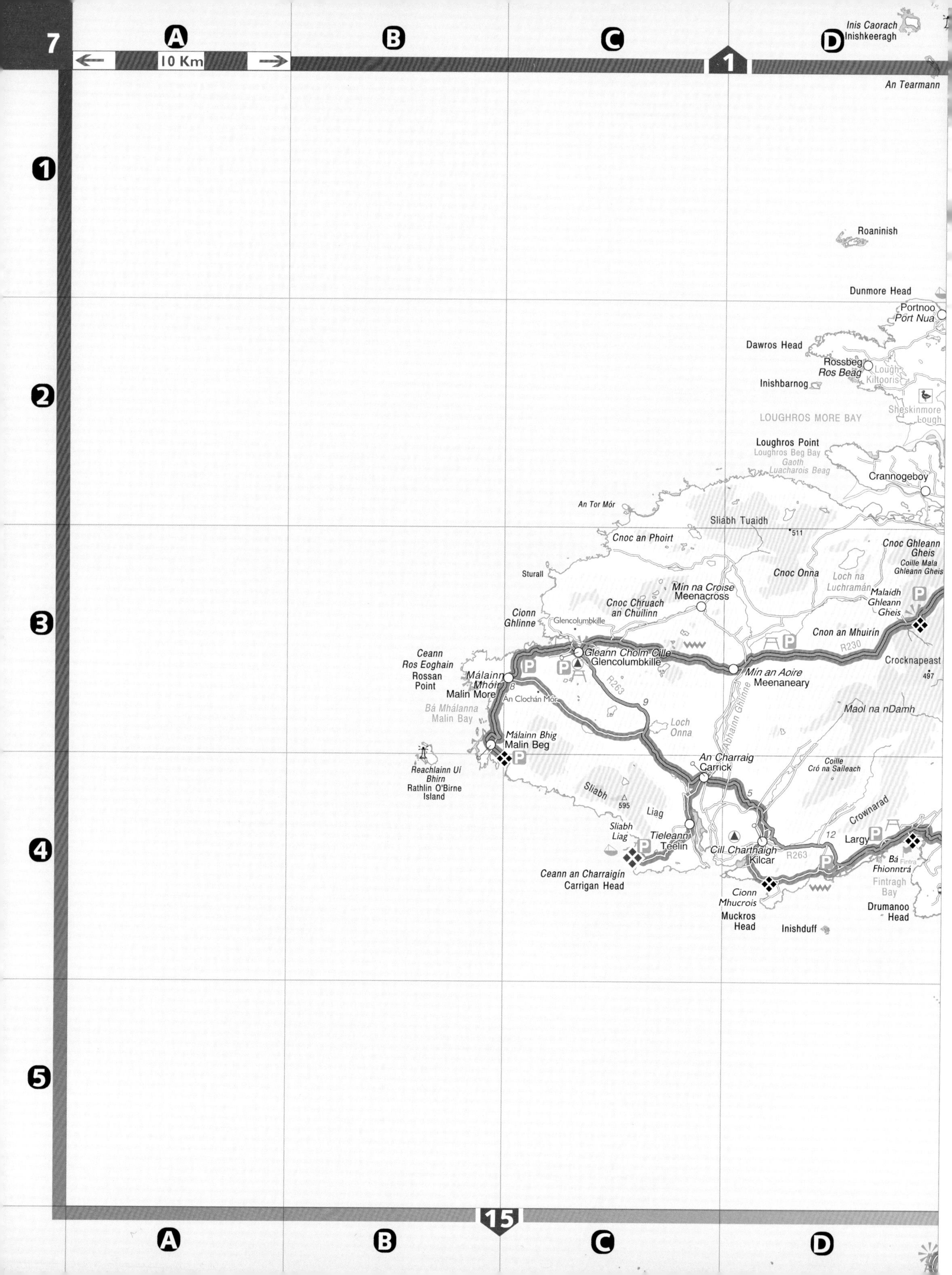
A
B
C
D
10 Km
1
Inis Caorach
Inishkeeragh
An Tearmann
Roaninish
Dunmore Head
Portnoo
Port Nua
Dawros Head
Rossbeg
Ros Beag
Lough Kiltooris
Inishbarnog
Sheskinmore Lough
LOUGHROS MORE BAY
Loughros Point
Loughros Beg Bay
Gaoth Luacharois Beag
Crannogeboy
An Tor Mór
Sliabh Tuaidh
511
Cnoc an Phoirt
Cnoc Ghleann Gheis
Coille Mala Ghleann Gheis
Cnoc Onna
Loch na Luchramán
Sturall
Mín na Croise
Meenacross
Cnoc Chruach an Chuilinn
Malaidh Ghleann Gheis
Cionn Ghlinne
Glencolumbkille
Cnon an Mhuirín
R230
Ceann Ros Eoghain
Rossan Point
Gleann Cholm Cille
Glencolumbkille
Crocknapeast
497
Málainn Mhóir
Malin More
Mín an Aoire
Meenaneary
R263
An Clochán Mór
9
Maol na nDamh
Bá Mhálanna
Malin Bay
Loch Onna
Abhainn Ghlinne
Málainn Bhig
Malin Beg
An Charraig
Carrick
Coille
Cró na Sailleach
Reachlainn Uí Bhirn
Rathlin O'Birne Island
Sliabh
595
Liag
5
Crownarad
Sliabh Liag
Tieleann
Teelin
Cill Charthaigh
Kilcar
12
Largy
R263
Bá Fhionntrá
Fintra
Fintragh Bay
Ceann an Charraigín
Carrigan Head
Cionn Mhucrois
Muckros Head
Drumanoo Head
Inishduff
1
2
3
4
5
15

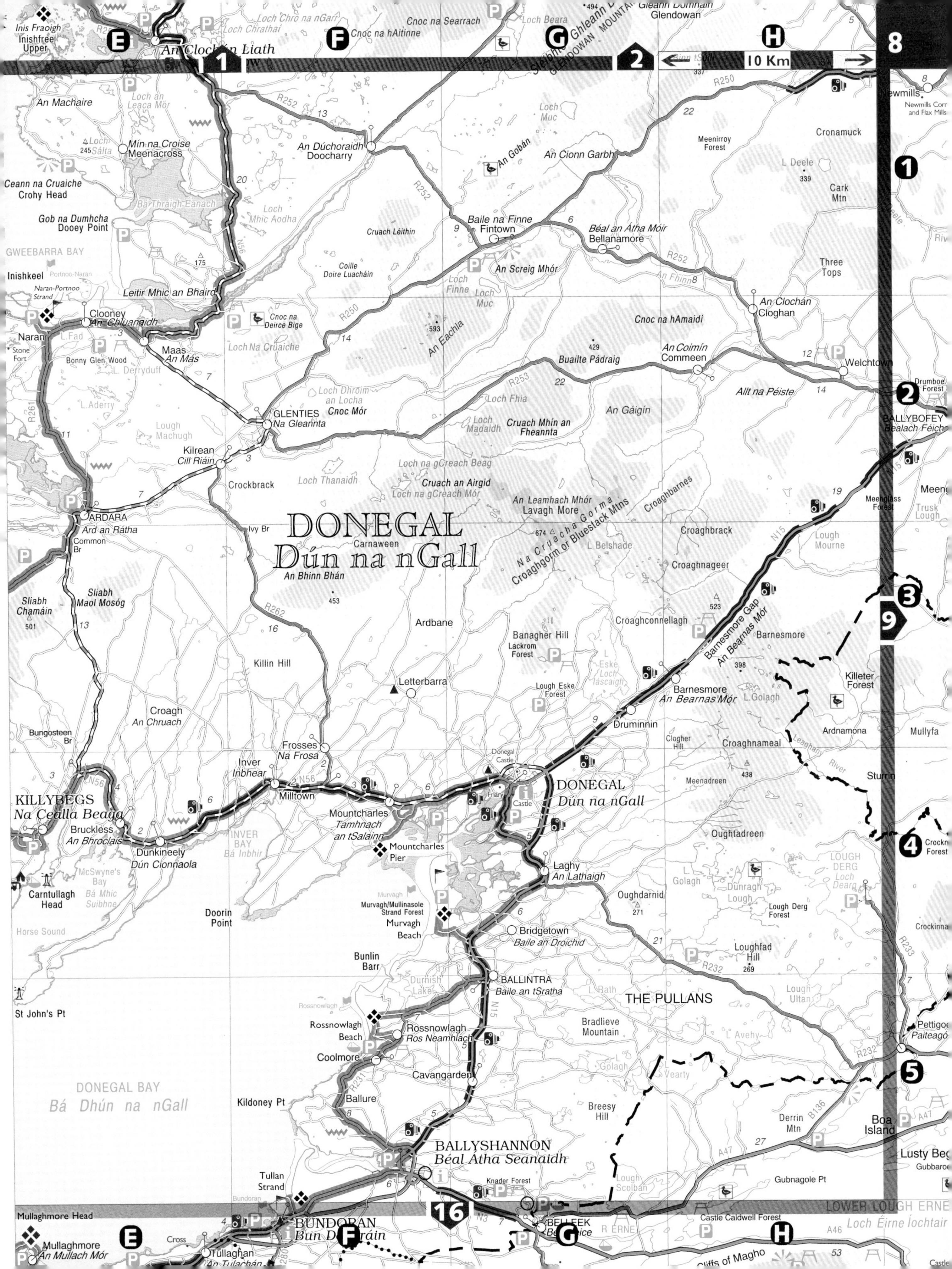

8
10 Km
DONEGAL
Dún na nGall
An Clochán Liath
An Dúchoraidh
Doocharry
Baile na Finne
Fintown
Béal an Átha Mór
Bellanamore
An Clochán
Cloghan
An Coimín
Commeen
Welchtown
BALLYBOFEY
Bealach Féich
GLENTIES
Na Gleannta
Kilrean
Cill Riáin
Crockbrack
ARDARA
Ard an Rátha
Maas
An Más
Clooney
An Chluanaidh
Naran
Leitir Mhic an Bhaird
Mín na Croise
Meenacross
An Machaire
Ceann na Cruaiche
Crohy Head
Gob na Dumhcha
Dooey Point
GWEEBARRA BAY
Inishkeel
Inis Fraoigh
Inishfree Upper
Cnoc na Searrach
Cnoc na hAitinne
Loch Beara
Glendowan
An Cionn Garbh
An Gobán
Cronamuck
Meenirroy Forest
Cark Mtn
Three Tops
Newmills
Cnoc na hAmaidí
Buailte Pádraig
Allt na Péiste
An Gáigín
Cruach Mhín an Fheannta
Cnoc Mór
An Eachla
Cruach Léithin
An Screig Mhór
Cruach an Airgid
An Leamhach Mhór
Lavagh More
Na Cruacha Gorma
Croaghgorm or Bluestack Mtns
Croaghbarnes
Croaghbrack
Croaghnageer
Croaghconnellagh
Barnesmore Gap
An Bearnas Mór
Barnesmore
Killeter Forest
Ardnamona
Mullyfa
Carnaween
An Bhinn Bhán
Ardbane
Banagher Hill
Lackrom Forest
Letterbarra
Killin Hill
Sliabh Chamáin
Sliabh Maol Mosóg
Croagh
An Chruach
Frosses
Na Frosa
Inver
Inbhear
Milltown
Mountcharles
Tamhnach an tSalainn
Mountcharles Pier
KILLYBEGS
Na Cealla Beaga
Bruckless
An Bhroclais
Dunkineely
Dún Cionnaola
Carntullagh Head
St John's Pt
Doorin Point
Murvagh Beach
Bunlin Barr
DONEGAL
Dún na nGall
Drumminnin
Barnesmore
An Bearnas Mór
Croaghnameal
Oughtadreen
Laghy
An Lathaigh
Oughdarnid
Bridgetown
Baile an Droichid
BALLINTRA
Baile an tSratha
THE PULLANS
Bradlieve Mountain
Rossnowlagh
Ros Neamhlach
Coolmore
Cavangarden
Ballure
Kildoney Pt
DONEGAL BAY
Bá Dhún na nGall
Breesy Hill
Derrin Mtn
Boa Island
Lusty Beg
BALLYSHANNON
Béal Átha Seanaidh
Tullan Strand
BUNDORAN
Bun Dobhráin
BELLEEK
Mullaghmore
An Mullach Mór
Mullaghmore Head
Tullaghan
LOWER LOUGH ERNE
Loch Éirne Íochtair
Castle Caldwell Forest
Cliffs of Magho
Pettigoe
Paiteagó
Loughfad Hill
Lough Derg
Sturrin
16
9

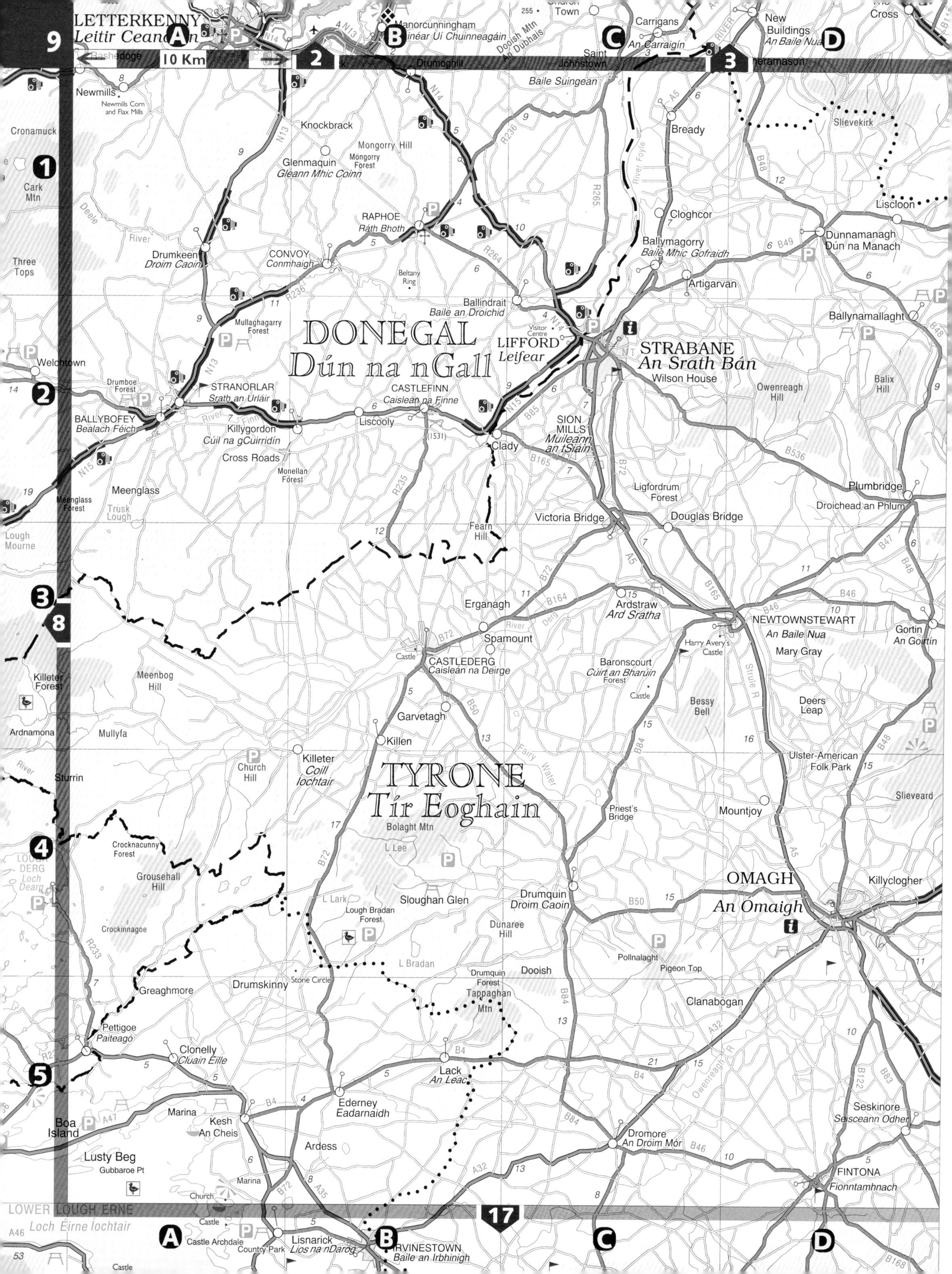
9
LETTERKENNY
Leitir Ceanainn
A
B
C
D
10 Km
2
3
Manorcunningham
Mainéar Uí Chuinneagáin
Dooish Mtn
An Dubhais
Carrigans
An Carraigín
Saint Johnstown
Baile Suingean
New Buildings
An Baile Nua
Cross
Drumoghill
Newmills
Newmills Corn and Flax Mills
Cronamuck
1
Cark Mtn
Knockbrack
Mongorry Hill
Glenmaquin
Gleann Mhic Coinn
Mongorry Forest
Bready
Slievekirk
River Foyle
Cloghcor
Liscloon
Deele River
RAPHOE
Ráth Bhoth
CONVOY
Conmhaigh
Drumkeen
Droim Caoin
Three Tops
Beltany Ring
Ballymagorry
Baile Mhic Gofraidh
Dunnamanagh
Dún na Manach
Artigarvan
Ballindrait
Baile an Droichid
Ballynamallaght
Mullaghagarry Forest
DONEGAL
Dún na nGall
LIFFORD
Leifear
Visitor Centre
STRABANE
An Srath Bán
Wilson House
Welchtown
2
Drumboe Forest
STRANORLAR
Srath an Urláir
CASTLEFINN
Caisleán na Finne
Owenreagh Hill
Balix Hill
BALLYBOFEY
Bealach Féich
River Finn
Killygordon
Cúil na gCuirridín
Liscooly
Clady
SION MILLS
Muileann an tSiáin
Cross Roads
Monellan Forest
Meenglass
Meenglass Forest
Trusk Lough
Lough Mourne
Ligfordrum Forest
Plumbridge
Droichead an Phlum
Victoria Bridge
Douglas Bridge
Fearn Hill
3
8
Erganagh
Ardstraw
Ard Sratha
NEWTOWNSTEWART
An Baile Nua
Gortin
An Goirtín
Spamount
River Derg
Harry Avery's Castle
Mary Gray
Castle
CASTLEDERG
Caisleán na Deirge
Baronscourt
Cúirt an Bharúin
Forest
Killeter Forest
Meenbog Hill
Bessy Bell
Deers Leap
Garvetagh
Ardnamona
Mullyfa
Killen
Ulster-American Folk Park
Church Hill
Killeter
Coill Íochtair
Sturrin
TYRONE
Tír Eoghain
Fairy Water
Slieveard
Priest's Bridge
Mountjoy
Bolaght Mtn
L Lee
4
Crocknacunny Forest
Lough Derg
Loch Dearg
Grousehall Hill
L Lark
Sloughan Glen
Drumquin
Droim Caoin
OMAGH
An Ómaigh
Killyclogher
Lough Bradan Forest
Dunaree Hill
Crockinnagoe
L Bradan
Pollnalaght
Pigeon Top
Drumskinny
Stone Circle
Drumquin Forest
Tappaghan Mtn
Dooish
Greaghmore
Clanabogan
Pettigoe
Paiteagó
Clonelly
Cluain Eille
Lack
An Leac
5
Owenreagh R
Ederney
Eadarnaidh
Marina
Kesh
An Cheis
Boa Island
Seskinore
Seisceann Odhar
Dromore
An Droim Mór
Ardess
Lusty Beg
Gubbaroe Pt
FINTONA
Fionntamhnach
Church
LOWER LOUGH ERNE
Loch Éirne Íochtair
17
Castle
Castle Archdale
Country Park
Lisnarick
Lios na nDaróg
IRVINESTOWN
Baile an Irbhinigh
N13
N14
N15
R236
R264
R265
R235
R233
A5
A32
A35
A47
B48
B49
B536
B165
B85
B72
B47
B46
B164
B50
B84
B4
B122
B83
B168
A46
53

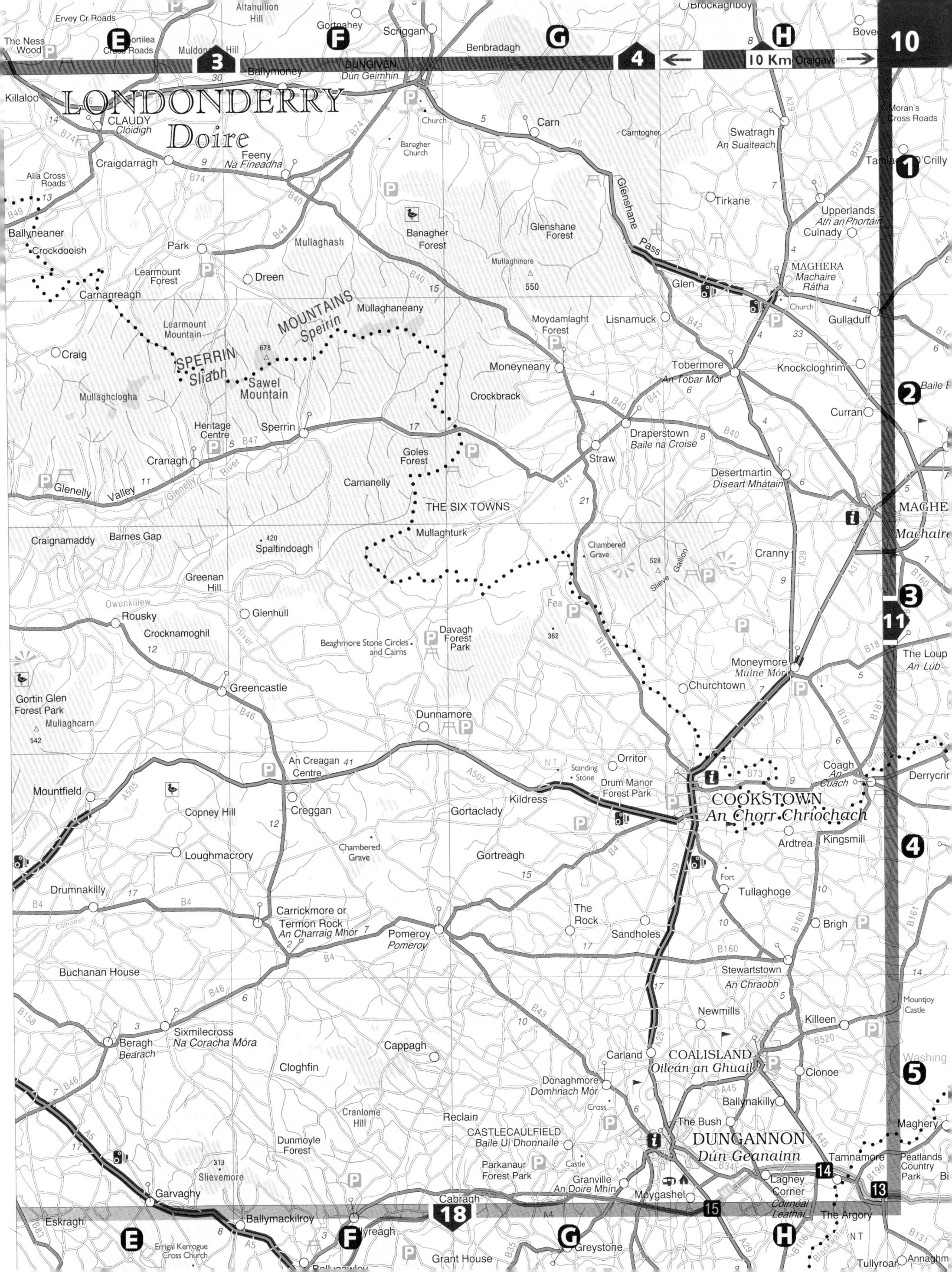
LONDONDERRY
Doire
DUNGIVEN
Dún Geimhin
CLAUDY
Cloidigh
Feeny
Na Fineadha
Banagher Forest
Glenshane Forest
Glenshane Pass
Mullaghmore
550
MAGHERA
Machaire Rátha
Swatragh
An Suaiteach
Upperlands
Ath an Phortáin
Culnady
Tirkane
Glen
Gulladuff
Lisnamuck
Moydamlaght Forest
Moneyneany
Tobermore
An Tobar Mór
Knockcloghrim
Curran
Draperstown
Baile na Croise
Straw
Desertmartin
Díseart Mhátain
SPERRIN MOUNTAINS
Sliabh Speirín
678
Sawel Mountain
Mullaghaneany
Mullaghash
Learmount Forest
Learmount Mountain
Carnanreagh
Crockdooish
Ballyneaner
Craig
Mullaghclogha
Park
Dreen
Heritage Centre
Sperrin
Cranagh
Glenelly Valley
Goles Forest
Carnanelly
Crockbrack
THE SIX TOWNS
Mullaghturk
Craignamaddy
Barnes Gap
420
Spaltindoagh
Greenan Hill
Owenkillew River
Rousky
Glenhull
Crocknamoghil
Beaghmore Stone Circles and Cairns
Davagh Forest Park
362
Chambered Grave
528
Slieve Gallion
Lough Fea
Cranny
Moneymore
Muine Mór
Churchtown
The Loup
An Lúb
Gortin Glen Forest Park
Mullaghcarn
542
Greencastle
Dunnamore
An Creagan Centre
Creggan
Mountfield
Copney Hill
Loughmacrory
Standing Stone
Orritor
Drum Manor Forest Park
Kildress
Gortaclady
COOKSTOWN
An Chorr Chríochach
Coagh
An Cuach
Derrycrin
Ardtrea
Kingsmill
Chambered Grave
Gortreagh
Tullaghoge
Fort
Drumnakilly
Carrickmore or Termon Rock
An Charraig Mhór
Pomeroy
The Rock
Sandholes
Brigh
Stewartstown
An Chraobh
Buchanan House
Sixmilecross
Na Coracha Móra
Beragh
Bearach
Cappagh
Newmills
Killeen
Mountjoy Castle
Carland
COALISLAND
Oileán an Ghuail
Clonoe
Cloghfin
Donaghmore
Domhnach Mór
Cross
Ballynakilly
Cranlome Hill
Reclain
The Bush
Dunmoyle Forest
CASTLECAULFIELD
Baile Uí Dhonnaile
DUNGANNON
Dún Geanainn
Castle
Parkanaur Forest Park
Granville
An Doire Mhín
Moygashel
313
Slievemore
Garvaghy
Cabragh
Laghey Corner
Coirneal Leathai
Tamnamore
Peatlands Country Park
Maghery
The Argory
Eskragh
Ballymackilroy
Errigal Keerogue Cross Church
Greystone
Grant House
Tullyroar
Annaghmore
Killaloo
Craigdarragh
Alla Cross Roads
Ervey Cr Roads
The Ness Wood
Altahullion Hill
Gortnahey
Scriggan
Benbradagh
Ballymoney
Church
Banagher Church
Carn
Carntogher
Brockaghboy
Moran's Cross Roads
Glenelly River
Camowen River
Ballinderry River
Blackwater
Washing
10 Km
Craigavole
NT
A6
A29
A31
A505
A5
A4
A45
B74
B40
B44
B41
B47
B46
B4
B162
B73
B160
B18
B520
B34
E
F
G
H
1
2
3
4
5
11
13
14
15
18

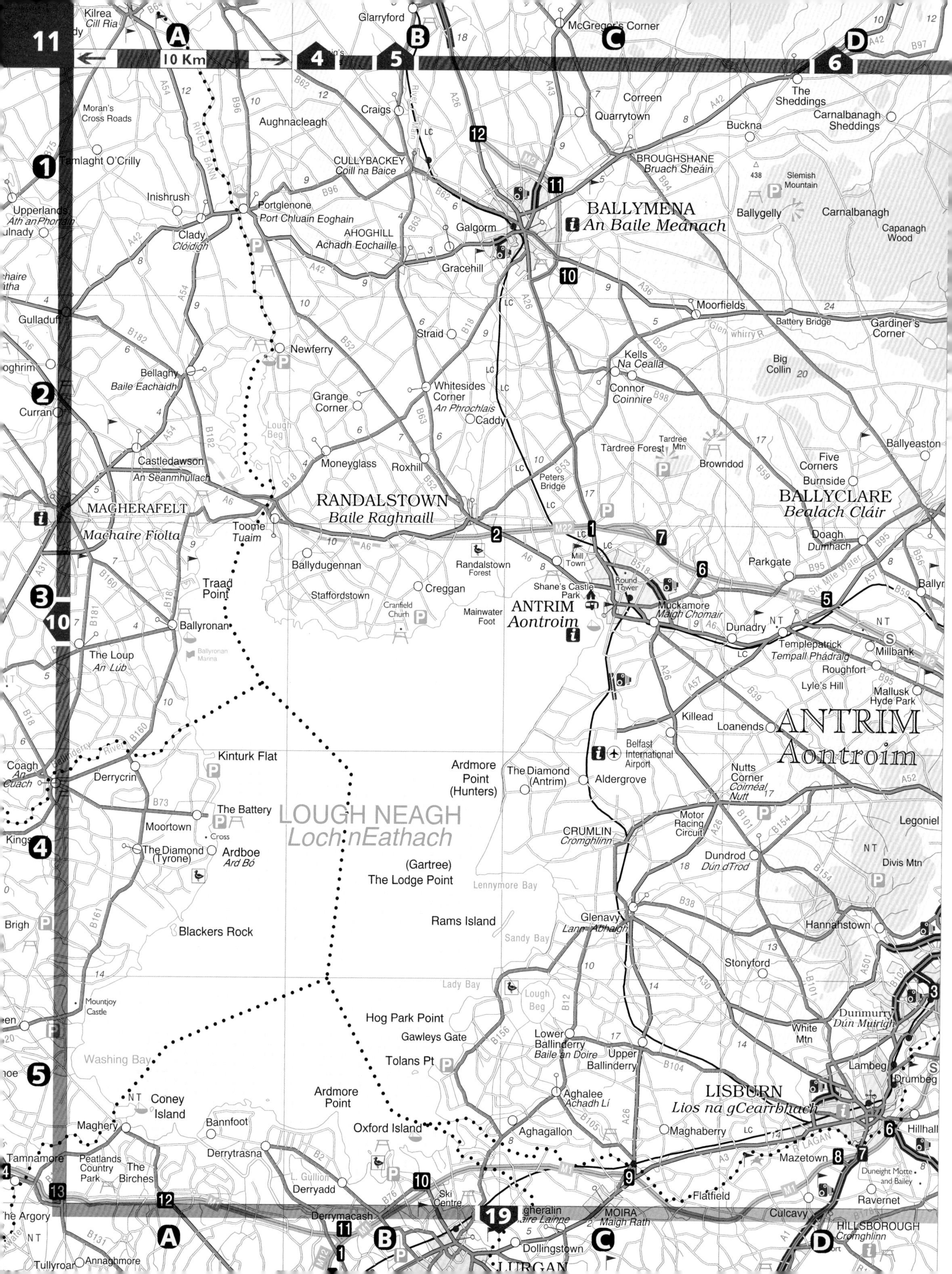
11
10 Km
A
B
C
D
4
5
6
1
2
3
4
5
10
19
Kilrea
Cill Ria
Glarryford
McGregor's Corner
Moran's Cross Roads
Tamlaght O'Crilly
Aughnacleagh
Craigs
Correen
Quarrytown
The Sheddings
Carnalbanagh Sheddings
Buckna
CULLYBACKEY
Coill na Baice
BROUGHSHANE
Bruach Sheáin
Slemish Mountain
Inishrush
Upperlands
Áth an Phortáin
Portglenone
Port Chluain Eoghain
Clady
Clóidigh
AHOGHILL
Achadh Eochaille
Galgorm
Gracehill
BALLYMENA
An Baile Meánach
Ballygelly
Carnalbanagh
Capanagh Wood
Gulladuff
Moorfields
Battery Bridge
Gardiner's Corner
Glenwhirry R.
Newferry
Straid
Bellaghy
Baile Eachaidh
Curran
Grange Corner
Whitesides Corner
An Phrochlais
Caddy
Kells
Na Cealla
Connor
Coinnire
Big Collin
Lough Beg
Castledawson
An Seanmhullach
Moneyglass
Roxhill
Tardree Forest
Tardree Mtn
Browndod
Five Corners
Ballyeaston
Burnside
MAGHERAFELT
Machaire Fíolta
Toome
Tuaim
RANDALSTOWN
Baile Raghnaill
Peters Bridge
BALLYCLARE
Bealach Cláir
Doagh
Dumhach
Ballydugennan
Randalstown Forest
Mill Town
Round Tower
Parkgate
Six Mile Water
Traad Point
Staffordstown
Creggan
Shane's Castle Park
Cranfield Church
Mainwater Foot
ANTRIM
Aontroim
Muckamore
Maigh Chomair
Dunadry
Templepatrick
Tempall Phádraig
Millbank
Roughfort
Lyle's Hill
Mallusk
Hyde Park
Ballyronan
Ballyronan Marina
The Loup
An Lúb
Killead
Loanends
ANTRIM
Aontroim
Belfast International Airport
Kinturk Flat
Coagh
An Cuach
Derrycrin
Ballinderry River
Ardmore Point (Hunters)
The Diamond (Antrim)
Aldergrove
Nutts Corner
Coirnéal Nutt
The Battery
Moortown
Cross
LOUGH NEAGH
Loch nEathach
Motor Racing Circuit
CRUMLIN
Cromghlinn
Legoniel
The Diamond (Tyrone)
Ardboe
Ard Bó
(Gartree)
The Lodge Point
Lennymore Bay
Dundrod
Dún dTrod
Divis Mtn
Brigh
Blackers Rock
Rams Island
Glenavy
Lann Abhaigh
Sandy Bay
Hannahstown
Stonyford
Lady Bay
Lough Beg
Mountjoy Castle
Hog Park Point
Gawleys Gate
Lower Ballinderry
Baile an Doire
Upper Ballinderry
Dunmurry
Dún Muirigh
White Mtn
Washing Bay
Tolans Pt
Lambeg
Drumbeg
Coney Island
Ardmore Point
Aghalee
Achadh Lí
LISBURN
Lios na gCearrbhach
Maghery
Bannfoot
Oxford Island
Aghagallon
Maghaberry
Hillhall
Tamnamore
Peatlands Country Park
The Birches
Derrytrasna
L. Gullion
Mazetown
Duneight Motte and Bailey
Derryadd
Ski Centre
Flatfield
Ravernet
The Argory
Derrymacash
MOIRA
Maigh Rath
Culcavy
HILLSBOROUGH
Cromghlinn
Dollingstown
Tullyroan
Annaghmore
LURGAN
R. LAGAN

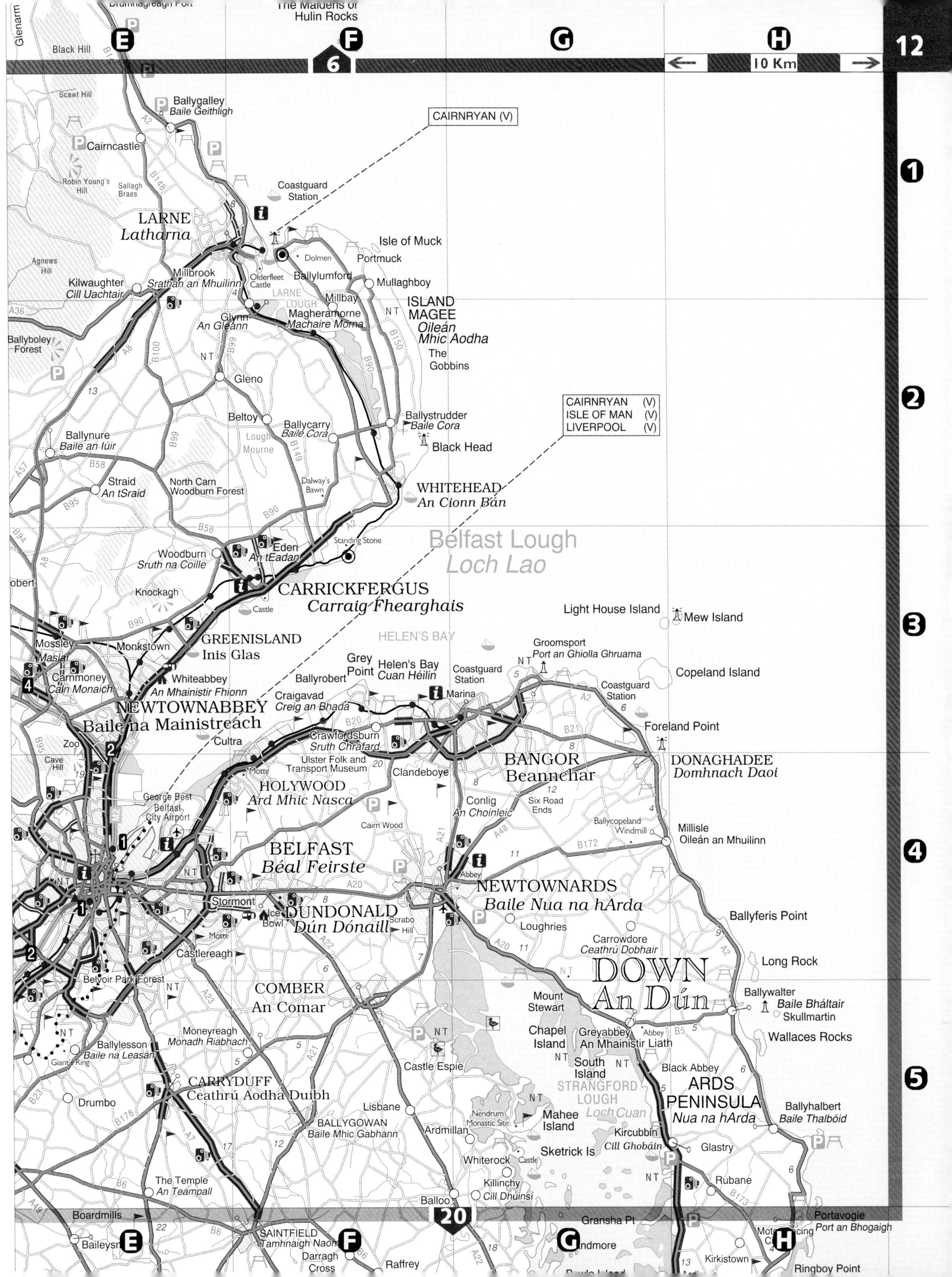
The Maidens or Hulin Rocks
10 Km
CAIRNRYAN (V)
Ballygalley
Baile Geithligh
Cairncastle
Coastguard Station
LARNE
Latharna
Isle of Muck
Portmuck
Dolmen
Millbrook
Srathan an Mhuilinn
Olderfleet Castle
Ballylumford
Mullaghboy
Kilwaughter
Cill Uachtair
LARNE LOUGH
Millbay
ISLAND MAGEE
Oileán Mhic Aodha
Glynn
An Gleann
Magheramorne
Machaire Morna
The Gobbins
Ballyboley Forest
Gleno
CAIRNRYAN (V)
ISLE OF MAN (V)
LIVERPOOL (V)
Beltoy
Ballycarry
Baile Cora
Ballystrudder
Baile Cora
Lough Mourne
Black Head
Ballynure
Baile an Iúir
Straid
An tSraid
North Carn Woodburn Forest
Dalway's Bawn
WHITEHEAD
An Cionn Bán
Standing Stone
Belfast Lough
Loch Lao
Woodburn
Sruth na Coille
Eden
An tEadan
CARRICKFERGUS
Carraig Fhearghais
Knockagh
Castle
Light House Island
Mew Island
Mossley
Maslaí
Monkstown
GREENISLAND
Inis Glas
HELEN'S BAY
Groomsport
Port an Ghiolla Ghruama
Carnmoney
Carn Monaich
Whiteabbey
An Mhainistir Fhionn
Grey Point
Helen's Bay
Cuan Héilín
Ballyrobert
Coastguard Station
Copeland Island
NEWTOWNABBEY
Baile na Mainistreach
Craigavad
Creig an Bhada
Marina
Coastguard Station
Cultra
Crawfordsburn
Sruth Chráfard
Foreland Point
Zoo
Cave Hill
Ulster Folk and Transport Museum
Clandeboye
BANGOR
Beannchar
DONAGHADEE
Domhnach Daoi
HOLYWOOD
Ard Mhic Nasca
George Best Belfast City Airport
Conlig
An Choinleic
Six Road Ends
Cairn Wood
Ballycopeland Windmill
Millisle
Oileán an Mhuilinn
BELFAST
Béal Feirste
Abbey
NEWTOWNARDS
Baile Nua na hArda
Stormont
Ice Bowl
DUNDONALD
Dún Dónaill
Scrabo Hill
Loughries
Ballyferis Point
Motte
Castlereagh
Carrowdore
Ceathrú Dobhair
DOWN
An Dún
Long Rock
Belvoir Park Forest
COMBER
An Comar
Mount Stewart
Ballywalter
Baile Bháltair
Skullmartin
Moneyreagh
Monadh Riabhach
Chapel Island
Greyabbey
An Mhainistir Liath
Wallaces Rocks
Ballylesson
Baile na Leasán
Giant's Ring
Castle Espie
South Island
Black Abbey
CARRYDUFF
Ceathrú Aodha Duibh
STRANGFORD LOUGH
Loch Cuan
ARDS PENINSULA
Nua na hArda
Drumbo
Lisbane
Nendrum Monastic Site
Mahee Island
Ballyhalbert
Baile Thalbóid
BALLYGOWAN
Baile Mhic Gabhann
Ardmillan
Kircubbin
Cill Ghobáin
Sketrick Is
Glastry
Whiterock
Castle
Killinchy
Cill Dhuinsí
Rubane
The Temple
An Teampall
Balloo
Boardmills
SAINTFIELD
Tamhnaigh Naomh
Gransha Pt
Portavogie
Port an Bhogaigh
Baileys
Darragh Cross
Raffrey
Kirkistown
Ringboy Point
Glenarm
Black Hill
Scawt Hill
Robin Young's Hill
Sallagh Braes
Agnews Hill

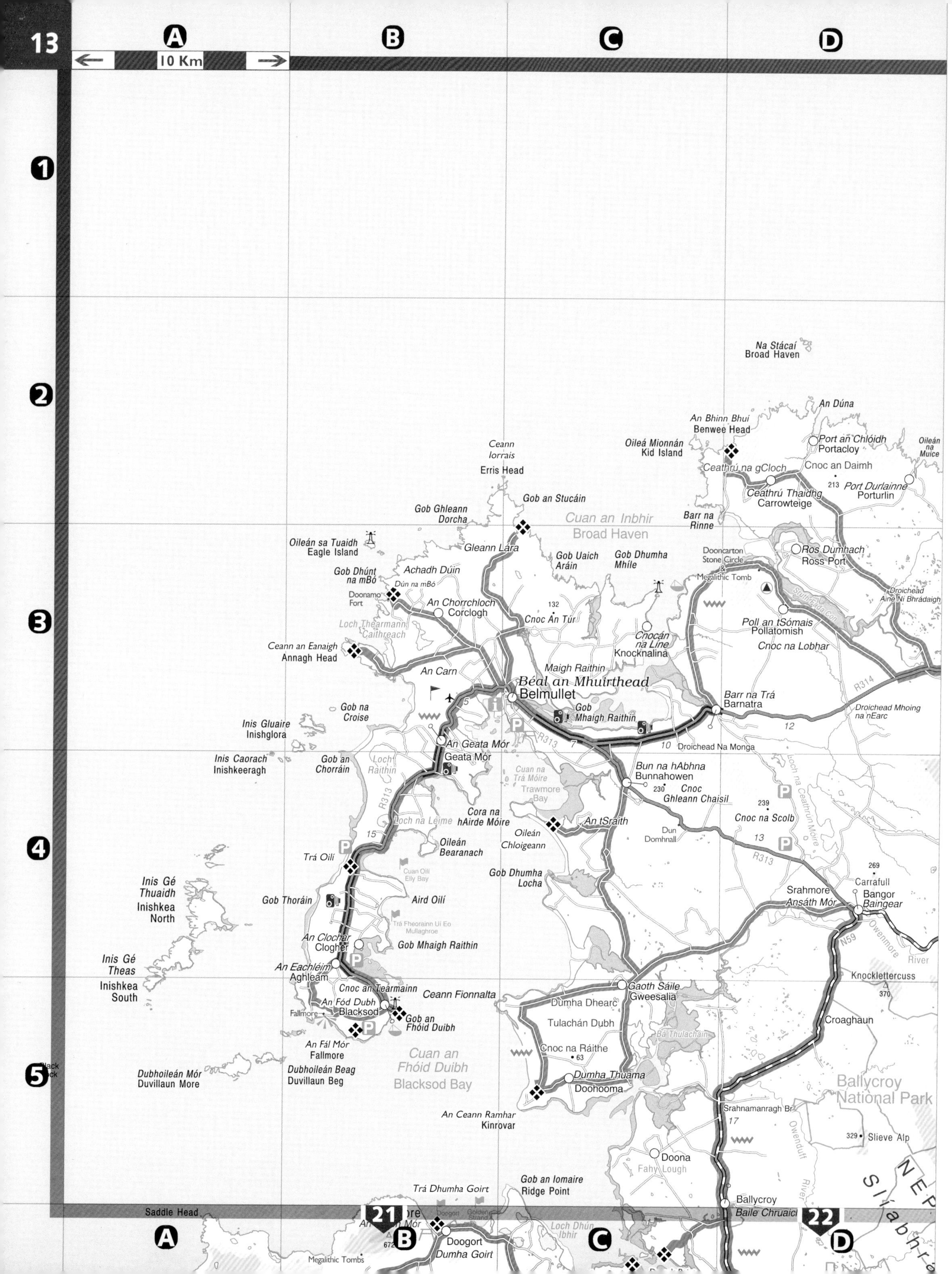
A
B
C
D
10 Km
1
2
3
4
5
Na Stácaí
Broad Haven
An Dúna
An Bhinn Bhuí
Benwee Head
Port an Chlóidh
Portacloy
Oileán na Muice
Oileá Mionnán
Kid Island
Ceathrú na gCloch
Cnoc an Daimh
213
Port Durlainne
Porturlin
Ceathrú Thaidhg
Carrowteige
Ceann Iorrais
Erris Head
Gob an Stucáin
Cuan an Inbhir
Broad Haven
Barr na Rinne
Gob Ghleann Dorcha
Oileán sa Tuaidh
Eagle Island
Gleann Lara
Gob Uaich Aráin
Gob Dhumha Mhíle
Dooncarton Stone Circle & Megalithic Tomb
Ros Dumhach
Ross Port
Gob Dhúnt na mBó
Achadh Dúin
Dún na mBó
Doonamo Fort
Droichead Aine Ní Bhrádaigh
An Chorrchloch
Corclogh
132
Cnoc An Túr
Poll an tSómais
Pollatomish
Loch Thearmann Caithreach
Cnocán na Líne
Knocknalina
Cnoc na Lobhar
Ceann an Eanaigh
Annagh Head
An Carn
Maigh Raithin
Béal an Mhuirthead
Belmullet
R314
Barr na Trá
Barnatra
Gob na Croise
Gob Mhaigh Raithin
Droichead Mhoing na nEarc
Inis Gluaire
Inishglora
An Geata Mór
Geata Mór
R313
12
10
Droichead Na Monga
Inis Caorach
Inishkeeragh
Gob an Chorráin
Loch Ráithín
Cuan na Trá Móire
Trawmore Bay
Bun na hAbhna
Bunnahowen
230
Cnoc Ghleann Chaisil
239
Cnoc na Scolb
Loch na Ceathrún Móire
Cora na hAirde Móire
Loch na Léime
An tSraith
Oileán Chloigeann
Dun Domhnall
13
R313
15
Oileán Bearanach
Trá Oilí
Cuan Oilí
Elly Bay
269
Carrafull
Gob Dhumha Locha
Inis Gé Thuaidh
Inishkea North
Gob Thoráin
Aird Oilí
Srahmore
Ansáth Mór
Bangor
Baingear
Trá Fheorainn Uí Eo
Mullaghroe
N59
Owenmore River
An Clochar
Clogher
Gob Mhaigh Raithin
Inis Gé Theas
Inishkea South
An Eachléim
Aghleam
Knocklettercuss
370
Cnoc an Tearmainn
Ceann Fionnalta
Gaoth Sáile
Gweesalia
An Fód Dubh
Blacksod
Dumha Dhearc
Fallmore
Gob an Fhóid Duibh
Tulachán Dubh
Croaghaun
An Fál Mór
Fallmore
Bá Thulacháin
Cuan an Fhóid Duibh
Blacksod Bay
Cnoc na Ráithe
63
Dubhoileán Mór
Duvillaun More
Dubhoileán Beag
Duvillaun Beg
Dumha Thuama
Doohooma
Ballycroy National Park
An Ceann Ramhar
Kinrovar
Srahnamanragh Br
17
329
Slieve Alp
Owenduff River
Doona
Fahy Lough
Gob an Iomaire
Ridge Point
Trá Dhumha Goirt
Saddle Head
21
Ballycroy
Baile Chruaich
22
Doogort
Dumha Goirt
Loch Dhúin Ibhir
672
Megalithic Tombs

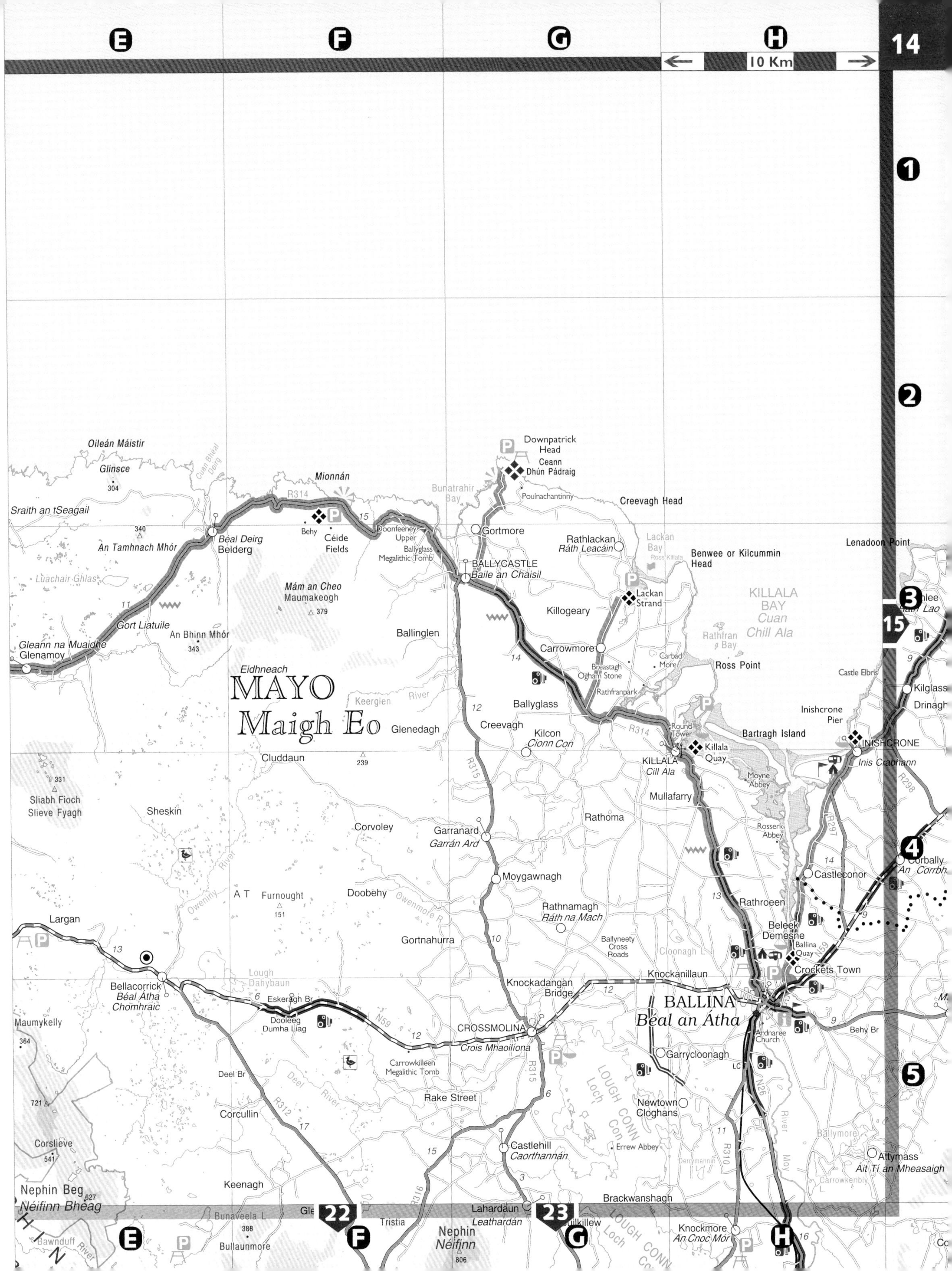
E
F
G
H
10 Km
Oileán Máistir
Glinsce
304
Mionnán
Downpatrick Head
Ceann Dhún Pádraig
Poulnachantinny
Creevagh Head
Bunatrahir Bay
Sraith an tSeagail
R314
340
Béal Deirg
Belderg
Behy
Céide Fields
Doonfeeney Upper
Ballyglass Megalithic Tomb
Gortmore
Rathlackan
Ráth Leacáin
Lackan Bay
Benwee or Kilcummin Head
Lenadoon Point
An Tamhnach Mhór
BALLYCASTLE
Baile an Chaisil
Luachair Ghlas
Mám an Cheo
Maumakeogh
379
Lackan Strand
KILLALA BAY
Cuan Chill Ala
Killogeary
Gort Liatuile
An Bhinn Mhór
343
Ballinglen
Rathfran Bay
Carrowmore
Gleann na Muaidhe
Glenamoy
Carbad More
Ross Point
Eidhneach
MAYO
Maigh Eo
Breastagh Ogham Stone
Rathfranpark
Castle Elbris
Kilglass
Drinagh
Keerglen River
Ballyglass
Creevagh
Kilcon
Cionn Con
Glenedagh
R314
Round Tower
Inishcrone Pier
Bartragh Island
INISHCRONE
Inis Crabhann
Cluddaun
239
Killala Quay
KILLALA
Cill Ala
Moyne Abbey
331
Sliabh Fioch
Slieve Fyagh
R315
Mullafarry
R298
Sheskin
Rathoma
Corvoley
Garranard
Garrán Ard
Rosserk Abbey
R297
Moygawnagh
Corbally
An Corrbh
Castleconor
AT
Furnought
151
Doobehy
Owenmore R.
Oweniny River
Rathroeen
Largan
Rathnamagh
Ráth na Mach
Beleek Demesne
Gortnahurra
Ballyneety Cross Roads
Cloonagh L
Ballina Quay
Crockets Town
Lough Dahybaun
Knockanillaun
Bellacorrick
Béal Átha Chomhraic
Knockadangan Bridge
BALLINA
Béal an Átha
Eskeragh Br
Maumykelly
Dooleeg
Dumha Liag
N59
CROSSMOLINA
Crois Mhaoilíona
364
Ardnaree Church
Behy Br
Garrycloonagh
Carrowkilleen Megalithic Tomb
Deel Br
Deel River
LOUGH CONN
Loch Con
N26
River Moy
721
R312
Rake Street
Newtown Cloghans
Corcullin
Ballymore
Corslieve
541
Castlehill
Caorthannán
Errew Abbey
R310
Attymass
Áit Tí an Mheasaigh
Derrymannin
Carrowkeribly
Keenagh
Nephin Beg
Néifinn Bheag
627
R316
Lahardaun
Leathardán
Brackwanshagh
Bunaveela L
Gle
22
23
Tristia
Nephin
Néifinn
806
Cuillkillew
LOUGH CONN
Knockmore
An Cnoc Mór
388
Bullaunmore
Bawnduff River
15

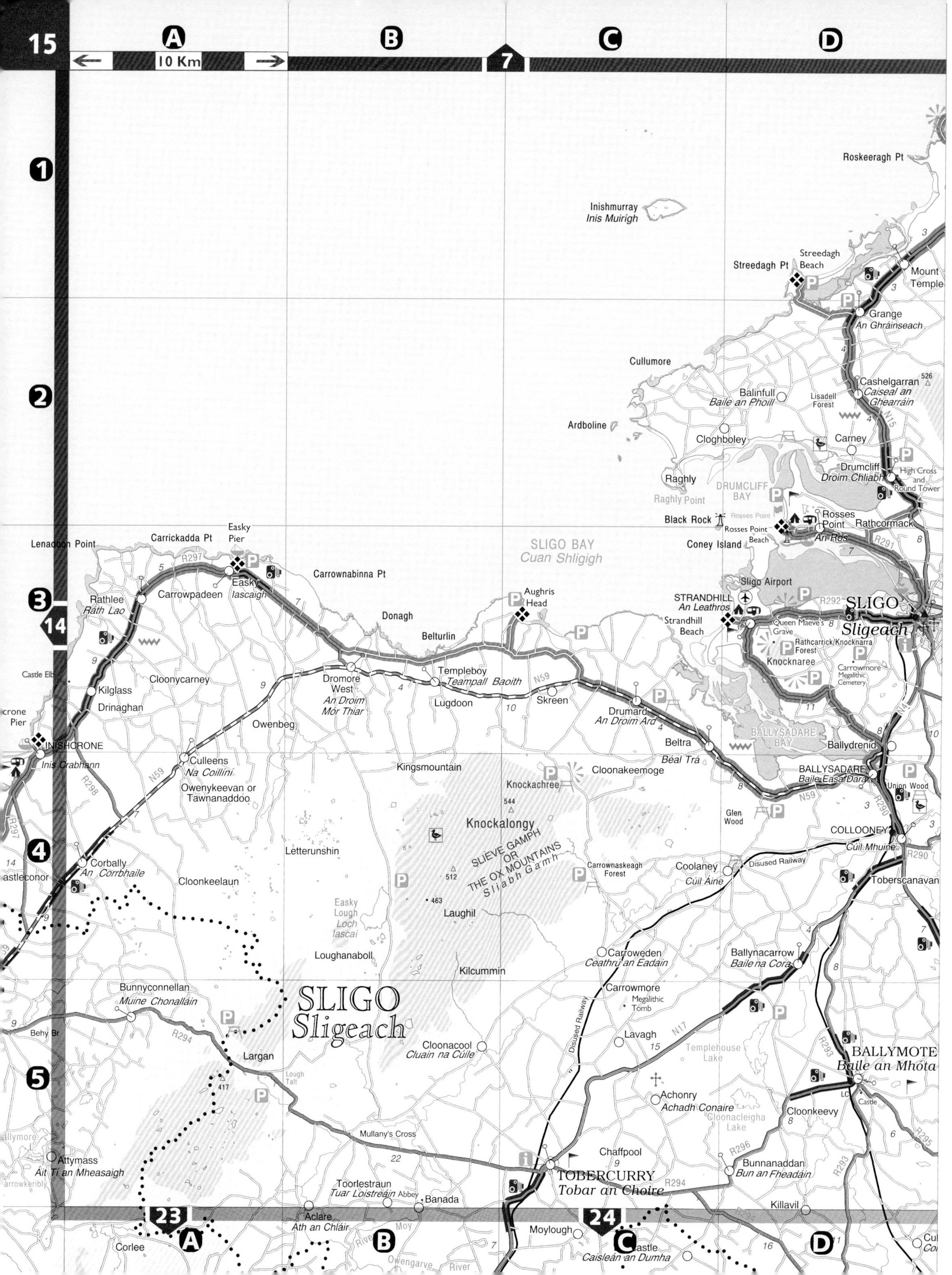

A B C D
10 Km
7
14
23
24
Roskeeragh Pt
Inishmurray
Inis Muiríogh
Streedagh Pt
Streedagh Beach
Mount Temple
Grange
An Ghráinseach
Cullumore
Cashelgarran
Caiseal an Ghearráin
Balinfull
Baile an Phoill
Lisadell Forest
Ardboline
Cloghboley
Carney
Drumcliff
Droim Chliabh
High Cross and Round Tower
Raghly
Raghly Point
DRUMCLIFF BAY
Black Rock
Rosses Point
An Ros
Rathcormack
Coney Island
SLIGO BAY
Cuan Shligigh
Lenadoon Point
Carrickadda Pt
Easky Pier
Easky
Iascaigh
Carrowpadeen
Carrownabinna Pt
Rathlee
Ráth Lao
Aughris Head
Sligo Airport
STRANDHILL
An Leathros
Strandhill Beach
SLIGO
Sligeach
Donagh
Belturlin
Queen Maeve's Grave
Rathcarrick/Knocknarra Forest
Knocknarea
Carrowmore Megalithic Cemetery
Castle Ellen
Kilglass
Cloonycarney
Drinaghan
Dromore West
An Droim Mór Thiar
Templeboy
Teampall Baoith
Lugdoon
Skreen
Drumard
An Droim Ard
Owenbeg
Inishcrone Pier
INISHCRONE
Inis Crabhann
Culleens
Na Coillíní
Owenykeevan or Tawnanaddoo
Kingsmountain
Beltra
Béal Trá
BALLYSADARE BAY
Ballydrenid
BALLYSADARE
Baile Easa Dara
Cloonakeemoge
Knockachree
Glen Wood
Union Wood
Knockalongy
SLIEVE GAMPH OR THE OX MOUNTAINS
Sliabh Gamh
COLLOONEY
Cúil Mhuine
Letterunshin
Corbally
An Corrbhaile
Castleconor
Cloonkeelaun
Carrownaskeagh Forest
Coolaney
Cúil Aine
Disused Railway
Toberscanavan
Easky Lough
Loch Iascaí
Laughil
Loughanaboll
Kilcummin
Carroweden
Ceathrú an Éadain
Ballynacarrow
Baile na Cora
Bunnyconnellan
Muine Chonalláin
SLIGO
Sligeach
Carrowmore Megalithic Tomb
Behy Br
Lavagh
Templehouse Lake
BALLYMOTE
Baile an Mhóta
Cloonacool
Cluain na Cúile
Largan
Lough Talt
Achonry
Achadh Conaire
Cloonacleigha Lake
Cloonkeevy
Castle
Mullany's Cross
Chaffpool
Attymass
Áit Tí an Mheasaigh
TOBERCURRY
Tobar an Choire
Bunnanaddan
Bun an Fheadáin
Toorlestraun
Tuar Loistreáin
Abbey
Banada
Killavil
Aclare
Áth an Chláir
River Moy
Moylough
Castle
Caisleán an Dumha
Corlee
Owengarve River
N59
N17
N15
N4
R297
R298
R291
R292
R290
R293
R294
R295
R296
544
512
463
417
526

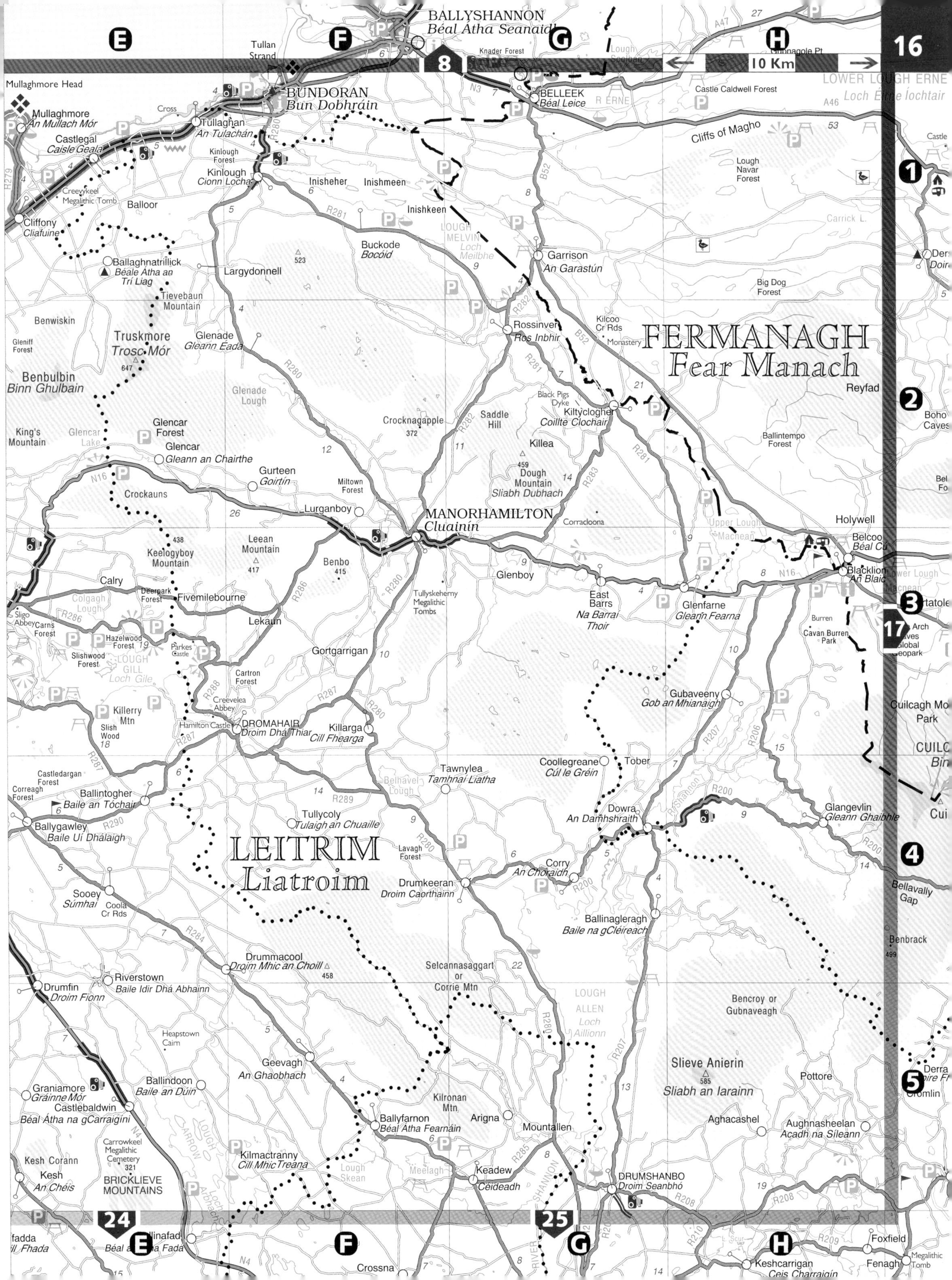
E
F
G
H
BALLYSHANNON
Béal Átha Seanaidh
Tullan Strand
Mullaghmore Head
Mullaghmore
An Mullach Mór
BUNDORAN
Bun Dobhráin
Tullaghan
An Tulachán
Castlegal
Caisle Geala
Kinlough Forest
Kinlough
Cionn Locha
Creevykeel Megalithic Tomb
Balloor
Cliffony
Cliafuine
Inisheher
Inishmeen
Inishkeen
Knader Forest
BELLEEK
Béal Leice
LOWER LOUGH ERNE
Loch Éirne Íochtair
Castle Caldwell Forest
Cliffs of Magho
Lough Navar Forest
Carrick L.
Big Dog Forest
10 Km
LOUGH MELVIN
Loch Meilbhe
Buckode
Bocóid
Garrison
An Garastún
Ballaghnatrillick
Béale Atha an Trí Liag
Largydonnell
Tievebaun Mountain
Benwiskin
Gleniff Forest
Truskmore
Trosc Mór
647
Glenade
Gleann Eada
Glenade Lough
Benbulbin
Binn Ghulbain
Rossinver
Ros Inbhir
Kilcoo Cr Rds
Monastery
FERMANAGH
Fear Manach
Reyfad
Black Pigs Dyke
Kiltyclogher
Coillte Clochair
Saddle Hill
Killea
Dough Mountain
Sliabh Dubhach
Crocknagapple
372
King's Mountain
Glencar Lake
Glencar Forest
Glencar
Gleann an Chairthe
Gurteen
Goirtín
Miltown Forest
Ballintempo Forest
Boho Caves
Crockauns
Lurganboy
MANORHAMILTON
Cluainín
Corracloona
Upper Lough Macnean
Holywell
Belcoo
Béal Cú
Blacklion
An Blaic
Lower Lough Macnean
Keelogyboy Mountain
Leean Mountain
417
Benbo
415
Glenboy
East Barrs
Na Barraí Thoir
Glenfarne
Gleann Fearna
Calry
Colgagh Lough
Deerpark Forest
Fivemilebourne
Tullyskeherny Megalithic Tombs
Sligo Abbey
Carns Forest
Lekaun
Burren
Cavan Burren Park
Arch Caves Global Geopark
Hazelwood Forest
Slishwood Forest
LOUGH GILL
Loch Gile
Parkes Castle
Gortgarrigan
Cartron Forest
Creevelea Abbey
Killerry Mtn
Slish Wood
Hamilton Castle
DROMAHAIR
Droim Dhá Thiar
Killarga
Cill Fhearga
Gubaveeny
Gob an Mhianaigh
Cuilcagh Mountain Park
Castledargan Forest
Correagh Forest
Ballintogher
Baile an Tóchair
Ballygawley
Baile Uí Dhálaigh
Belhavel Lough
Tawnylea
Tamhnaí Liatha
Coollegreane
Cúl le Gréin
Tober
Dowra
An Damhshraith
Glangevlin
Gleann Ghaibhle
Tullycoly
Tulaigh an Chuaille
LEITRIM
Liatroim
Lavagh Forest
Drumkeeran
Droim Caorthainn
Corry
An Choraidh
Bellavally Gap
Sooey
Súmhaí
Coola Cr Rds
Ballinagleragh
Baile na gCléireach
Benbrack
499
Drummacool
Droim Mhic an Choill
458
Selcannasaggart or Corrie Mtn
Drumfin
Droim Fionn
Riverstown
Baile Idir Dhá Abhainn
LOUGH ALLEN
Loch Aillionn
Bencroy or Gubnaveagh
Heapstown Cairn
Geevagh
An Ghaobhach
Slieve Anierin
585
Sliabh an Iarainn
Pottore
Graniamore
Gráinne Mór
Ballindoon
Baile an Dúin
Castlebaldwin
Béal Átha na gCarraigíní
Kilronan Mtn
Arigna
Mountallen
Aghacashel
Aughnasheelan
Acadh na Síleann
Ballyfarnon
Béal Átha Fearnáin
LOUGH ARROW
Carrowkeel Megalithic Cemetery
321
Kesh Corann
Kesh
An Chéis
BRICKLIEVE MOUNTAINS
Kilmactranny
Cill Mhic Treana
Lough Skean
Meelagh
Keadew
Céideadh
DRUMSHANBO
Droim Seanbhó
Crossna
Keshcarrigan
Ceis Charraigín
Foxfield
Fenagh
Megalithic Tomb
RIVER SHANNON
24
25
8
17

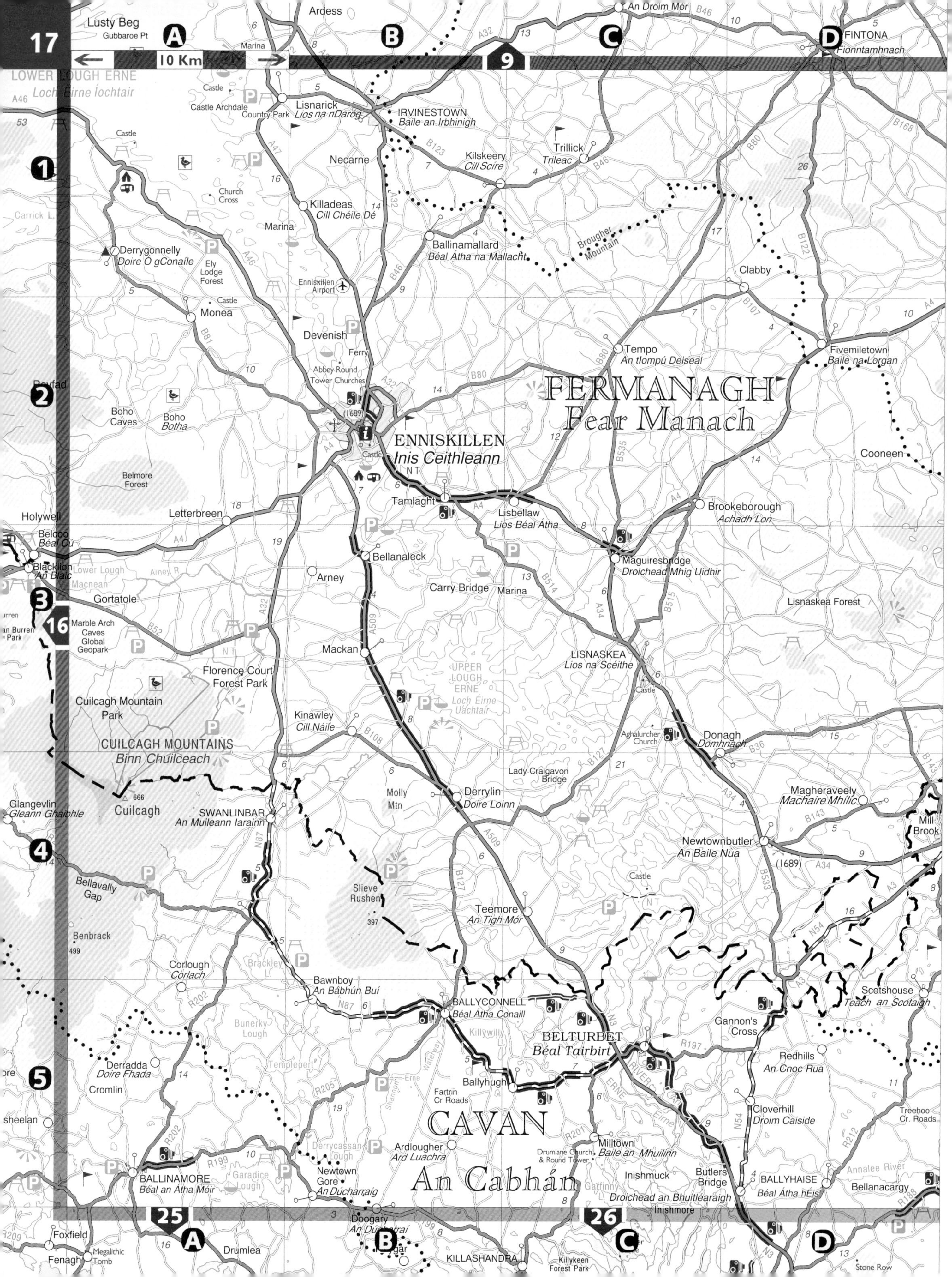
10 Km
9
25
26
16
A
B
C
D
1
2
3
4
5
Lusty Beg
Gubbaroe Pt
Marina
Ardess
An Droim Mór
FINTONA
Fionntamhnach
LOWER LOUGH ERNE
Loch Éirne Íochtair
Castle
Castle Archdale
Country Park
Lisnarick
Lios na nDarog
IRVINESTOWN
Baile an Irbhinigh
Necarne
Kilskeery
Cill Scíre
Trillick
Trileac
Church Cross
Killadeas
Cill Chéile Dé
Marina
Ballinamallard
Béal Átha na Mallacht
Brougher Mountain
Clabby
Carrick L.
Derrygonnelly
Doire Ó gConaíle
Ely Lodge Forest
Enniskillen Airport
Monea
Castle
Devenish
Ferry
Abbey Round Tower Churches
Tempo
An tIompú Deiseal
Fivemiletown
Baile na Lorgan
FERMANAGH
Fear Manach
Boho Caves
Boho
Botha
ENNISKILLEN
Inis Ceithleann
(1689)
Castle
NT
Cooneen
Belmore Forest
Tamlaght
Lisbellaw
Lios Béal Átha
Brookeborough
Achadh Lon
Holywell
Letterbreen
Belcoo
Béal Cú
Blacklion
An Blaic
Lower Lough Macnean
Arney R.
Bellanaleck
Arney
Maguiresbridge
Droichead Mhig Uidhir
Gortatole
Carry Bridge
Marina
Lisnaskea Forest
Marble Arch Caves Global Geopark
Mackan
LISNASKEA
Lios na Scéithe
Florence Court Forest Park
UPPER LOUGH ERNE
Loch Éirne Uachtair
Castle
Cuilcagh Mountain Park
Kinawley
Cill Náile
Aghalurcher Church
Donagh
Domhnach
CUILCAGH MOUNTAINS
Binn Chuilceach
Lady Craigavon Bridge
Molly Mtn
Derrylin
Doire Loinn
Magheraveely
Machaire Mhílic
Glangevlin
Gleann Ghaibhle
Cuilcagh
666
SWANLINBAR
An Muileann Iarainn
Newtownbutler
An Baile Nua
Mill Brook
Bellavally Gap
Slieve Rushen
397
Castle
Teemore
An Tigh Mór
Benbrack
499
Corlough
Corlach
Brackley
Bawnboy
An Bábhún Buí
BALLYCONNELL
Béal Átha Conaill
Scotshouse
Teach an Scotaigh
Bunerky Lough
Killywilly L.
BELTURBET
Béal Tairbirt
Gannon's Cross
Redhills
An Cnoc Rua
Derradda
Doire Fhada
Cromlin
Templeport
Ballyhugh
Fartrin Cr Roads
Cloverhill
Droim Caiside
Treehoo Cr. Roads
CAVAN
An Cabhán
Ardlougher
Ard Luachra
Milltown
Baile an Mhuilinn
Drumlane Church & Round Tower
Derrycassan Lough
BALLINAMORE
Béal an Átha Móir
Garadice Lough
Newtown Gore
An Dúcharraig
Inishmuck
Butlers Bridge
Droichead an Bhuitléaraigh
Inishmore
Garfinny
BALLYHAISE
Béal Átha hÉis
Bellanacargy
Annalee River
Doogary
An Dúcharraí
Foxfield
Fenagh
Megalithic Tomb
Drumlea
KILLASHANDRA
Killykeen Forest Park
Stone Row
RIVER ERNE
A4
A32
A46
A47
A509
A34
A3
N3
N54
N87
B46
B80
B81
B107
B122
B123
B168
B36
B52
B108
B127
B143
B514
B515
B533
B535
R197
R199
R201
R202
R205
R212

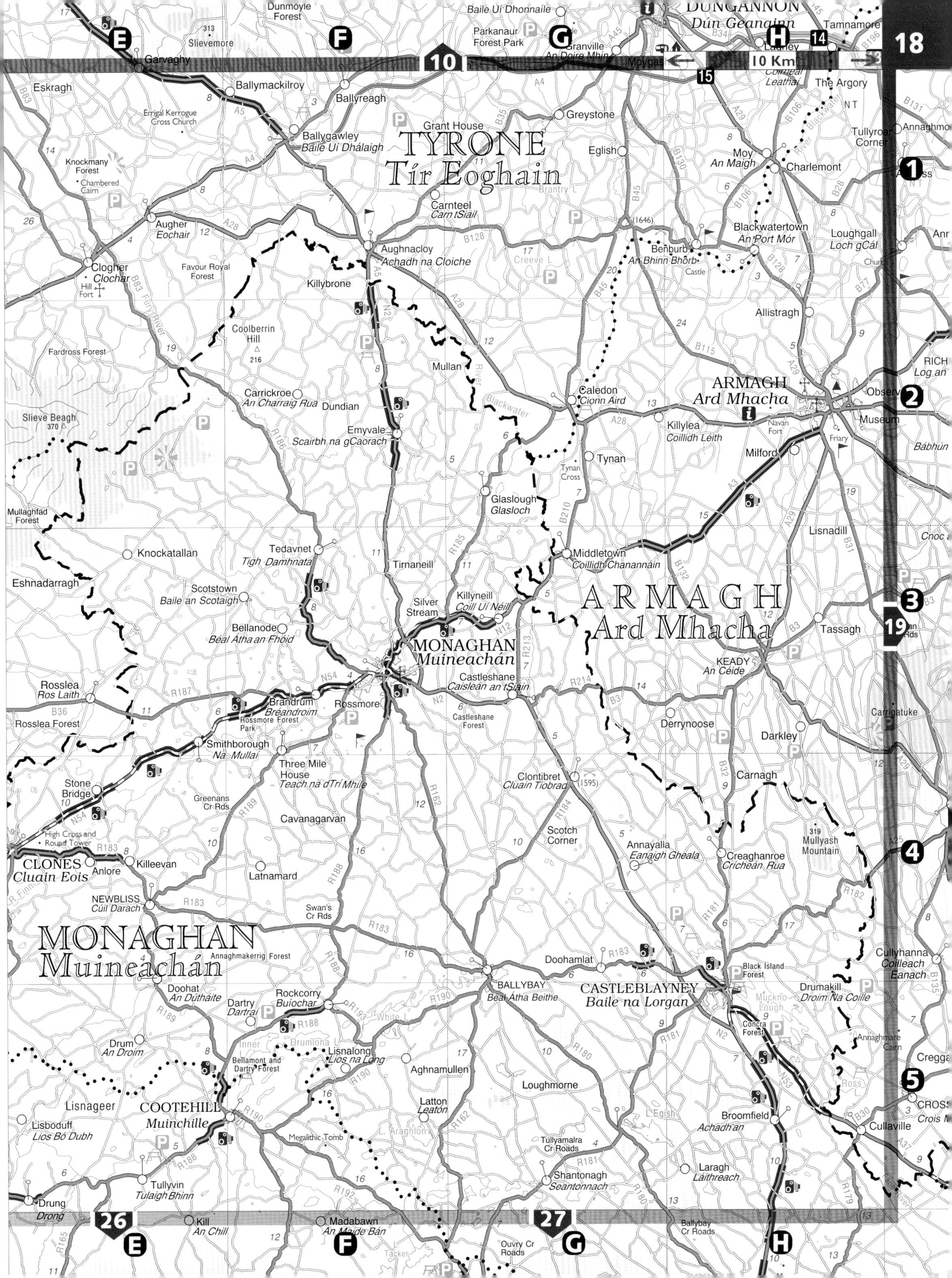
Dunmoyle
Forest
Baile Uí Dhonnaíle
DUNGANNON
Dún Geanainn
Tamnamore
Slievemore
Parkanaur
Forest Park
Granville
An Doire Mhín
Garvaghy
10
Moygashel
10 Km
Coilmeal
Leathal
The Argory
Eskragh
Ballymackilroy
Ballyreagh
Errigal Kerrogue
Cross Church
Greystone
Grant House
Ballygawley
Baile Uí Dhálaigh
TYRONE
Tír Eoghain
Eglish
Moy
An Maigh
Charlemont
Tullyroan
Corner
Knockmany
Forest
Chambered
Cairn
Brantry L.
Carnteel
Carn tSiail
Augher
Eochair
Blackwatertown
An Port Mór
Loughgall
Loch gCál
Benburb
An Bhinn Bhorb
Castle
Aughnacloy
Achadh na Cloiche
Creeve L.
Clogher
Clochar
Favour Royal
Forest
Hill
Fort
Killybrone
Furry River
Allistragh
Coolberrin
Hill
216
Fardross Forest
Mullan
River Blackwater
RICH
Log an
ARMAGH
Ard Mhacha
Carrickroe
An Charraig Rua
Dundian
Caledon
Cionn Aird
Observ
Slieve Beagh
370
Killylea
Coillidh Leith
Museum
Navan
Fort
Emyvale
Scairbh na gCaorach
Friary
Bábhún
Tynan
Milford
Tynan
Cross
Glaslough
Glasloch
Mullaghfad
Forest
Lisnadill
Knockatallan
Tedavnet
Tigh Damhnata
Middletown
Coillidh Chanannáin
Eshnadarragh
Tirnaneill
Scotstown
Baile an Scotaigh
Silver
Stream
Killyneill
Coill Uí Néill
ARMAGH
Ard Mhacha
Bellanode
Béal Átha an Fhóid
MONAGHAN
Muineachán
Tassagh
19
KEADY
An Céide
Castleshane
Caisleán an tSiáin
Rosslea
Ros Laith
Brandrum
Bréandroim
Rossmore
Rossmore Forest
Park
Castleshane
Forest
Rosslea Forest
Derrynoose
Carrigatuke
Smithborough
Na Mullaí
Darkley
Three Mile
House
Teach na dTrí Míle
Stone
Bridge
Clontibret
Cluain Tiobrad
Carnagh
Greenans
Cr Rds
Cavanagarvan
Mullyash
Mountain
High Cross and
Round Tower
Scotch
Corner
Annayalla
Eanaigh Gheala
Creaghanroe
Críochán Rua
CLONES
Cluain Eois
Anlore
Killeevan
Latnamard
NEWBLISS
Cúil Darach
Swan's
Cr Rds
MONAGHAN
Muineachán
Annaghmakerrig Forest
Cullyhanna
Coilleach
Eanach
Doohamlat
Black Island
Forest
Doohat
An Dúthaite
Dartry
Dartraí
Rockcorry
Buíochar
BALLYBAY
Béal Átha Beithe
CASTLEBLAYNEY
Baile na Lorgan
Drumakill
Droim Na Coille
Muckno
Lough
Concra
Forest
White L.
Drumlona L.
Drum
An Droim
Bellamont and
Dartry Forest
Lisnalong
Lios na Long
Aghnamullen
Annaghmare
Cairn
Cregga
Loughmorne
Ross L.
Lisnageer
COOTEHILL
Muinchille
Latton
Leatón
L. Egish
Broomfield
Achadh an
CROSS
Cullaville
Lisboduff
Lios Bó Dubh
Megalithic Tomb
L. Aghalon
Tullyamalra
Cr Roads
Tullyvin
Tulaigh Bhinn
Shantonagh
Seantonnach
Laragh
Láithreach
Drung
Drong
26
Kill
An Chill
Madabawn
An Maide Bán
27
Ballybay
Cr Roads
Ouvry Cr
Roads
Tacker

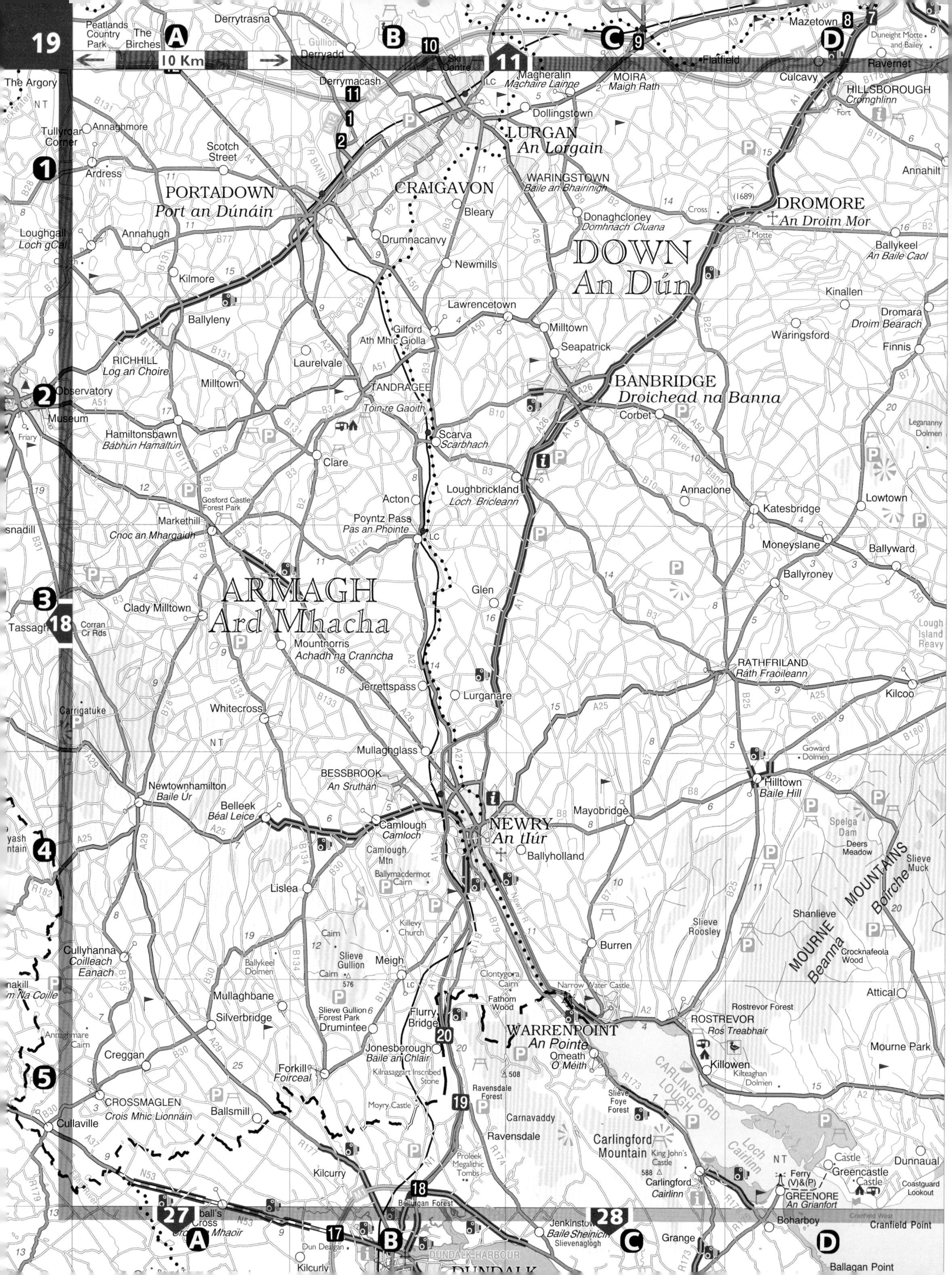
10 Km
A
B
C
D
1
2
3
4
5
18
11
27
28
Peatlands Country Park
The Birches
Derrytrasna
Derryadd
Mazetown
Flatfield
Ravernet
Culcavy
HILLSBOROUGH
Cromghlinn
MOIRA
Maigh Rath
Magheralin
Machaire Lainne
Dollingstown
Derrymacash
The Argory
Annaghmore
Tullyroan Corner
Scotch Street
Ardress
LURGAN
An Lorgain
WARINGSTOWN
Baile an Bhairínigh
PORTADOWN
Port an Dúnáin
CRAIGAVON
Bleary
Donaghcloney
Domhnach Cluana
DROMORE
An Droim Mor
Annahilt
Ballykeel
An Baile Caol
Loughgall
Loch gCál
Annahugh
Drumnacanvy
Newmills
Kilmore
DOWN
An Dún
Kinallen
Dromara
Droim Bearach
Waringsford
Finnis
Ballyleny
Lawrencetown
Milltown
Gilford
Ath Mhic Giolla
Seapatrick
RICHHILL
Log an Choire
Laurelvale
Milltown
Observatory
Museum
TANDRAGEE
Toin re Gaoith
BANBRIDGE
Droichead na Banna
Corbet
Hamiltonsbawn
Bábhún Hamaltún
Scarva
Scarbhach
Clare
Loughbrickland
Loch Bricleann
Annaclone
Katesbridge
Lowtown
Gosford Castle Forest Park
Markethill
Cnoc an Mhargaidh
Acton
Poyntz Pass
Pas an Phointe
Moneyslane
Ballyward
Ballyroney
ARMAGH
Ard Mhacha
Glen
Clady Milltown
Tassagh
Corran Cr Rds
Mountnorris
Achadh na Cranncha
Lough Island Reavy
RATHFRILAND
Ráth Fraoileann
Kilcoo
Jerrettspass
Lurganare
Whitecross
Carrigatuke
Mullaghglass
BESSBROOK
An Sruthán
Goward Dolmen
Newtownhamilton
Baile Úr
Belleek
Béal Leice
Camlough
Camloch
NEWRY
An tIúr
Mayobridge
Hilltown
Baile Hill
Spelga Dam
Deers Meadow
Ballyholland
Camlough Mtn
Ballymacdermot Cairn
Lislea
Slieve Muck
MOURNE MOUNTAINS
Beanna Boirche
Shanlieve
Killevy Church
Slieve Roosley
Burren
Crocknafeola Wood
Cullyhanna
Coilleach Eanach
Ballykeel Dolmen
Slieve Gullion
Meigh
Clontygora Cairn
Fathom Wood
Narrow Water Castle
Attical
Mullaghbane
Silverbridge
Slieve Gullion Forest Park
Drumintee
Flurry Bridge
WARRENPOINT
An Pointe
Rostrevor Forest
ROSTREVOR
Ros Treabhair
Anaghmare Cairn
Creggan
Jonesborough
Baile an Chláir
Omeath
Ó Méith
Killowen
Kilteaghan Dolmen
Mourne Park
Forkill
Foirceal
Kilnasaggart Inscribed Stone
CROSSMAGLEN
Crois Mhic Lionnáin
Ballsmill
Moyry Castle
Ravensdale Forest
Slieve Foye Forest
CARLINGFORD LOUGH
Loch Cairlinn
Cullaville
Carnavaddy
Ravensdale
Carlingford Mountain
King John's Castle
Castle
Greencastle
Dunnaval
Kilcurry
Proleek Megalithic Tombs
Ferry (V)&(P)
Coastguard Lookout
Carlingford
Cairlinn
GREENORE
An Grianfort
Ballurgan Forest
Jenkinstown
Baile Sheinicín
Slievenaglogh
Grange
Boharboy
Cranfield Point
Dun Dealgan
DUNDALK HARBOUR
Kilcurly
Ballagan Point

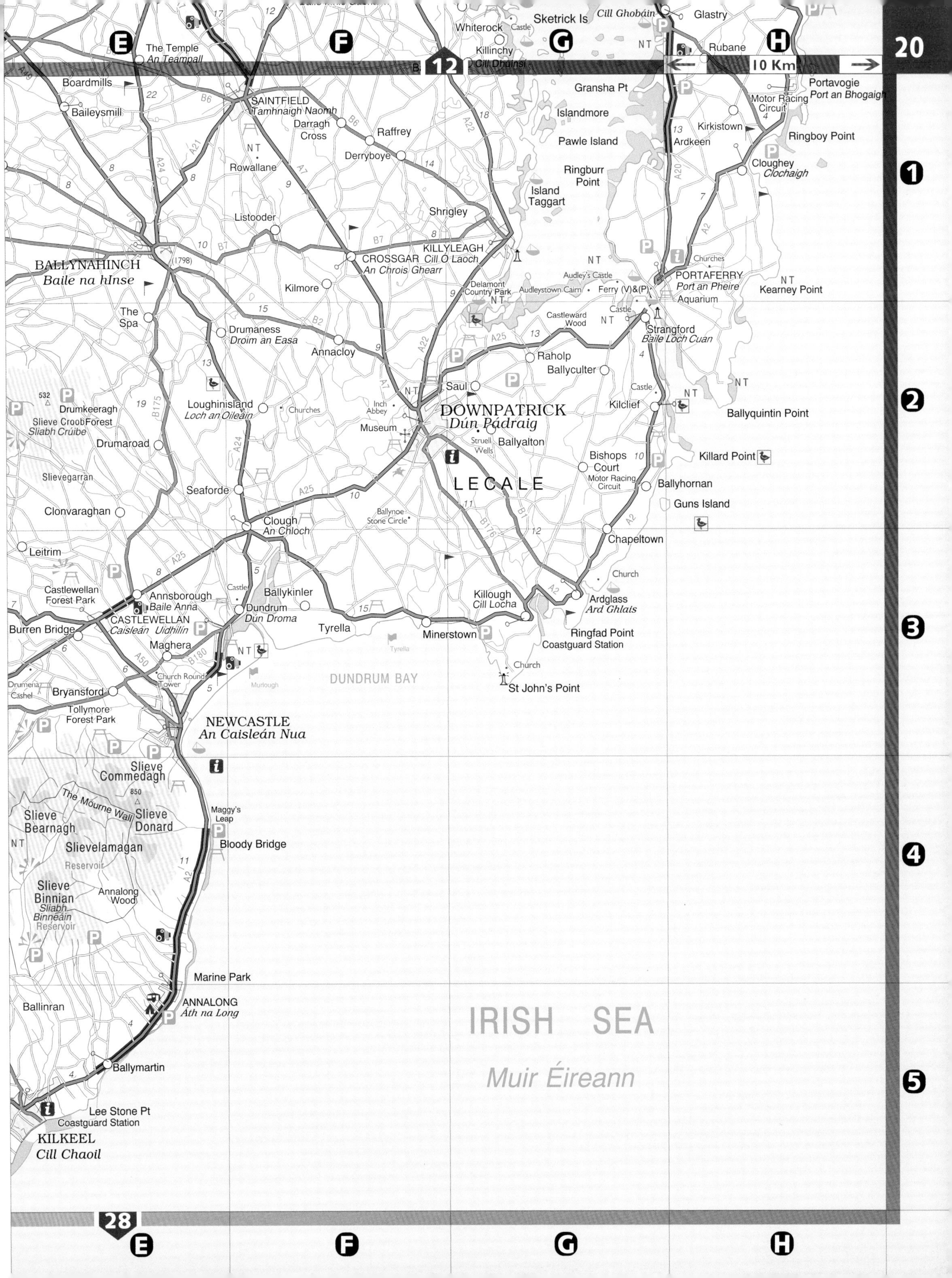

E
F
G
H
12
28
10 Km
1
2
3
4
5
Sketrick Is
Cill Ghobáin
Glastry
Whiterock
Killinchy
Cill Dhuinsí
Rubane
Portavogie
Port an Bhogaigh
The Temple
An Teampall
Boardmills
Baileysmill
SAINTFIELD
Tamhnaigh Naomh
Darragh Cross
Raffrey
Derryboye
Gransha Pt
Islandmore
Pawle Island
Motor Racing Circuit
Kirkistown
Ardkeen
Ringboy Point
Cloughey
Clochaigh
Rowallane
Ringburr Point
Island Taggart
Listooder
Shrigley
KILLYLEAGH
Cill Ó Laoch
CROSSGAR
An Chrois Ghearr
BALLYNAHINCH
Baile na hInse
Kilmore
Delamont Country Park
Audley's Castle
Audleystown Cairn
Ferry (V)&(P)
Churches
PORTAFERRY
Port an Pheire
Aquarium
Kearney Point
The Spa
Drumaness
Droim an Easa
Annacloy
Castleward Wood
Strangford
Baile Loch Cuan
Raholp
Ballyculter
Saul
Slieve Croob
Sliabh Crúibe
Drumkeeragh Forest
Loughinisland
Loch an Oileáin
Churches
Inch Abbey
Museum
DOWNPATRICK
Dún Pádraig
Struell Wells
Ballyalton
Kilclief
Ballyquintin Point
Drumaroad
Bishops Court
Motor Racing Circuit
Killard Point
Slievegarran
LECALE
Seaforde
Ballyhornan
Guns Island
Clonvaraghan
Clough
An Chloch
Ballynoe Stone Circle
Chapeltown
Leitrim
Castlewellan Forest Park
Annsborough
Baile Anna
Ballykinler
Church
Killough
Cill Locha
Ardglass
Ard Ghlais
CASTLEWELLAN
Caisleán Uidhilín
Dundrum
Dún Droma
Tyrella
Minerstown
Ringfad Point
Coastguard Station
Burren Bridge
Maghera
Church
St John's Point
DUNDRUM BAY
Murlough
Church Round Tower
Drumena Cashel
Bryansford
Tollymore Forest Park
NEWCASTLE
An Caisleán Nua
Slieve Commedagh
The Mourne Wall
Slieve Bearnagh
Slieve Donard
Maggy's Leap
Bloody Bridge
Slievelamagan
Reservoir
Slieve Binnian
Sliabh Binneáin
Annalong Wood
Reservoir
Marine Park
ANNALONG
Áth na Long
Ballinran
IRISH SEA
Muir Éireann
Ballymartin
Lee Stone Pt
Coastguard Station
KILKEEL
Cill Chaoil

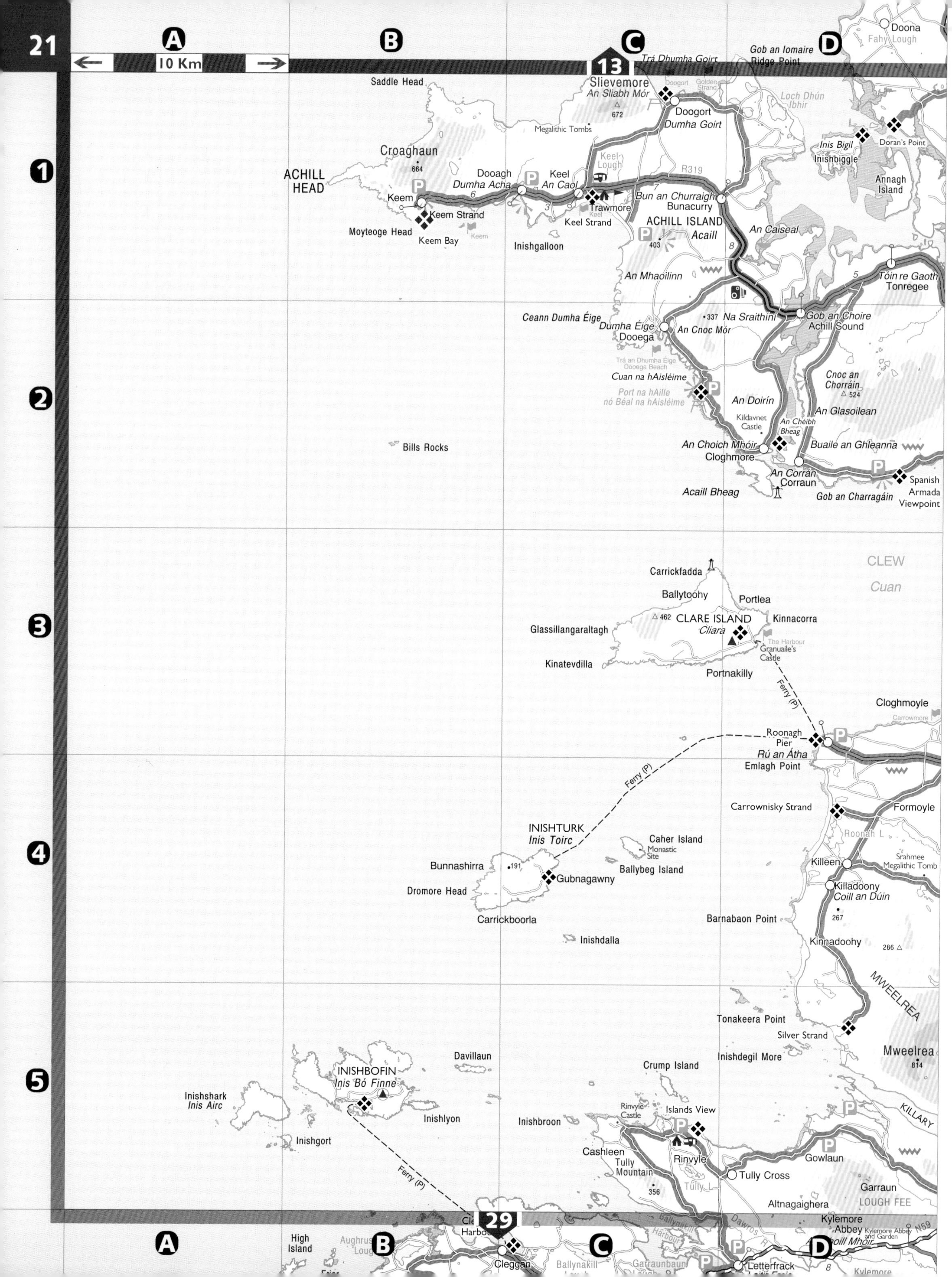

A
B
C
D
10 Km
13
Saddle Head
Slievemore
An Sliabh Mór
672
Doogort
Dumha Goirt
Trá Dhumha Goirt
Gob an Iomaire
Ridge Point
Doona
Fahy Lough
Loch Dhún Ibhir
Megalithic Tombs
Croaghaun
664
ACHILL HEAD
Dooagh
Dumha Acha
Keel
An Caol
Keel Lough
R319
Bun an Churraigh
Bunacurry
Inis Bigil
Inishbiggle
Doran's Point
Annagh Island
Keem
Keem Strand
Moyteoge Head
Keem Bay
Trawmore
Keel Strand
ACHILL ISLAND
Acaill
403
Inishgalloon
An Caiseal
An Mhaoilinn
Tóin re Gaoth
Tonregee
Ceann Dumha Éige
Dumha Éige
Dooega
337
Na Sraithíní
An Cnoc Mór
Gob an Choire
Achill Sound
Trá an Dhumha Éige
Dooega Beach
Cuan na hAisléime
Port na hAille
nó Béal na hAisléime
An Doirín
Cnoc an Chorráin
524
An Glasoilean
Kildavnet Castle
An Chéibh Bheag
Bills Rocks
An Choich Mhóir
Cloghmore
Buaile an Ghleanna
An Corrán
Corraun
Acaill Bheag
Gob an Charragáin
Spanish Armada Viewpoint
CLEW
Cuan
Carrickfadda
Ballytoohy
Portlea
462
CLARE ISLAND
Cliara
Kinnacorra
Glassillangaraltagh
The Harbour
Granuaile's Castle
Kinatevdilla
Portnakilly
Ferry (P)
Cloghmoyle
Carrowmore
Roonagh Pier
Rú an Átha
Emlagh Point
Carrownisky Strand
Formoyle
Roonah L
INISHTURK
Inis Toirc
Caher Island
Monastic Site
Ballybeg Island
Bunnashirra
191
Gubnagawny
Dromore Head
Carrickboorla
Killeen
Srahmee Megalithic Tomb
Killadoony
Coill an Dúin
267
Barnabaon Point
Inishdalla
Kinnadoohy
286
MWEELREA
Tonakeera Point
Silver Strand
Mweelrea
814
Davillaun
Crump Island
Inishdegil More
INISHBOFIN
Inis Bó Finne
Inishshark
Inis Airc
Inishlyon
Inishbroon
Rinvyle Castle
Islands View
KILLARY
Inishgort
Cashleen
Tully Mountain
356
Rinvyle
Tully L
Tully Cross
Gowlaun
Garraun
LOUGH FEE
Altnagaighera
29
Kylemore Abbey
Kylemore Abbey and Garden
N59
High Island
Aughrus Lough
Harbour
Cleggan
Ballynakill
Garraunbaun
Dawros R
Letterfrack
Kylemore
1
2
3
4
5

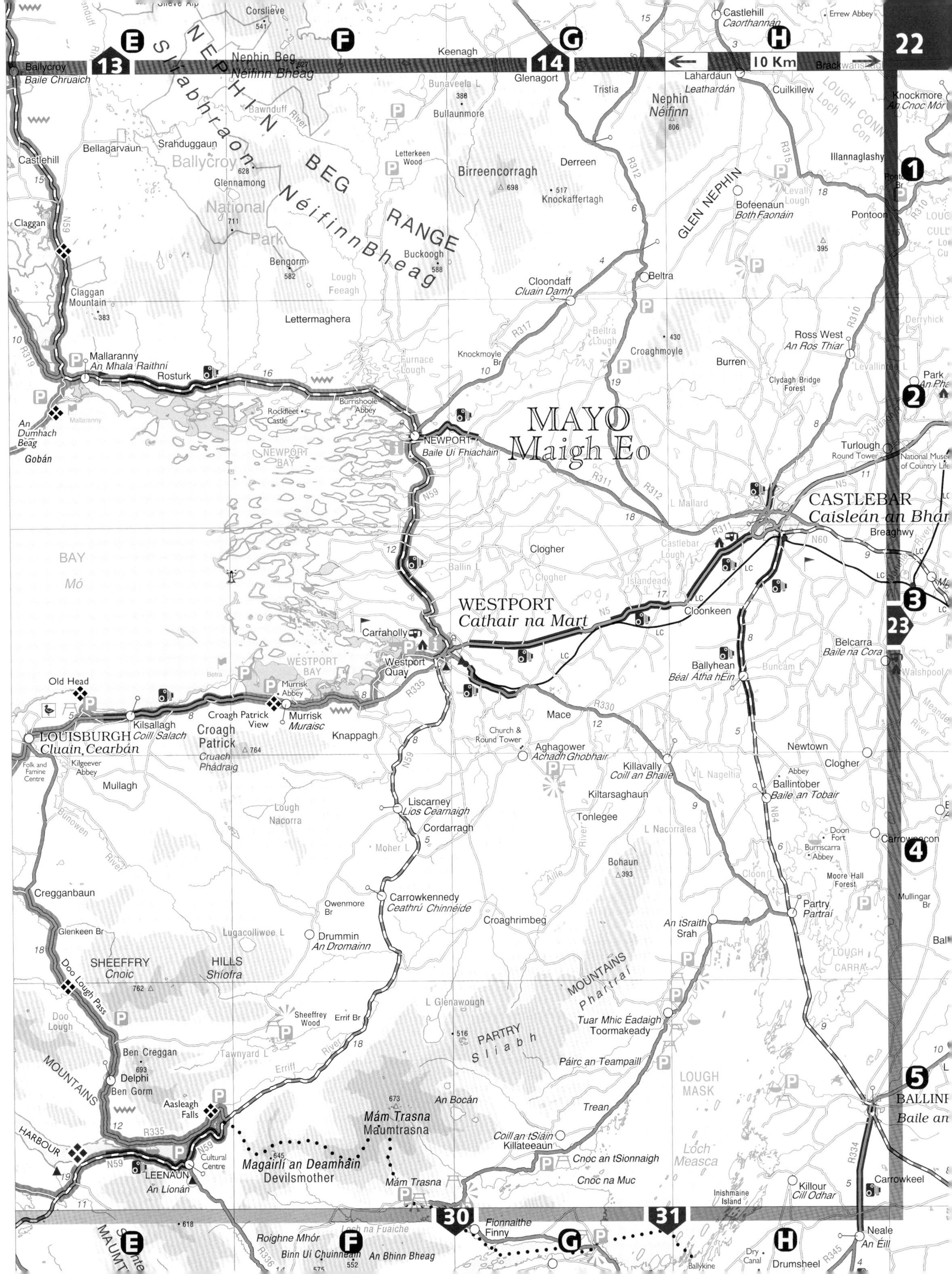
13
14
E
F
G
H
10 Km
Ballycroy
Baile Chruaich
Corslieve
Nephin Beg
Néifinn Bheag
NEPHIN BEG RANGE
Sliabhraon Néifinn Bheag
Keenagh
Glenagort
Castlehill
Caorthannán
Errew Abbey
Lahardaun
Leathardán
Tristia
Nephin
Néifinn
806
Cuilkillew
LOUGH CONN
Knockmore
An Cnoc Mór
Bunaveela L
Bullaunmore
Bawnduff
Bellagarvaun
Srahduggaun
Ballycroy National Park
Glennamong
Castlehill
Claggan
Letterkeen Wood
Birreencorragh
698
Derreen
Knockaffertagh
R312
GLEN NEPHIN
Bofeenaun
Both Faonáin
Levally Lough
Illannaglashy
Pontoon
Buckoogh
588
Bengorm
582
Lough Feeagh
Claggan Mountain
383
Cloondaff
Cluain Damh
Beltra
Lettermaghera
R317
Beltra Lough
Croaghmoyle
Burren
Ross West
An Ros Thiar
Derryhick
Mallaranny
An Mhala Raithní
Rosturk
Knockmoyle Br
Furnace Lough
Clydagh Bridge Forest
Park
An Pháirc
Burrishoole Abbey
Rockfleet Castle
NEWPORT
Baile Uí Fhiacháin
MAYO
Maigh Eo
An Dumhach Beag
Gobán
NEWPORT BAY
N59
R311
Turlough
Round Tower
National Museum of Country Life
CASTLEBAR
Caisleán an Bharraigh
L Mallard
Breaghwy
N5
N60
BAY
Mó
Clogher
Ballin L
Castlebar Lough
Islandeady L
WESTPORT
Cathair na Mart
Cloonkeen
Carraholly
Westport Quay
WESTPORT BAY
Belcarra
Baile na Cora
Ballyhean
Béal Átha hEin
Buncam L
Walshpool
Old Head
Kilsallagh
Coill Salach
Croagh Patrick View
Murrisk Abbey
Murrisk
Muraisc
R335
R330
Mace
LOUISBURGH
Cluain Cearbán
Croagh Patrick
Cruach Phádraig
764
Knappagh
Church & Round Tower
Aghagower
Achadh Ghobhair
Killavally
Coill an Bhaile
Newtown
Clogher
Folk and Famine Centre
Kilgeever Abbey
Mullagh
L Nageltia
Ballintober
Baile an Tobair
Abbey
Liscarney
Lios Cearnaigh
Kiltarsaghaun
Tonlegee
Cordarragh
Lough Nacorra
L Nacorralea
N84
Doon Fort
Burriscarra Abbey
Carrowncon
Moher L
Bohaun
393
Moore Hall Forest
Cloon L
Cregganbaun
Carrowkennedy
Ceathrú Chinnéide
Owenmore Br
Partry
Partraí
Mullingar Br
Croaghrimbeg
An tSraith
Srah
Drummin
An Dromainn
Glenkeen Br
Lugacolliwee L
SHEEFFRY HILLS
Cnoic Shíofra
762
PARTRY MOUNTAINS
Sliabh Phartraí
LOUGH CARRA
Doo Lough Pass
Doo Lough
L Glenawough
Sheeffrey Wood
Errif Br
Tuar Mhic Éadaigh
Toormakeady
516
Ben Creggan
Tawnyard L
MOUNTAINS
Delphi
Ben Gorm
Erriff River
Páirc an Teampaill
LOUGH MASK
Aasleagh Falls
673
An Bocán
Mám Trasna
Maumtrasna
Trean
BALLINROBE
Baile an Róba
HARBOUR
R335
N59
LEENAUN
An Líonán
Cultural Centre
Magairlí an Deamhain
Devilsmother
845
Coill an tSiáin
Killateeaun
Cnoc an tSionnaigh
Loch Measca
Mám Trasna
Cnoc na Muc
R334
Killour
Cill Odhar
Inishmaine Island
Carrowkeel
30
31
Fionnaithe
Finny
618
MAUMTURK
Roighne Mhór
Binn Uí Chuinneáin
An Bhinn Bheag
552
575
R336
Loch na Fuaiche
Dry Canal
Drumsheel
Ballykine
Neale
An Éill
R345
23
1
2
3
4
5

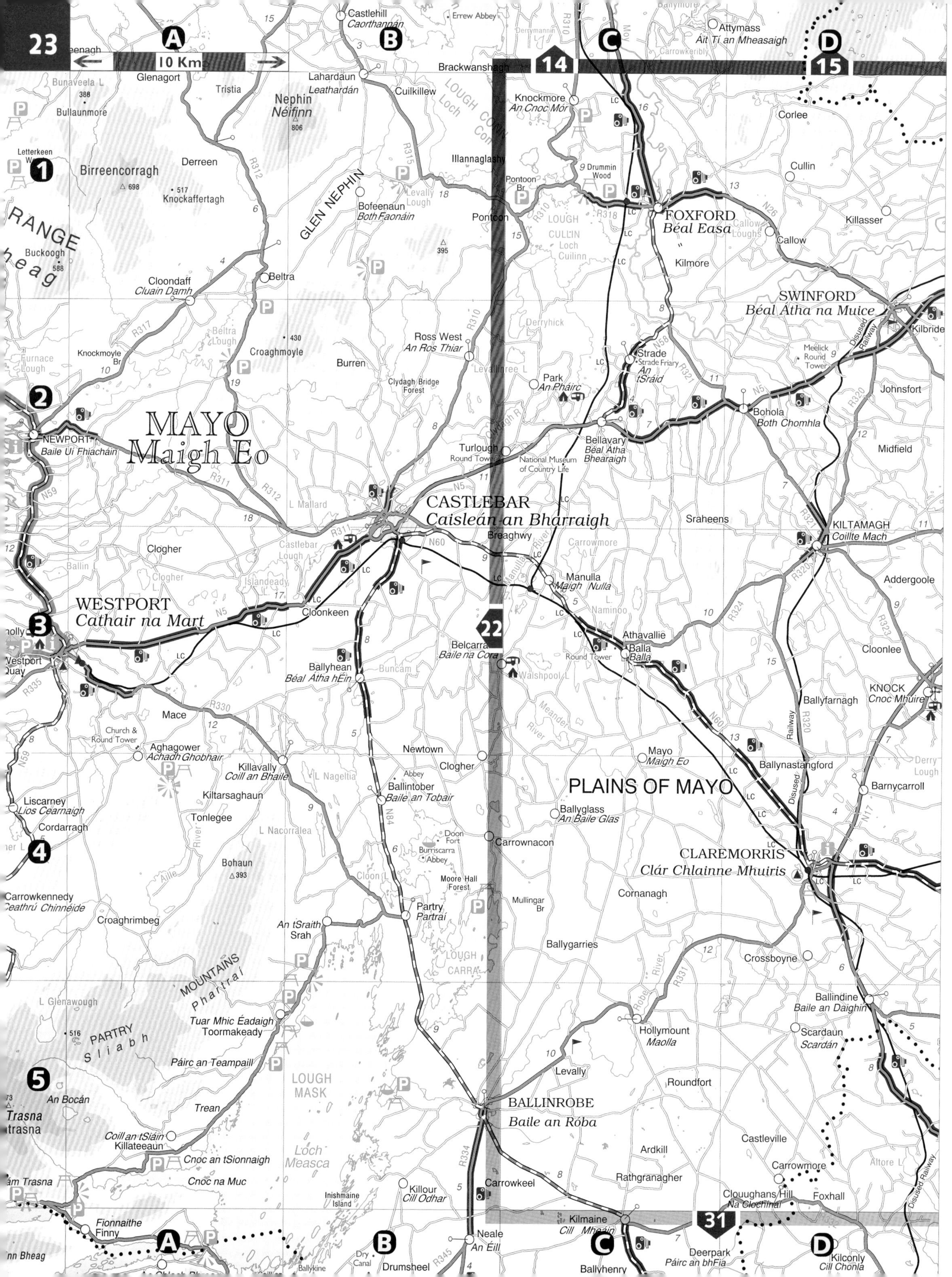
10 Km
A
B
C
D
14
15
22
31
Castlehill
Caorthannán
Errew Abbey
Attymass
Áit Tí an Mheasaigh
Carrowkeribly
Brackwanshagh
Glenagort
Bunaveela L
388
Bullaunmore
Tristia
Lahardaun
Leathardán
Cuilkillew
Nephin
Néifinn
806
Lough Conn
Loch Con
Knockmore
An Cnoc Mór
Corlee
Letterkeen Wood
1
Birreencorragh
698
Derreen
517
Knockaffertagh
Illannaglashy
Glen Nephin
Bofeenaun
Both Faonáin
Levally Lough
Pontoon Br
Pontoon
9 Drummin Wood
Foxford
Béal Easa
Cullin
Killasser
Callow
Callow Loughs
Lough Cullin
Loch Cuilinn
Kilmore
Range
Buckoogh
588
Cloondaff
Cluain Damh
Beltra
395
Swinford
Béal Átha na Muice
Kilbride
Beltra Lough
430
Croaghmoyle
Furnace Lough
Knockmoyle Br
Ross West
An Ros Thiar
Burren
Levallinree L
Derryhick
Strade
Strade Friary
An tSráid
Meelick Round Tower
Disused Railway
2
Clydagh Bridge Forest
Park
An Pháirc
Bohola
Both Chomhla
Johnsfort
Newport
Baile Uí Fhiacháin
Mayo
Maigh Eo
Turlough
Round Tower
National Museum of Country Life
Bellavary
Béal Átha Bhearaigh
Midfield
L Mallard
Castlebar
Caisleán an Bharraigh
Sraheens
Kiltamagh
Coillte Mach
Breaghwy
Clogher
Castlebar Lough
Ballin
Clogher L
Islandeady L
Carrowmore L
Manulla
Maigh Nulla
Addergoole
Westport
Cathair na Mart
Cloonkeen
Naminoo L
Athavallie
Balla
Round Tower
Belcarra
Baile na Cora
Walshpool L
Westport Quay
Ballyhean
Béal Átha hÉin
Buncam L
Cloonlee
Knock
Cnoc Mhuire
Ballyfarnagh
Mace
Church & Round Tower
Aghagower
Achadh Ghobhair
Meander River
Newtown
Abbey
Clogher
Mayo
Maigh Eo
Ballynastangford
Derry Lough
Killavally
Coill an Bhaile
L Nagellia
Ballintober
Baile an Tobair
Plains of Mayo
Barnycarroll
Liscarney
Lios Cearnaigh
Kiltarsaghaun
Ballyglass
An Baile Glas
Tonlegee
Cordarragh
L Nacorralea
Doon Fort
Carrownacon
4
Burriscarra Abbey
Claremorris
Clár Chlainne Mhuiris
Bohaun
393
Moore Hall Forest
Cornanagh
Carrowkennedy
Ceathrú Chinnéide
Cloon L
Partry
Partraí
Mullingar Br
Croaghrimbeg
An tSraith
Srah
Ballygarries
Lough Carra
Crossboyne
Mountains
Phartraí
L Glenawough
Ballindine
Baile an Daighin
Tuar Mhic Éadaigh
Toormakeady
Hollymount
Maolla
516
Partry
Sliabh
Scardaun
Scardán
Páirc an Teampaill
5
Lough Mask
Levally
Roundfort
An Bocán
Trasna
Trean
Ballinrobe
Baile an Róba
Coill an tSiáin
Killateeaun
Castleville
Loch Measca
Ardkill
Cnoc an tSionnaigh
Altore L
Cnoc na Muc
Carrowmore
Carrowkeel
Rathgranagher
Inishmaine Island
Killour
Cill Odhar
Clooughans Hill
Na Clochíní
Foxhall
Fionnaithe
Finny
Kilmaine
Cill Mheáin
Neale
An Éill
Deerpark
Páirc an bhFia
Dry Canal
Drumsheel
Ballykine
Ballyhenry
Kilconly
Cill Chonla
N5
N17
N26
N58
N59
N60
N84
R310
R311
R312
R315
R317
R318
R320
R321
R323
R324
R330
R331
R334
R335
R345
LC

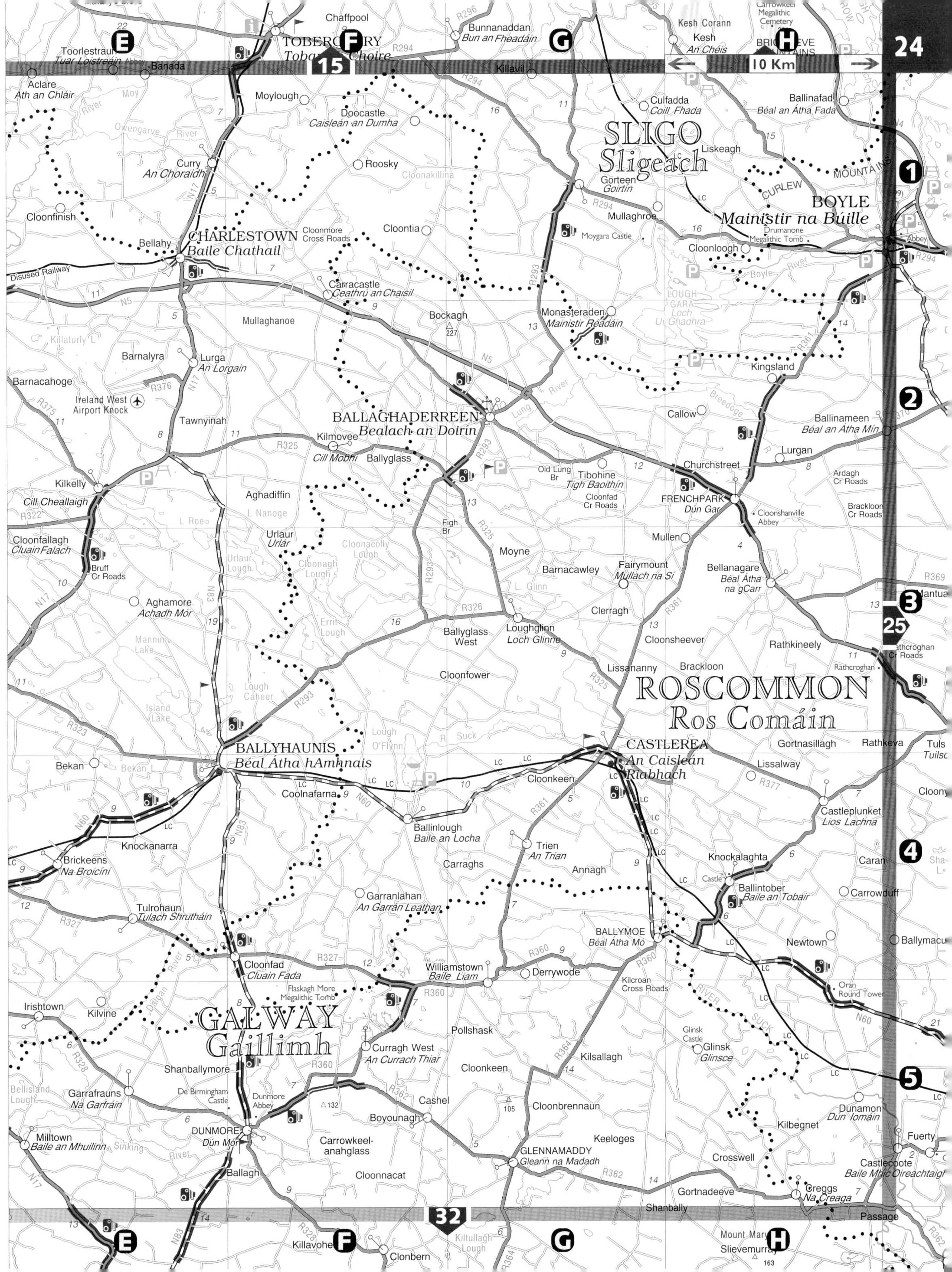
24
E
F
G
H
15
10 Km
Chaffpool
Bunnanaddan
Bun an Fheadáin
Kesh Corann
Kesh
An Chéis
Carrowkeel Megalithic Cemetery
Toorlestraun
Tuar Loistreáin
Abbey
Banada
TOBERCURRY
Tobar an Choire
R294
Killavil
Aclare
Áth an Chláir
Moy
River
Moylough
Doocastle
Caisleán an Dumha
Owengarve River
Culfadda
Coill Fhada
Ballinafad
Béal an Átha Fada
SLIGO
Sligeach
Liskeagh
Curry
An Choraidh
Roosky
Cloonakillina L.
Gorteen
Goirtín
CURLEW
MOUNTAINS
BOYLE
Mainistir na Búille
Cloonfinish
Cloontia
Mullaghroe
Moygara Castle
Drumanone Megalithic Tomb
Abbey
CHARLESTOWN
Baile Chathail
Bellahy
Cloonmore Cross Roads
Cloonlough
Boyle River
Disused Railway
Carracastle
Ceathrú an Chaisil
N5
Lough Gara
Loch Uí Ghadhra
Mullaghanoe
Bockagh
227
Monasteraden
Mainistir Réadáin
Killaturly L.
Barnalyra
Lurga
An Lorgain
R376
Kingsland
Barnacahoge
Ireland West Airport Knock
R375
Tawnyinah
BALLAGHADERREEN
Bealach an Doirín
Lung River
Breedoge
Callow
Ballinameen
Béal an Átha Mín
Kilmovee
Cill Mobhí
Ballyglass
R325
R293
Lurgan
Old Lung Br
Tibohine
Tigh Baoithín
Churchstreet
Kilkelly
Cill Cheallaigh
R322
Aghadiffin
L. Nanoge
L. Roe
Cloonfad Cr Roads
FRENCHPARK
Dún Gar
Ardagh Cr Roads
Cloonshanville Abbey
Brackloon Cr Roads
Cloonfallagh
Cluain Falach
Bruff Cr Roads
Urlaur
Urlár
Urlaur Lough
Cloonagh Lough
Cloonacolly Lough
Figh Br
Moyne
Mullen
N17
N83
Aghamore
Achadh Mór
Barnacawley
Fairymount
Mullach na Sí
Bellanagare
Béal Átha na gCarr
R369
Mantua
L. Glinn
R326
Errit Lough
Loughglinn
Loch Glinne
Ballyglass West
Clerragh
Cloonsheever
Rathkineely
Rathcroghan Cr Roads
Rathcroghan
Mannin Lake
Lissananny
Brackloon
Cloonfower
Lough Caheer
Island Lake
R323
ROSCOMMON
Ros Comáin
Lough O'Flynn
R Suck
BALLYHAUNIS
Béal Átha hAmhnais
CASTLEREA
An Caisleán Riabhach
Gortnasillagh
Rathkeva
Tuls
Tuilsc
Bekan
Bekan L
Cloonkeen
Lissalway
R377
Coolnafarna
N60
Ballinlough
Baile an Locha
R361
Castleplunket
Lios Lachna
Cloony
Knockanarra
Brickeens
Na Broicíní
Trien
An Trian
Carraghs
Annagh
Knockalaghta
Caran
Castle
Ballintober
Baile an Tobair
Carrowduff
Garranlahan
An Garrán Leathan
Tulrohaun
Tulach Shrutháin
R327
BALLYMOE
Béal Átha Mó
Newtown
Ballymacu
Cloonfad
Cluain Fada
Williamstown
Baile Liam
R360
Derrywode
Kilcroan Cross Roads
River Suck
Oran Round Tower
Flaskagh More Megalithic Tomb
Irishtown
Kilvine
Dalgan River
GALWAY
Gaillimh
Pollshask
Glinsk Castle
Glinsk
Glinsce
Curragh West
An Currach Thiar
Kilsallagh
R328
R364
Shanballymore
Cloonkeen
Bellisland Lough
Garrafrauns
Na Garfráin
De Birmingham Castle
Dunmore Abbey
R362
Cashel
132
105
Cloonbrennaun
Dunamon
Dún Iomáin
Kilbegnet
DUNMORE
Dún Mór
Boyounagh
Milltown
Baile an Mhuilinn
Sinking River
Carrowkeel-anahglass
Keeloges
Fuerty
GLENNAMADDY
Gleann na Madadh
Crosswell
Castlecoote
Baile Mhic Oireachtaigh
Ballagh
Cloonnacat
Creggs
Na Creaga
Gortnadeeve
Shanbally
Passage
32
Killavohe
Kiltullagh Lough
Clonbern
Mount Mary
Slievemurry
163

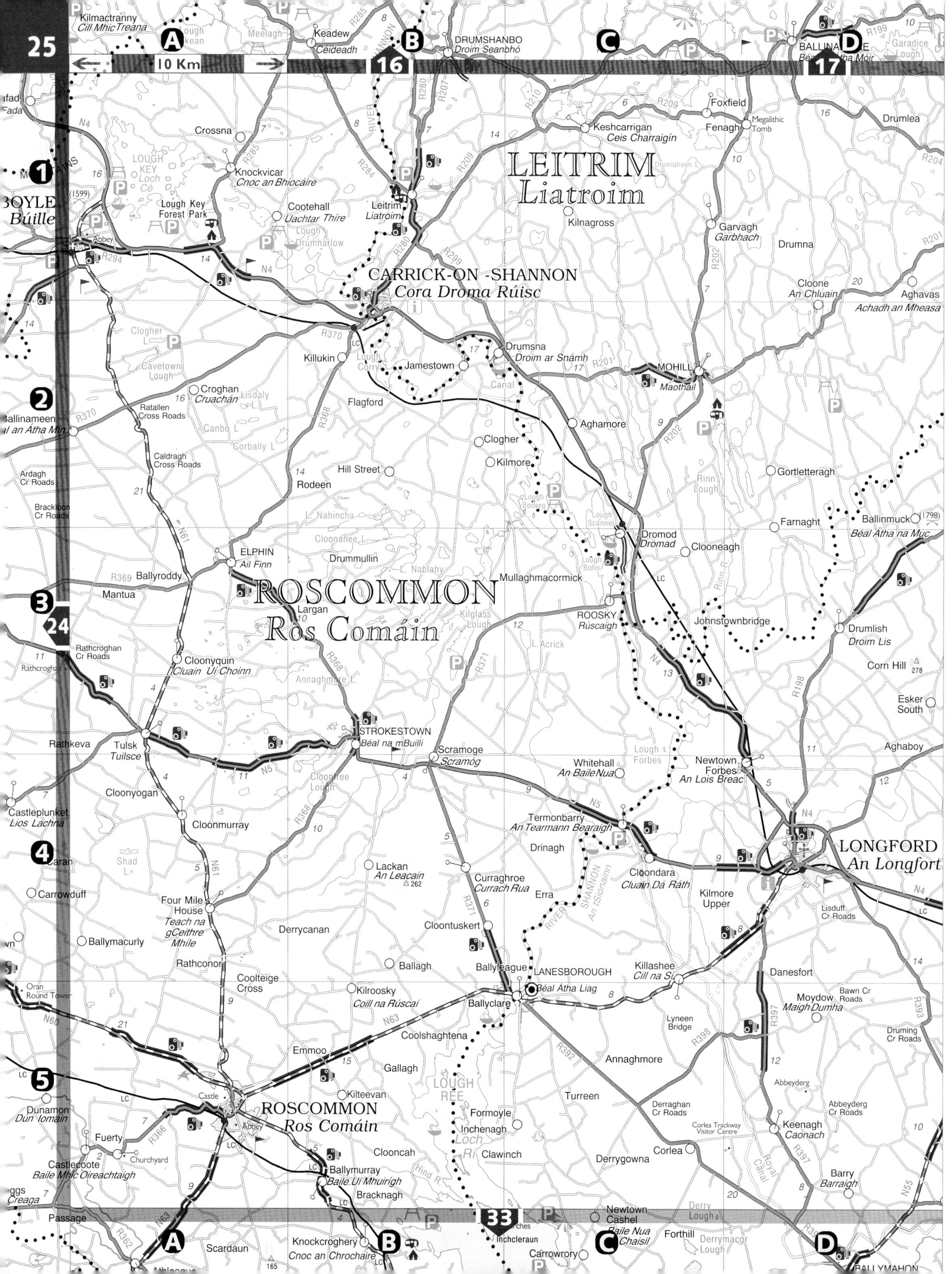
10 Km
16
17
24
33
LEITRIM
Liatroim
ROSCOMMON
Ros Comáin
CARRICK-ON -SHANNON
Cora Droma Rúisc
BOYLE
Búille
DRUMSHANBO
Droim Seanbhó
Keadew
Céideadh
Kilmactranny
Cill Mhic Treana
Crossna
Knockvicar
Cnoc an Bhiocáire
Lough Key Forest Park
Cootehall
Uachtar Thíre
Leitrim
Liatroim
Keshcarrigan
Ceis Charraigín
Foxfield
Fenagh
Megalithic Tomb
Drumlea
Kilnagross
Garvagh
Garbhach
Drumna
Cloone
An Chluain
Aghavas
Achadh an Mheasa
MOHILL
Maothail
Drumsna
Droim ar Snámh
Jamestown
Killukin
Flagford
Croghan
Cruachán
Ratallen Cross Roads
Ballinameen
Caldragh Cross Roads
Ardagh Cr Roads
Brackloon Cr Roads
Aghamore
Clogher
Kilmore
Hill Street
Rodeen
Gortletteragh
Farnaght
Ballinmuck
Béal Átha na Muc
Dromod
Clooneagh
ELPHIN
Ail Finn
Drummullin
Ballyroddy
Mantua
Mullaghmacormick
Largan
ROOSKY
Rúscaigh
Johnstownbridge
Drumlish
Droim Lis
Corn Hill
Esker South
Rathcroghan Cr Roads
Cloonyquin
Cluain Uí Choinn
STROKESTOWN
Béal na mBuillí
Scramoge
Scramóg
Rathkeva
Tulsk
Tuilsce
Whitehall
An Baile Nua
Newtown Forbes
An Lois Breac
Aghaboy
Cloonyogan
Castleplunket
Lios Lachna
Cloonmurray
Termonbarry
An Tearmann Bearaigh
Drinagh
LONGFORD
An Longfort
Carrowduff
Lackan
An Leacain
Curraghroe
Currach Rua
Erra
Cloondara
Cluain Dá Ráth
Kilmore Upper
Lisduff Cr Roads
Four Mile House
Teach na gCeithre Mhíle
Derrycanan
Ballymacurly
Cloontuskert
Rathconor
Ballagh
Ballyleague
LANESBOROUGH
Béal Átha Liag
Killashee
Cill na Sí
Danesfort
Cooltiege Cross
Kilroosky
Coill na Rúscaí
Ballyclare
Moydow
Maigh Dumha
Bawn Cr Roads
Coolshaghtena
Lyneen Bridge
Druming Cr Roads
Emmoo
Annaghmore
Gallagh
Kilteevan
Turreen
ROSCOMMON
Ros Comáin
Dunamon
Dún Iomáin
Formoyle
Inchenagh
Derraghan Cr Roads
Corlea Trackway Visitor Centre
Keenagh
Caonach
Abbeyderg Cr Roads
Fuerty
Castlecoote
Baile Mhic Oireachtaigh
Churchyard
Clooncah
Clawinch
Corlea
Derrygowna
Ballymurray
Baile Uí Mhuirígh
Bracknagh
Barry
Barraigh
Passage
Knockcroghery
Cnoc an Chrochaire
Scardaun
Newtown Cashel
Baile Nua an Chaisil
Forthill
Carrowrory
Inchcleraun
BALLYMAHON
LOUGH REE
Loch Rí
RIVER SHANNON
An tSionainn
Royal Canal
N4
N5
N61
N63
N60
R370
R368
R371
R392
R398
R397
R198
R202
R280
R284
R285
R294
R299
R366
R362
R369
R201
R209
R210
R207
N55
R393

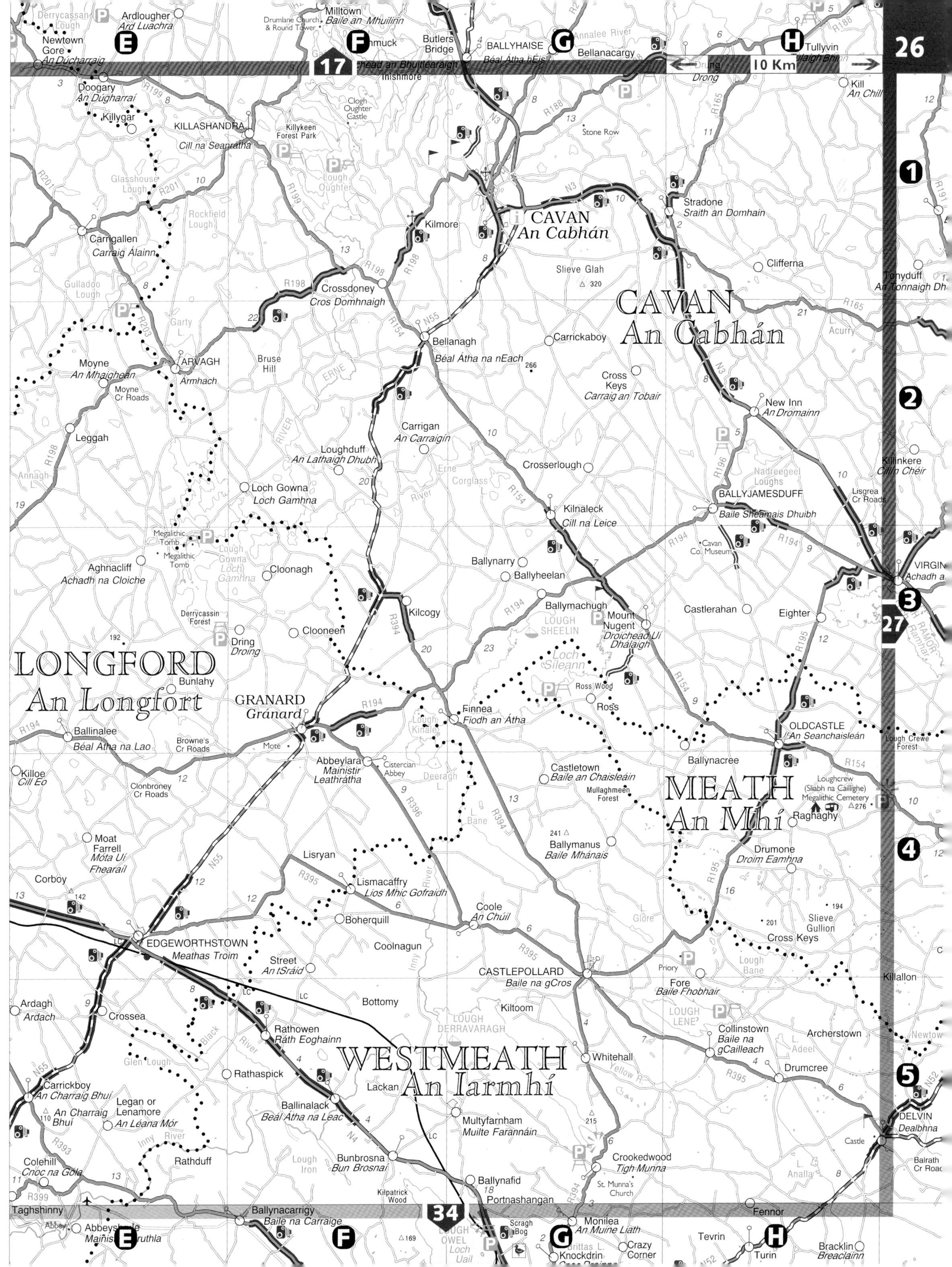
CAVAN
An Cabhán
LONGFORD
An Longfort
MEATH
An Mhí
WESTMEATH
An Iarmhí
CAVAN
An Cabhán
Bellanagh
Béal Átha na nEach
Crossdoney
Cros Domhnaigh
KILLASHANDRA
Cill na Seanrátha
ARVAGH
Armhach
Carrigallen
Carraig Álainn
Stradone
Sraith an Domhain
BALLYJAMESDUFF
Baile Shéamais Dhuibh
Kilnaleck
Cill na Leice
Mount Nugent
Droichead Uí Dhálaigh
OLDCASTLE
An Seanchaisleán
GRANARD
Gránard
Finnea
Fiodh an Átha
Abbeylara
Mainistir Leathrátha
EDGEWORTHSTOWN
Meathas Troim
CASTLEPOLLARD
Baile na gCros
Rathowen
Ráth Eoghainn
Ballinalack
Béal Átha na Leac
Multyfarnham
Muilte Farannáin
Bunbrosna
Bun Brosnaí
Crookedwood
Tigh Munna
DELVIN
Dealbhna
Collinstown
Baile na gCailleach
Fore
Baile Fhobhair
Carrickboy
An Charraig Bhuí
Ballinalee
Béal Átha na Lao
Loch Gowna
Loch Gamhna
Carrigan
An Carraigín
Loughduff
An Lathaigh Dhubh
New Inn
An Dromainn
Cross Keys
Carraig an Tobair
VIRGINIA
Lough Sheelin
Loch Síleann
Lough Derravaragh
Lough Lene
Loughcrew (Sliabh na Caillighe) Megalithic Cemetery
Slieve Glah
N3
N55
N4
N52
R194
R154
R395
R396
R394
R198
R199
R201
R203
R165
R195
R188
R191
R393
R399
10 Km
17
27
34

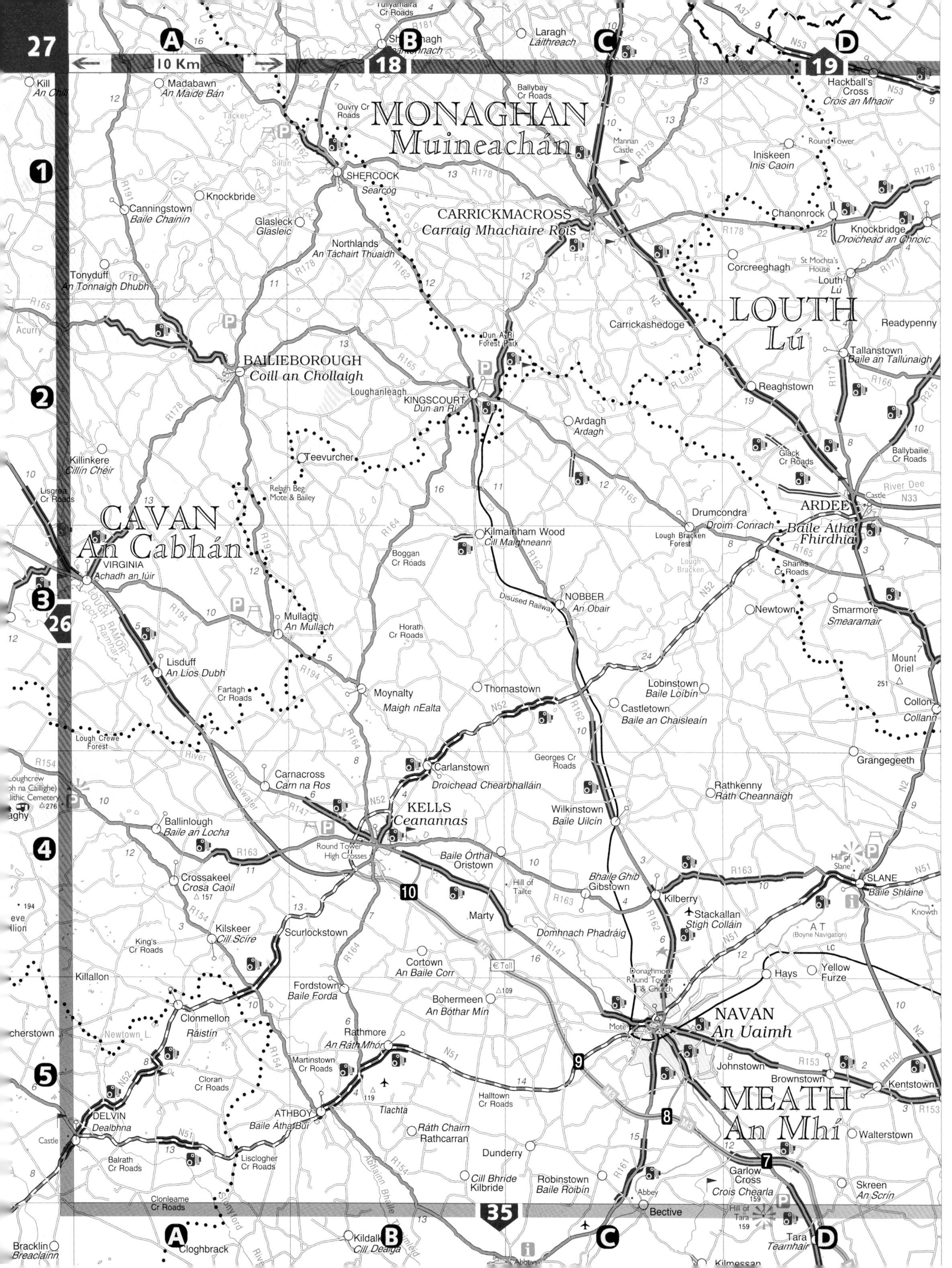

10 Km
18
19
26
35
MONAGHAN
Muineachán
CARRICKMACROSS
Carraig Mhachaire Rois
LOUTH
Lú
CAVAN
An Cabhán
MEATH
An Mhí
SHERCOCK
Searcóg
BAILIEBOROUGH
Coill an Chollaigh
KINGSCOURT
Dún an Rí
VIRGINIA
Achadh an Iúir
KELLS
Ceanannas
NAVAN
An Uaimh
ARDEE
Baile Átha Fhirdhia
SLANE
Baile Shláine
NOBBER
An Obair
DELVIN
Dealbhna
ATHBOY
Baile Átha Buí
Kill
An Chill
Madabawn
An Maide Bán
Canningstown
Baile Chainín
Knockbride
Glasleck
Glasleic
Northlands
An Tácháirt Thuaidh
Tonyduff
An Tonnaigh Dhubh
Killinkere
Cillín Chéir
Teevurcher
Mullagh
An Mullach
Lisduff
An Lios Dubh
Moynalty
Maigh nEalta
Thomastown
Carlanstown
Droichead Chearbhalláin
Carnacross
Carn na Ros
Ballinlough
Baile an Locha
Crossakeel
Crosa Caoil
Kilskeer
Cill Scíre
Scurlockstown
Killallon
Clonmellon
Ráistín
Fordstown
Baile Forda
Rathmore
An Ráth Mhór
Cortown
An Baile Corr
Bohermeen
An Bóthar Mín
Baile Órthaí
Oristown
Marty
Domhnach Phadráig
Bhaile Ghib
Gibstown
Kilberry
Stackallan
Stigh Colláin
Hays
Yellow Furze
Johnstown
Brownstown
Kentstown
Walterstown
Garlow Cross
Crois Chearla
Skreen
An Scrín
Tara
Teamhair
Bective
Robinstown
Baile Roibín
Cill Bhríde
Kilbride
Dunderry
Ráth Chairn
Rathcarran
Tlachta
Kildalkey
Cill Dealga
Cloghbrack
Bracklin
Breaclainn
Ardagh
Drumcondra
Droim Conrach
Kilmainham Wood
Cill Maighneann
Newtown
Smarmore
Smearamair
Lobinstown
Baile Loibín
Castletown
Baile an Chaisleáin
Rathkenny
Ráth Cheannaigh
Wilkinstown
Baile Uilcín
Grangegeeth
Collon
Collann
Mount Oriel
Reaghstown
Tallanstown
Baile an Tallúnaigh
Readypenny
Louth
Lú
Corcreeghagh
Knockbridge
Droichead an Chnoic
Chanonrock
Iniskeen
Inis Caoin
Hackball's Cross
Crois an Mhaoir
Carrickashedoge
Laragh
Láithreach
Sheskinagh
Dun A Rí Forest Park
Loughanleagh
Lough Bracken Forest
Disused Railway
Round Tower High Crosses
Hill of Tailte
Hill of Slane
Hill of Tara
Donaghmore Round Tower & Church
Lough Crewe Forest
Relagh Beg Motte & Bailey
€Toll

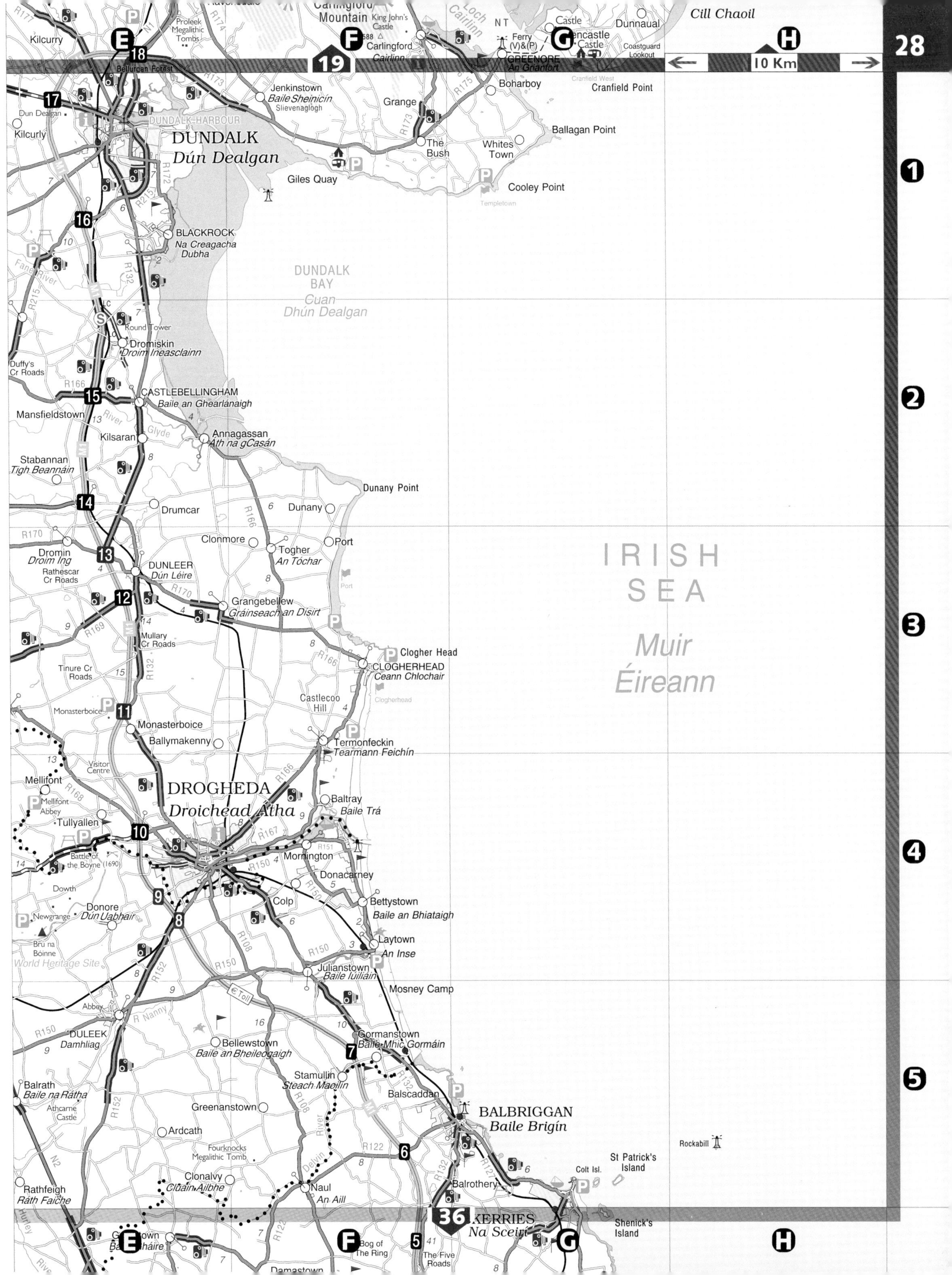

Kilcurry
Proleek Megalithic Tombs
Carlingford Mountain
King John's Castle
Carlingford
Cairlinn
Cill Chaoil
Dunnaual
Greencastle Castle
Coastguard Lookout
GREENORE
An Grianfort
Ferry (V)&(P)
10 Km
Bellurgan Forest
Jenkinstown
Baile Sheinicín
Slievenagloghh
Grange
Boharboy
Cranfield Point
Dun Dealgan
Kilcurly
DUNDALK HARBOUR
DUNDALK
Dún Dealgan
The Bush
Whites Town
Ballagan Point
Giles Quay
Cooley Point
Templetown
BLACKROCK
Na Creagacha Dubha
DUNDALK BAY
Cuan Dhún Dealgan
Fane River
Round Tower
Dromiskin
Droim Ineasclainn
Duffy's Cr Roads
CASTLEBELLINGHAM
Baile an Ghearlánaigh
Mansfieldstown
River Glyde
Kilsaran
Annagassan
Áth na gCasán
Stabannan
Tigh Beannáin
Dunany Point
Dunany
Drumcar
Clonmore
Togher
An Tóchar
Port
Dromin
Droim Ing
Rathescar Cr Roads
DUNLEER
Dún Léire
IRISH SEA
Grangebellew
Gráinseach an Dísirt
Muir Éireann
Mullary Cr Roads
Clogher Head
CLOGHERHEAD
Ceann Chlochair
Tinure Cr Roads
Castlecoo Hill
Monasterboice
Ballymakenny
Termonfeckin
Tearmann Feichín
Visitor Centre
Mellifont
Mellifont Abbey
DROGHEDA
Droichead Átha
Baltray
Baile Trá
Tullyallen
Battle of the Boyne (1690)
Mornington
Donacarney
Dowth
Donore
Dún Uabhair
Newgrange
Colp
Bettystown
Baile an Bhiataigh
Brú na Bóinne
World Heritage Site
Laytown
An Inse
Julianstown
Baile Iuiliáin
Mosney Camp
Abbey
R Nanny
DULEEK
Damhliag
Bellewstown
Baile an Bheileogaigh
Gormanstown
Baile Mhic Gormáin
Balrath
Baile na Rátha
Athcarne Castle
Stamullin
Steach Maoilín
Balscaddan
Greenanstown
BALBRIGGAN
Baile Brigín
Ardcath
Fourknocks Megalithic Tomb
Rockabill
St Patrick's Island
Colt Isl.
Clonalvy
Cluain Ailbhe
Naul
An Aill
Balrothery
Rathfeigh
Ráth Faiche
SKERRIES
Na Sceirí
Shenick's Island
Bog of The Ring
The Five Roads
Damastown
1
2
3
4
5
E
F
G
H
19
36

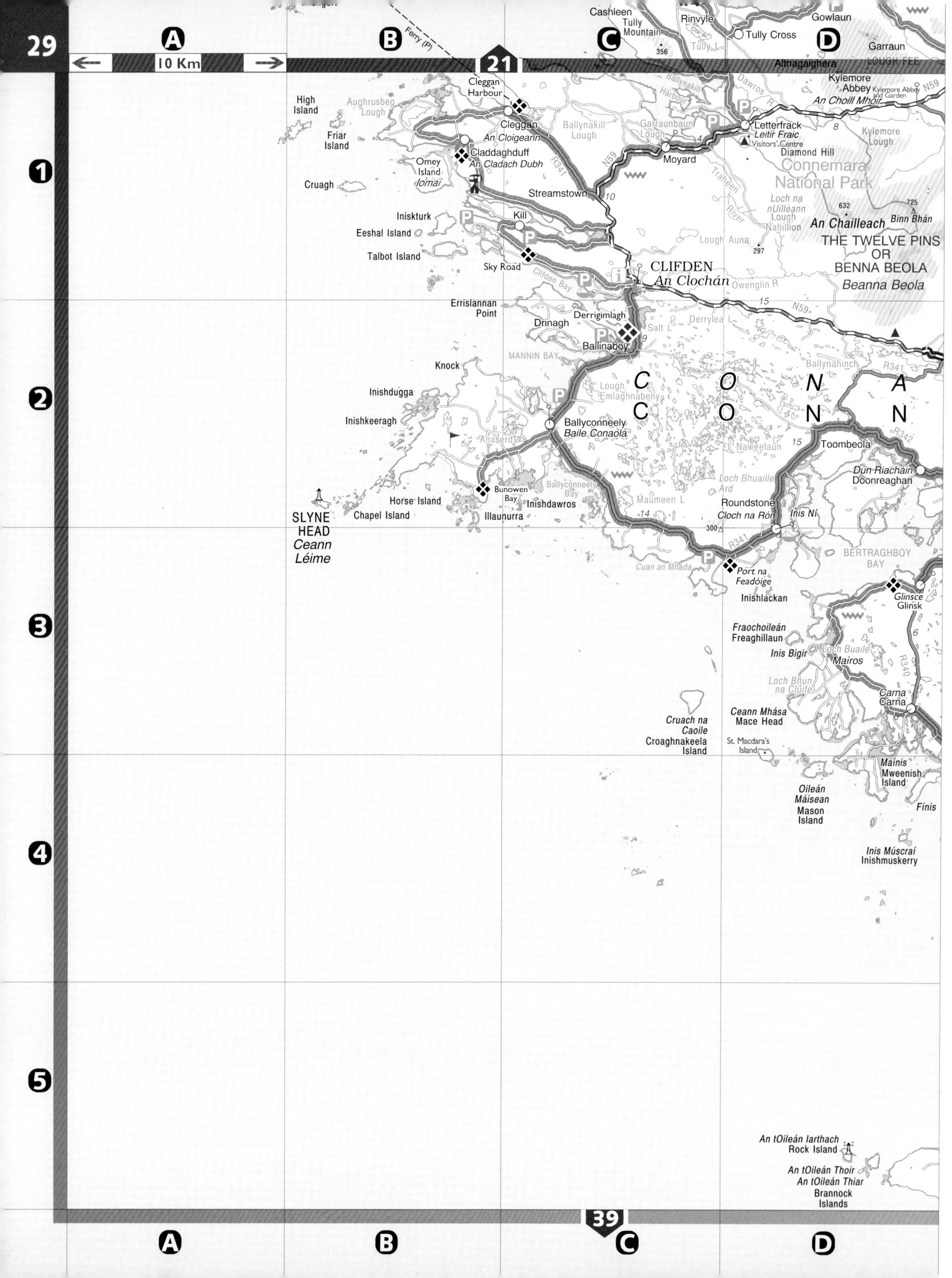
10 Km
A
B
C
D
21
1
2
3
4
5
Cashleen
Tully Mountain
Rinvyle
Tully Cross
Gowlaun
Garraun
Altnagaighera
Lough Fee
Kylemore Abbey
An Choill Mhóir
Kylemore Abbey and Garden
N59
Ferry (P)
Cleggan Harbour
Cleggan
An Cloigeann
High Island
Aughrusbeg Lough
Friar Island
Ballynakill Lough
Ballynakill Harbour
Garraunbaun Lough
Dawros R
Letterfrack
Leitir Fraic
Visitors' Centre
Kylemore Lough
Diamond Hill
Claddaghduff
An Cladach Dubh
Omey Island
Iomaí
Moyard
Connemara National Park
Cruagh
R341
Streamstown
Traheen River
Loch na nUilleann
Lough Nahillion
632
725
Binn Bhán
An Chailleach
Inishturk
Kill
Eeshal Island
Talbot Island
Lough Auna
THE TWELVE PINS OR BENNA BEOLA
Beanna Beola
297
Sky Road
Clifden Bay
CLIFDEN
An Clochán
Owenglin R
Errislannan Point
Drinagh
Derrigimlagh
Salt L
Derrylea L
Ballinaboy
MANNIN BAY
Knock
Ballynahinch
R341
C O N N A
C O N N
Inishdugga
Lough Emlaghnabehy
Inishkeeragh
Ballyconneely
Baile Conaola
Anaserd
L. Naweelaun
R342
Toombeola
Dún Riacháin
Doonreaghan
Loch Bhuaille Ard
Bunowen Bay
Ballyconneely Bay
Maumeen L
Roundstone
Cloch na Rón
Inis Ní
Horse Island
Inishdawros
Chapel Island
Illaunurra
SLYNE HEAD
Ceann Léime
300
Cuan an Mhada
Port na Feadóige
BERTRAGHBOY BAY
Inishlackan
Glinsce
Glinsk
Fraochoileán
Freaghillaun
Inis Bigir
Loch Buaile
Maíros
R340
Loch Bhun na Cluite
Carna
Cruach na Caoile
Croaghnakeela Island
Ceann Mhása
Mace Head
St. Macdara's Island
Maínis
Mweenish Island
Oileán Máisean
Mason Island
Fínis
Inis Múscraí
Inishmuskerry
An tOileán Iarthach
Rock Island
An tOileán Thoir
An tOileán Thiar
Brannock Islands
39

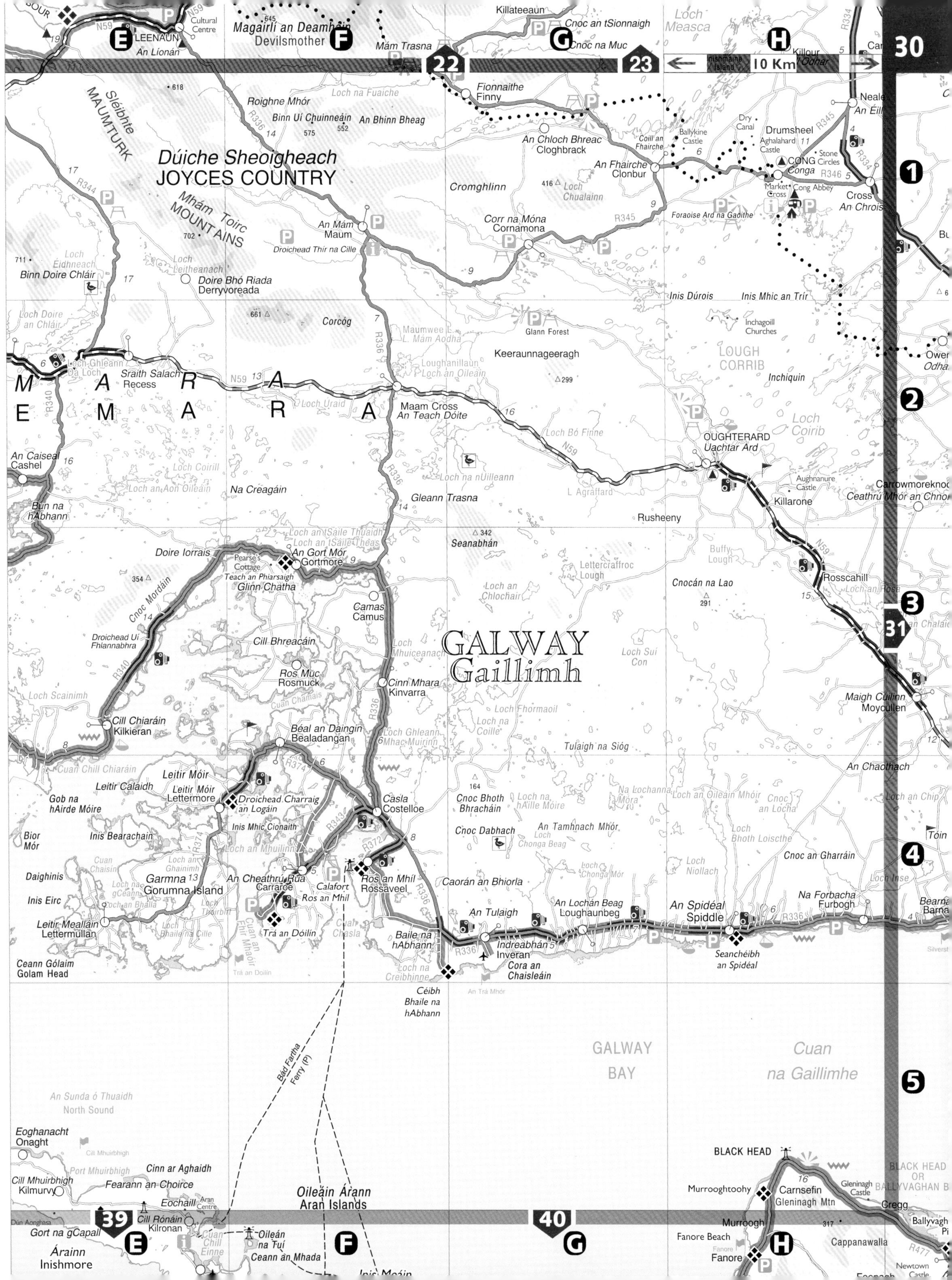

30
22
23
10 Km
31
39
40
Magairlí an Deamhain
Devilsmother
LEENAUN
An Líonán
Cultural Centre
Killateeaun
Cnoc an tSionnaigh
Cnoc na Muc
Loch Measca
Mám Trasna
Fionnaithe
Finny
Roighne Mhór
Loch na Fuaiche
Binn Uí Chuinneáin
An Bhinn Bheag
Sléibhte MAUMTURK
Dúiche Sheoigheach
JOYCES COUNTRY
Mhám Toirc MOUNTAINS
An Chloch Bhreac
Cloghbrack
An Fhairche
Clonbur
Drumsheel
CONG
Conga
Cong Abbey
Stone Circles
Cross
An Chrois
Neale
Cromghlinn
Loch Chualainn
An Mám
Maum
Droichead Thír na Cille
Corr na Móna
Cornamona
Foraoise Ard na Gaoithe
Binn Doire Chláir
Loch Eidhneach
Loch Leitheanach
Doire Bhó Riada
Derryvoreada
Inis Dúrois
Inis Mhic an Trír
Corcóg
Glann Forest
Inchagoill Churches
Loch Doire an Chláir
Maumwee L.
Keeraunnageeragh
LOUGH CORRIB
Inchiquin
Loch Ghleann Dá Loch
Sraith Salach
Recess
Loughanillaun
Loch an Oileáin
CONNEMARA
Loch Uraid
Maam Cross
An Teach Dóite
Loch Bó Finne
OUGHTERARD
Uachtar Árd
Loch Coirib
An Caiseal
Cashel
Loch Coirill
Loch an Aon Oileáin
Na Creagáin
Loch na nUilleann
Gleann Trasna
L. Agraffard
Aughnanure Castle
Carrowmoreknock
Ceathrú Mhór an Chnoic
Killarone
Bun na hAbhann
Rusheeny
Loch an tSáile Thuaidh
Loch an tSáile Theas
Seanabhán
Doire Iorrais
Pearse's Cottage
Teach an Phiarsaigh
An Gort Mór
Gortmore
Glinn Chatha
Buffy Lough
Lettercraffroc Lough
Rosscahill
Cnocán na Lao
Cnoc Mordáin
Loch an Chlochair
Camas
Camus
Droichead Uí Fhiannabhra
Cill Bhreacáin
Loch Mhuiceanach
GALWAY
Gaillimh
Loch Suí Con
Ros Muc
Rosmuck
Cuan Chamais
Cinn Mhara
Kinvarra
Maigh Cuilinn
Moycullen
Loch Scainimh
Loch Fhormaoil
Loch na Coille
Cill Chiaráin
Kilkieran
Béal an Daingin
Bealadangan
Loch Ghleann Mhac Muirinn
Tulaigh na Sióg
Cuan Chill Chiaráin
Leitir Móir
An Chaothach
Leitir Calaidh
Leitir Móir
Lettermore
Droichead Charraig an Logáin
Casla
Costelloe
Cnoc Bhoth Bhracháin
Loch na hAille Móire
Na Lochanna Móra
Loch an Oileáin Mhóir
Cnoc an Locha
Loch an Chip
Gob na hAirde Móire
Inis Mhic Cionaith
Inis Bearachain
Cnoc Dabhach
Loch Chonga Beag
An Tamhnach Mhór
Loch Bhoth Loiscthe
Bior Mór
Loch an Mhuilinn
Cuan Chaisin
Loch an Ghainimh
Cnoc an Gharráin
Daighinis
Garmna
Gorumna Island
An Cheathrú Rua
Carraroe
Calafort Ros an Mhíl
Ros an Mhíl
Rossaveel
Caorán an Bhiorla
Loch Chonga Mór
Loch Niollach
Loch Inse
Inis Eirc
Na Forbacha
Furbogh
An Tulaigh
An Lochán Beag
Loughaunbeg
An Spidéal
Spiddle
Leitir Mealláin
Lettermullan
Trá an Dóilín
Cuan Chasla
Baile na hAbhann
Indreabhán
Inverán
Cora an Chaisleáin
Seanchéibh an Spidéal
Ceann Gólaim
Golam Head
Cuan an Fhir Mhóir
Loch na Creibhinne
Céibh Bhaile na hAbhann
An Trá Mhór
Bád Fartha
Ferry (P)
GALWAY BAY
Cuan na Gaillimhe
An Sunda ó Thuaidh
North Sound
Eoghanacht
Onaght
Port Mhuirbhigh
Cinn ar Aghaidh
Cill Mhuirbhigh
Kilmurvy
Fearann an Choirce
Eochaill
Oileáin Árann
Aran Islands
BLACK HEAD
BLACK HEAD OR BALLYVAGHAN B
Murrooghtoohy
Carnsefin
Gleninagh Mtn
Gleninagh Castle
Cregg
Murroogh
Ballyvaghan
Fanore Beach
Fanore
Cappanawalla
Newtown Castle
Cill Rónáin
Kilronan
Gort na gCapall
Árainn
Inishmore
Cuan Chill Éinne
Oileán na Tuí
Ceann an Mhada
Inis Meáin

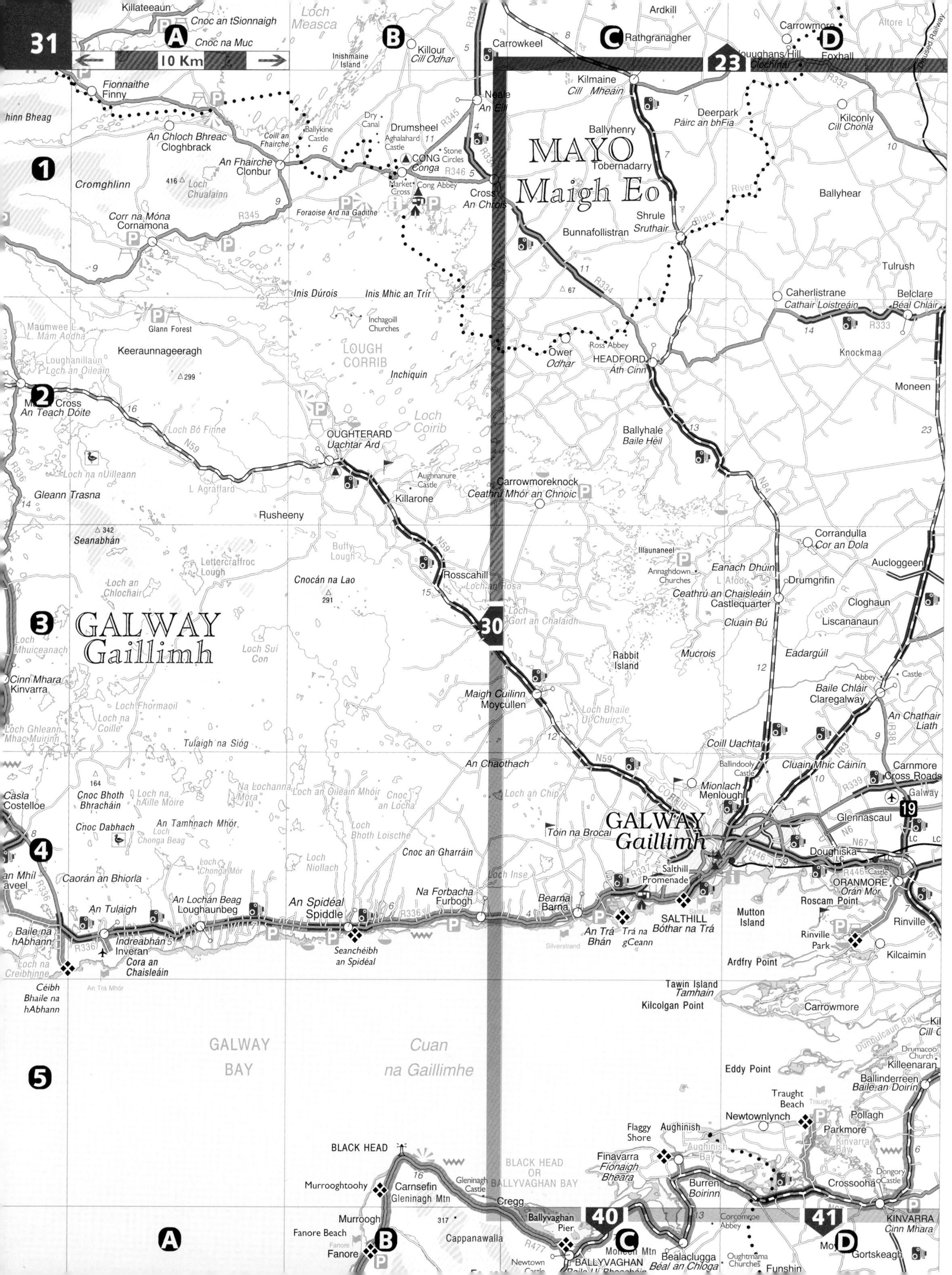

10 Km
A
B
C
D
1
2
3
4
5
23
30
19
40
41
Killateeaun
Cnoc an tSionnaigh
Cnoc na Muc
Loch Measca
Inishmaine Island
Killour
Cill Odhar
Carrowkeel
Ardkill
Rathgranagher
Carrowmore
Houghans Hill
Clochinar
Foxhall
Disused Railway
Fionnaithe
Finny
hinn Bheag
An Chloch Bhreac
Cloghbrack
Coill an Fhairche
Ballykine Castle
Dry Canal
Drumsheel
Aghalahard Castle
Stone Circles
CONG
Conga
Cong Abbey
Market Cross
Neale
An Eill
Kilmaine
Cill Mheáin
Deerpark
Páirc an bhFia
Kilconly
Cill Chonla
Ballyhenry
MAYO
Maigh Eo
Tobernadarry
An Fhairche
Clonbur
Cromghlinn
Loch Chualainn
Cross
An Chrois
Ballyhear
Shrule
Sruthair
Black River
Corr na Móna
Cornamona
Foraoise Ard na Gaoithe
Bunnafollistran
Tulrush
Inis Dúrois
Inis Mhic an Trír
Caherlistrane
Cathair Loistreáin
Belclare
Béal Chláir
Inchagoill Churches
Maumwee L.
Mám Aodha
Glann Forest
Keeraunnageeragh
LOUGH CORRIB
Ower
Odhar
Ross Abbey
HEADFORD
Áth Cinn
Knockmaa
Loughanillaun
Loch an Oileáin
Inchiquin
Moneen
Maam Cross
An Teach Dóite
Loch Bó Finne
Loch Coirib
OUGHTERARD
Uachtar Ard
Ballyhale
Baile Héil
Loch na nUilleann
L. Agraffard
Aughnanure Castle
Carrowmoreknock
Ceathrú Mhór an Chnoic
Gleann Trasna
Killarone
Rusheeny
Seanabhán
Corrandulla
Cor an Dola
Buffy Lough
Illaunaneel
Annaghdown Churches
Eanach Dhúin
L. Afoor
Lettercraffroc Lough
Cnocán na Lao
Rosscahill
Loch an Rosa
Drumgriffin
Aucloggeen
Loch an Chlochair
Ceathrú an Chaisleáin
Castlequarter
Cloghaun
Loch Gort an Chalaidh
Cluain Bú
Liscananaun
GALWAY
Gaillimh
Loch Mhuiceanach
Loch Suí Con
Rabbit Island
Mucrois
Eadargúil
Cinn Mhara
Kinvarra
Maigh Cuilinn
Moycullen
Abbey
Castle
Baile Chláir
Claregalway
Loch Fhormaoil
Loch na Coille
Loch Bhaile Uí Chuirc
An Chathair Liath
Loch Ghleann Mhac Muirinn
Tulaigh na Sióg
Coill Uachtar
An Chaothach
Ballindooly Castle
Cluain Mhic Cáinín
Carnmore Cross Roads
Casla
Costelloe
Cnoc Bhoth Bhracháin
Loch na hAille Móire
Na Lochanna Móra
Loch an Oileáin Mhóir
Cnoc an Locha
Loch an Chip
Mionlach
Menlough
Galway
Cnoc Dabhach
An Tamhnach Mhór
Loch Chonga Beag
Loch Bhoth Loiscthe
Tóin na Brocaí
Glennascaul
Cnoc an Gharráin
Doughiska
an Mhíl
aveel
Caorán an Bhiorla
Loch Chonga Mór
Loch Niollach
Loch Inse
Salthill Promenade
ORANMORE
Órán Mór
Roscam Point
An Tulaigh
An Lochán Beag
Loughaunbeg
An Spidéal
Spiddle
Na Forbacha
Furbogh
Bearna
Barna
SALTHILL
Bóthar na Trá
Mutton Island
Rinville
Baile na hAbhann
Indreabhán
Inverran
Cora an Chaisleáin
Seanchéibh an Spidéal
An Trá Bhán
Trá na gCeann
Silverstrand
Rinville Park
Kilcaimin
Ardfry Point
Loch na Creibhinne
Céibh Bhaile na hAbhann
An Trá Mhór
Tawin Island
Tamhain
Kilcolgan Point
Carrowmore
Dunbulcaun Bay
Drumacoo Church
Killeenaran
GALWAY BAY
Cuan na Gaillimhe
Eddy Point
Ballinderreen
Baile an Doirín
Traught Beach
Newtownlynch
Pollagh
Parkmore
Kinvarra Bay
Flaggy Shore
Aughinish
Aughinish Bay
BLACK HEAD
Finavarra
Fionaigh Bheara
BLACK HEAD OR BALLYVAGHAN BAY
Murrooghtoohy
Carnsefin
Gleninagh Mtn
Gleninagh Castle
Cregg
Burren
Boirinn
Crossooha
Dongory Castle
Murrough
Fanore Beach
Fanore
Cappanawalla
Ballyvaghan Pier
Corcomroe Abbey
KINVARRA
Cinn Mhara
Moy
Gortskeagh
BALLYVAGHAN
Muckinish Mtn
Bealaclugga
Béal an Chloga
Oughtmama Churches
Funshin
Newtown Castle
N59
N84
N83
N6
N67
R334
R345
R346
R333
R336
R337
R338
R339
R446
R477
R332
R381

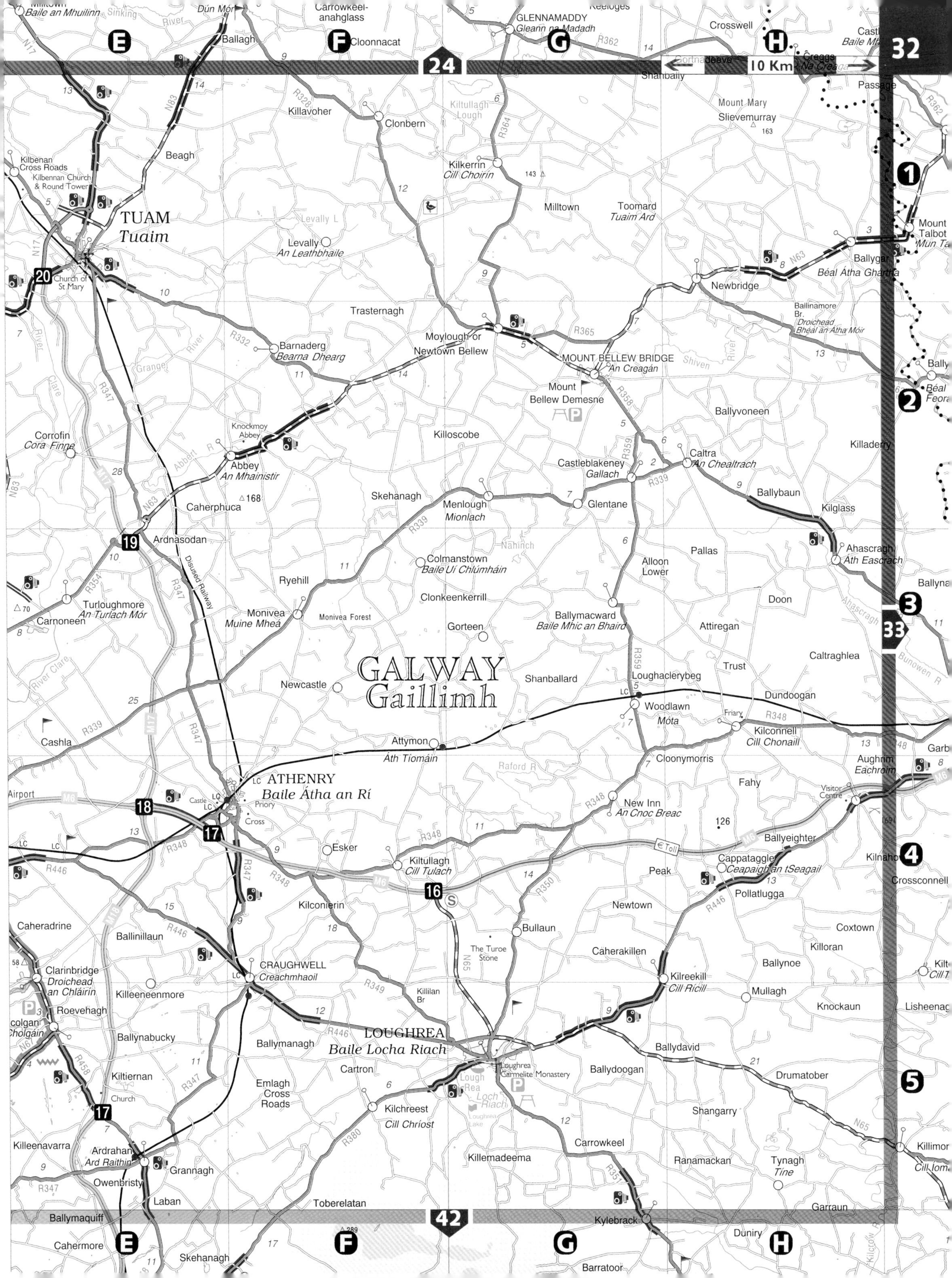

32
24
42
33
10 Km
E
F
G
H
1
2
3
4
5
GALWAY
Gaillimh
TUAM
Tuaim
ATHENRY
Baile Átha an Rí
LOUGHREA
Baile Locha Riach
CRAUGHWELL
Creachmhaoil
MOUNT BELLEW BRIDGE
An Creagán
GLENNAMADDY
Gleann na Madadh
Baile an Mhuilinn
Dún Mór
Ballagh
Carrowkeel-anahglass
Cloonacat
Crosswell
Shanbally
Creggs
Na Creaga
Passage
Mount Mary
Slievemurray
Killavoher
Clonbern
Kiltullagh Lough
Kilkerrin
Cill Choirín
Beagh
Kilbenan Cross Roads
Kilbennan Church & Round Tower
Milltown
Toomard
Tuaim Ard
Mount Talbot
Levally L
Levally
An Leathbhaile
Ballygar
Béal Átha Ghártha
Church of St Mary
Newbridge
Ballinamore Br.
Droichead Bhéal an Átha Móir
Trasternagh
Moylough or Newtown Bellew
Barnaderg
Bearna Dhearg
Grange
Mount Bellew Demesne
Shiven River
Ballyvoneen
Corrofin
Cora Finne
Knockmoy Abbey
Abbey
An Mhainistir
Killoscobe
Castleblakeney
Gallach
Caltra
An Chealtrach
Killadery
Caherphuca
Skehanagh
Menlough
Mionlach
Glentane
Ballybaun
Kilglass
Ardnasodan
Disused Railway
Nahinch
Colmanstown
Baile Uí Chlúmháin
Alloon Lower
Pallas
Ahascragh
Áth Eascrach
Ryehill
Turloughmore
An Turlach Mór
Carnoneen
Monivea
Muine Mheá
Monivea Forest
Clonkeenkerrill
Gorteen
Ballymacward
Baile Mhic an Bhaird
Attiregan
Doon
Caltraghlea
Trust
Newcastle
Shanballard
Loughaclerybeg
Woodlawn
Móta
Dundoogan
Cashla
Friary
Kilconnell
Cill Chonaill
Attymon
Áth Tiomáin
Raford R
Cloonymorris
Aughrim
Eachroim
Fahy
Airport
Castle
Priory
Cross
New Inn
An Cnoc Breac
Visitor Centre
Esker
Kiltullagh
Cill Tulach
Ballyeighter
Cappataggle
Ceapaigh an tSeagail
Peak
Pollatlugga
Crossconnell
Kilconierin
Caheradrine
Ballinillaun
Bullaun
Newtown
Coxtown
The Turoe Stone
Caherakillen
Killoran
Clarinbridge
Droichead an Chláirín
Killeeneenmore
Killilan Br
Kilreekill
Cill Ricill
Ballynoe
Mullagh
Knockaun
Lisheenag
Roevehagh
Ballynabucky
Ballymanagh
Ballydavid
Cartron
Loughrea Carmelite Monastery
Lough Rea
Loch Riach
Ballydoogan
Drumatober
Kiltiernan
Emlagh Cross Roads
Kilchreest
Cill Chríost
Shangarry
Killeenavarra
Ardrahan
Ard Raithin
Grannagh
Carrowkeel
Killemadeema
Ranamackan
Tynagh
Tine
Killimor
Owenbristy
Laban
Toberelatan
Garraun
Ballymaquiff
Kylebrack
Duniry
Cahermore
Skehanagh
Barratoor
River Clare
Abbert R
R332
R328
R364
R362
R365
R358
R359
R339
R347
R354
R348
R446
R349
R350
R351
R380
R458
N17
N83
N63
N65
N67
M17
M6
M18
Toll

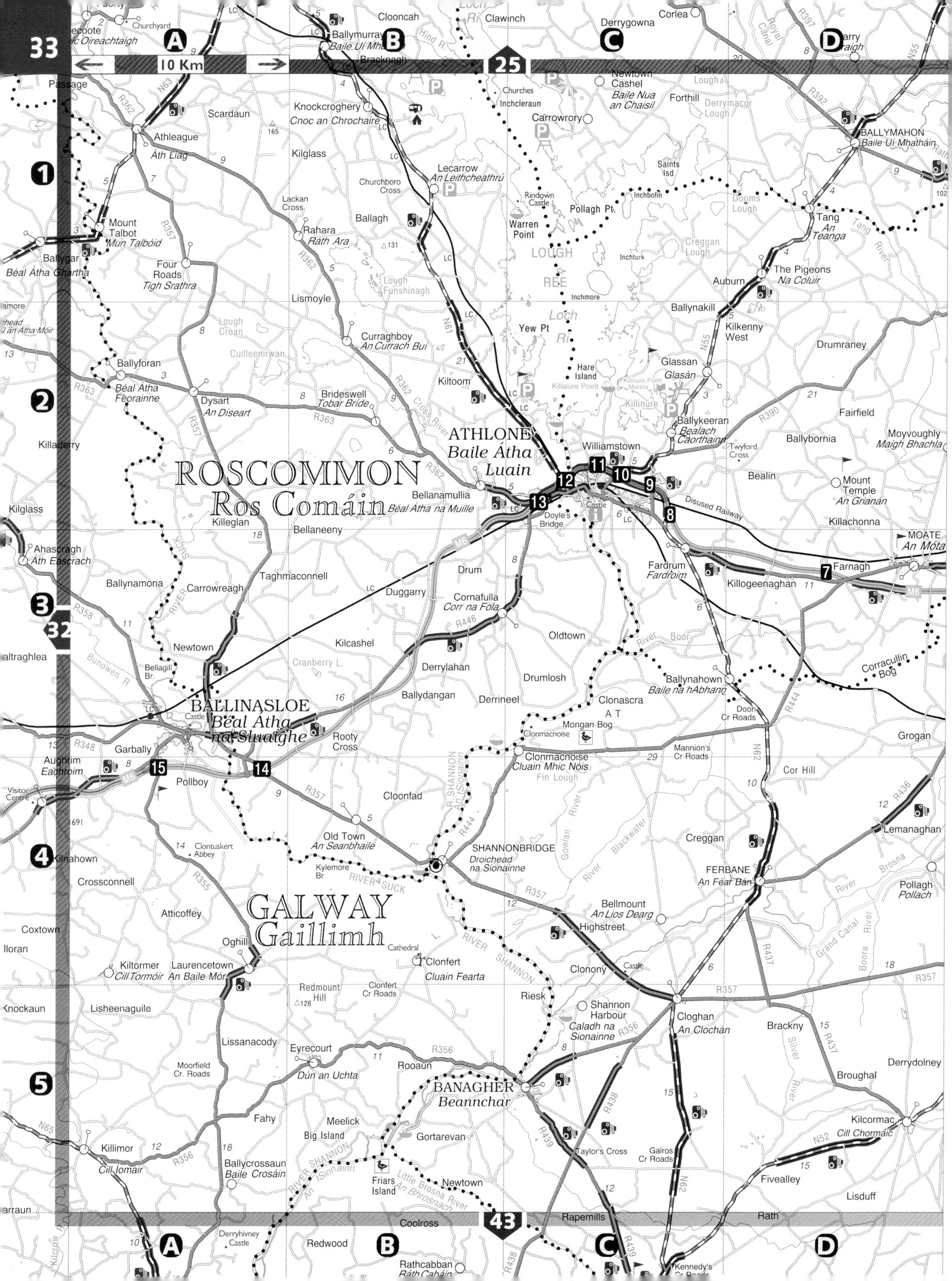
33
A
B
C
D
10 Km
25
32
43
1
2
3
4
5
ROSCOMMON
Ros Comáin
GALWAY
Gaillimh
ATHLONE
Baile Átha Luain
BALLINASLOE
Béal Átha na Sluaighe
BANAGHER
Beannchar
SHANNONBRIDGE
Droichead na Sionainne
BALLYMAHON
Baile Uí Mhatháin
MOATE
An Móta
FERBANE
An Féar Bán
LOUGH REE
Loch Rí
Clooncah
Clawinch
Derrygowna
Corlea
Ballymurray
Baile Uí Mhuirígh
Bracknagh
Churchyard
Passage
Scardaun
Knockcroghery
Cnoc an Chrochaire
Newtown Cashel
Baile Nua an Chaisil
Forthill
Derry Lough
Derrymacor Lough
Carrowrory
Churches
Inchcleraun
Athleague
Áth Liag
Kilglass
Lecarrow
An Leithcheathrú
Saints Isd
Churchboro Cross
Lackan Cross
Rindown Castle
Pollagh Pt.
Inchbofin
Dooms Lough
Tang
An Teanga
Tang River
Mount Talbot
Mun Talbóid
Ballygar
Béal Átha Ghártha
Rahara
Ráth Ara
Ballagh
Warren Point
Creggan Lough
Four Roads
Tigh Srathra
Inchturk
The Pigeons
Na Colúir
Auburn
Lough Funshinagh
Inchmore
Lismoyle
Ballynakill
Lough Croan
Yew Pt
Kilkenny West
Curraghboy
An Currach Buí
Drumraney
Cuilleenirwan
Ballyforan
Béal Átha Feorainne
Hare Island
Killinure Point
Killinure Point Marina
Killinure
Glassan
Glasán
Kiltoom
Dysart
An Díseart
Brideswell
Tobar Bríde
Ballykeeran
Bealach Caorthainn
Fairfield
Killaderry
Williamstown
Twyford Cross
Ballybornia
Moyvoughly
Maigh Bhachla
Bealin
Mount Temple
An Grianán
Bellanamullia
Béal Átha na Muille
Castle
Doyle's Bridge
Disused Railway
Kilglass
Killeglan
Bellaneeny
Killachonna
Ahascragh
Áth Eascrach
Drum
Fardrum
Fardroim
Farnagh
Killogeenaghan
Ballynamona
Taghmaconnell
Carrowreagh
Duggarry
Cornafulla
Corr na Fola
River Suck
Newtown
Kilcashel
Oldtown
River Boor
Altraghlea
Bunowen R
Cranberry L.
Bellagill Br.
Derrylahan
Drumlosh
Ballynahown
Baile na hAbhann
Corracullin Bog
Doon Cr Roads
Ballydangan
Derrineel
Clonascra
Mongan Bog
Clonmacnoise
Cluain Mhic Nóis
Fin Lough
Mannion's Cr Roads
Grogan
Garbally
Aughrim
Eachroim
Rooty Cross
Pollboy
Cloonfad
Cor Hill
Visitor Centre
Old Town
An Seanbhaile
Clontuskert Abbey
Kilnahown
Kylemore Br
River Suck
Gowlan River
Blackwater River
Creggan
Lemanaghan
Crossconnell
Bellmount
An Lios Dearg
Highstreet
Pollagh
Atticoffey
Coxtown
Brosna River
Oghill
Cathedral
Clonfert
Cluain Fearta
River Shannon
Clonony
Grand Canal
Boora River
Kiltormer
Cill Tormóir
Laurencetown
An Baile Mór
Redmount Hill
Clonfert Cr Roads
Riesk
Shannon Harbour
Caladh na Sionainne
Cloghan
An Clochán
Knockaun
Lisheenaguile
Brackny
Lissanacody
Eyrecourt
Dún an Uchta
Rooaun
Moorfield Cr. Roads
Silver River
Derrydolney
Broughal
Fahy
Meelick
Big Island
Gortarevan
Kilcormac
Cill Chormaic
Killimor
Cill Íomair
Taylor's Cross
Galros Cross Roads
Ballycrossaun
Baile Crosáin
River Shannon
An tSionainn
Little Brosna River
An Bhrosnach
Friars Island
Newtown
Fivealley
Lisduff
Coolross
Rapemills
Rath
Derryhivney Castle
Redwood
Rathcabban
Ráth Cabáin
Kennedy's Cr Roads
Kilcrow R
N63
N61
N55
N62
N52
N65
M6
R362
R357
R363
R358
R348
R355
R356
R446
R444
R390
R392
R397
R436
R437
R438
R439

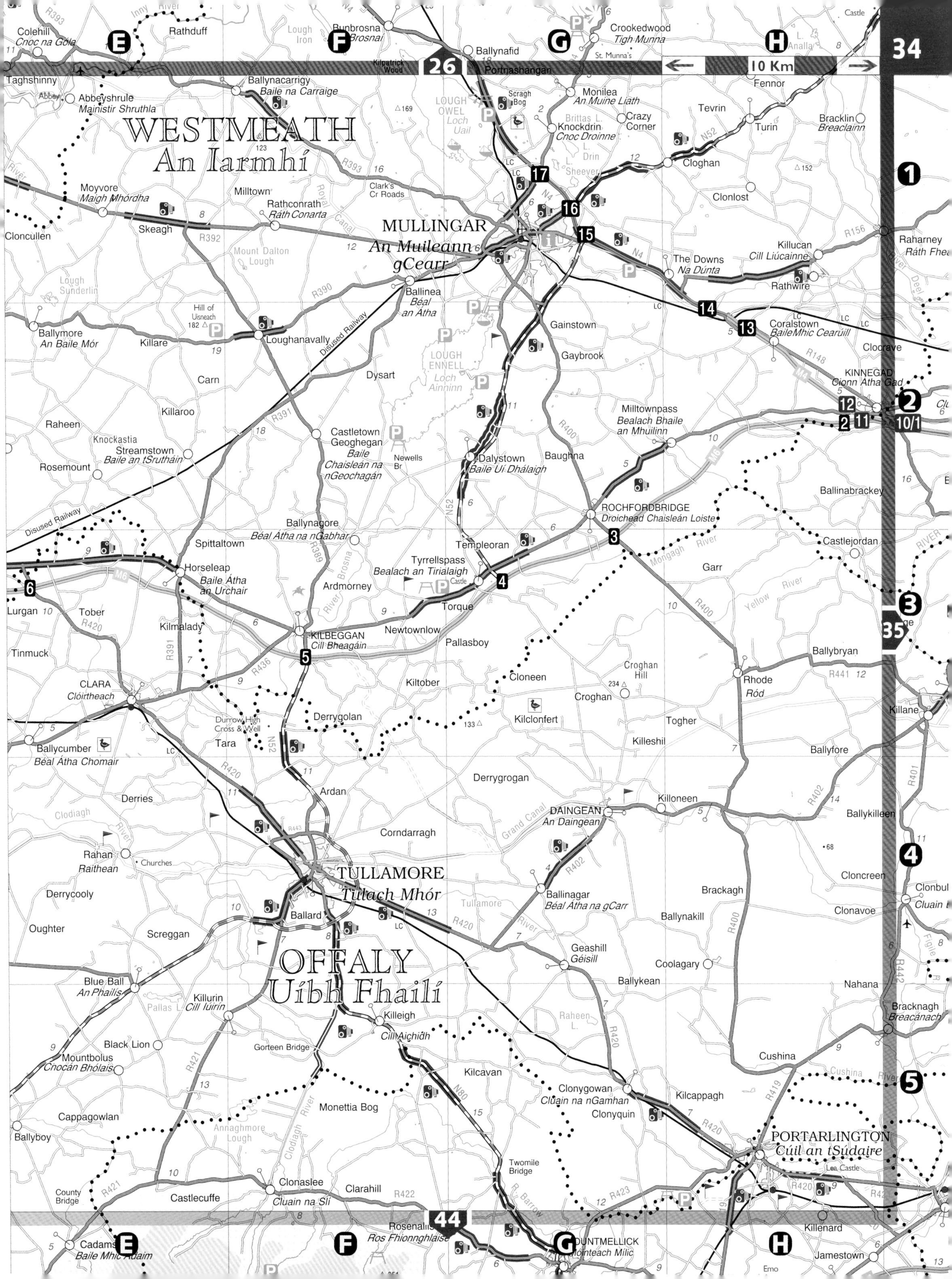
WESTMEATH
An Iarmhí
OFFALY
Uíbh Fhailí
MULLINGAR
An Muileann gCearr
TULLAMORE
Tulach Mhór
KILBEGGAN
Cill Bheagáin
CLARA
Clóirtheach
DAINGEAN
An Daingean
ROCHFORDBRIDGE
Droichead Chaisleán Loiste
KINNEGAD
Cionn Átha Gad
PORTARLINGTON
Cúil an tSúdaire
10 Km
26
44
35
Colehill
Cnoc na Góla
Rathduff
Lough Iron
Bunbrosna
Brosnaí
Ballynafid
Crookedwood
Tigh Munna
St. Munna's
Kilpatrick Wood
Portnashangan
Taghshinny
Abbey
Abbeyshrule
Mainistir Shruthla
Ballynacarrigy
Baile na Carraige
Lough Owel
Loch Uail
Scragh Bog
Monilea
An Muine Liath
Knockdrin
Cnoc Droinne
Crazy Corner
Brittas L.
Drin L.
Sheever L.
Fennor
Tevrin
Turin
Bracklin
Breaclainn
Cloghan
Clonlost
Moyvore
Maigh Mhórdha
Milltown
Rathconrath
Ráth Conarta
Clark's Cr Roads
Royal Canal
Skeagh
Cloncullen
Mount Dalton Lough
Lough Sunderlin
Killucan
Cill Liúcainne
The Downs
Na Dúnta
Rathwire
Raharney
Ráth Fhea
Ballinea
Béal an Átha
Hill of Uisneach
Ballymore
An Baile Mór
Killare
Loughanavally
Disused Railway
Gainstown
Gaybrook
Coralstown
Baile Mhic Cearúill
Clocrave
Lough Ennell
Loch Ainninn
Dysart
Carn
Killaroo
Milltownpass
Bealach Bhaile an Mhuilinn
Raheen
Knockastia
Streamstown
Baile an tSruthain
Rosemount
Castletown Geoghegan
Baile Chaisleán na nGeochagán
Newells Br
Dalystown
Baile Uí Dhálaigh
Baughna
Ballinabrackey
Ballynagore
Béal Átha na nGabhar
Spittaltown
Templeoran
Castlejordan
Horseleap
Baile Átha an Urchair
Tyrrellspass
Bealach an Tirialaigh
Ardmorney
Garr
Monagh River
Yellow River
Lurgan
Tober
Kilmalady
Torque
Newtownlow
Pallasboy
Tinmuck
Ballybryan
Rhode
Ród
Kiltober
Cloneen
Croghan Hill
Croghan
Derrygolan
Durrow High Cross & Well
Tara
Kilclonfert
Togher
Killeshil
Killane
Ballycumber
Béal Átha Chomair
Ballyfore
Derrygrogan
Ardan
Derries
Clodiagh River
Killoneen
Ballykilleen
Corndarragh
Grand Canal
Rahan
Raithean
Churches
Derrycooly
Ballinagar
Béal Átha na gCarr
Brackagh
Cloncreen
Clonbul
Cluain
Clonavoe
Ballard
Tullamore River
Ballynakill
Oughter
Screggan
Geashill
Géisill
Coolagary
Blue Ball
An Pháilís
Pallas L.
Killurin
Cill Iúirín
Ballykean
Nahana
Killeigh
Cill Aichidh
Raheen L.
Bracknagh
Breacánach
Black Lion
Gorteen Bridge
Mountbolus
Cnocán Bhólais
Kilcavan
Cushina
Cushina River
Clonygowan
Cluain na nGamhan
Clonyquin
Kilcappagh
Cappagowlan
Monettia Bog
Ballyboy
Annaghmore Lough
Twomile Bridge
Lea Castle
County Bridge
Castlecuffe
Clonaslee
Cluain na Slí
Clarahill
Rosenallis
Ros Fhionnghlaise
R. Barrow
Killenard
Cadamstown
Baile Mhic Ádaim
Mountmellick
Móinteach Mílic
Jamestown
Emo
E
F
G
H
1
2
3
4
5
6
10/1
11
12
13
14
15
16
17
N4
N52
N80
M4
M6
R156
R148
R392
R393
R390
R391
R389
R400
R401
R402
R420
R421
R422
R423
R436
R441
R442
R443
R419
LC

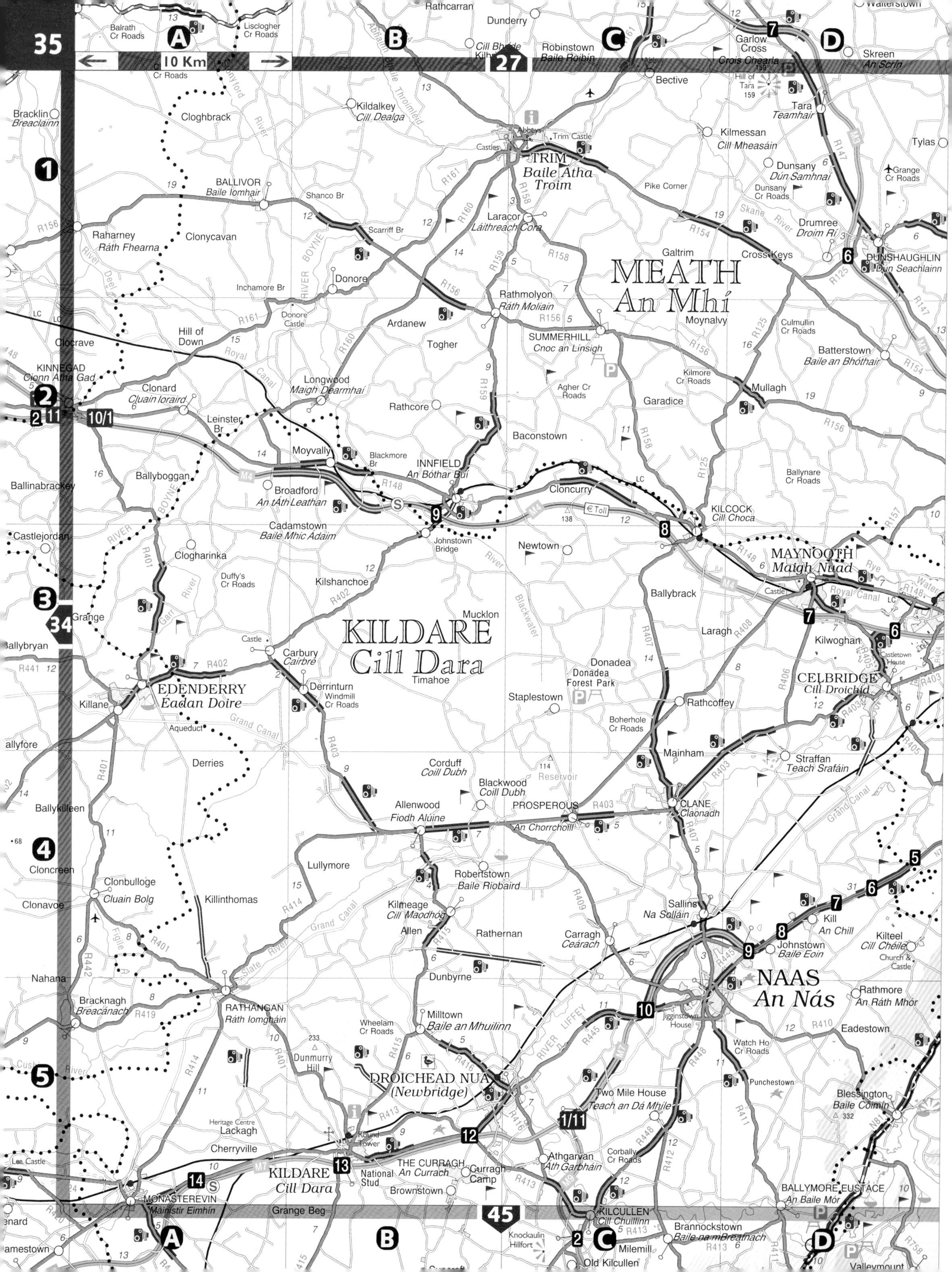

35
10 Km
27
34
45
A
B
C
D
1
2
3
4
5
MEATH
An Mhí
KILDARE
Cill Dara
Balrath Cr Roads
Lisclogher Cr Roads
Rathcarran
Dunderry
Cill Bhríde
Robinstown
Baile Roibín
Garlow Cross
Crois Ghearla
Skreen
An Scrín
Waterstown
Bectivе
Hill of Tara
Tara
Teamhair
Bracklin
Breaclainn
Cloghbrack
Kildalkey
Cill Dealga
Trim Castle
TRIM
Baile Átha Troim
Kilmessan
Cill Mheasáin
Tylas
Dunsany
Dún Samhnaí
Grange Cr Roads
Dunsany Cr Roads
BALLIVOR
Baile Íomhair
Shanco Br
Pike Corner
Laracor
Láithreach Cora
Drumree
Droim Rí
Raharney
Ráth Fhearna
Clonycavan
Scarriff Br
Galtrim
Cross Keys
DUNSHAUGHLIN
Dún Seachlainn
Inchamore Br
Donore
Rathmolyon
Ráth Moliain
Donore Castle
Ardanew
SUMMERHILL
Cnoc an Linsigh
Moynalvy
Culmullin Cr Roads
Hill of Down
Clocrave
Togher
Batterstown
Baile an Bhóthair
KINNEGAD
Cionn Átha Gad
Longwood
Maigh Dearmhaí
Clonard
Cluain Ioraird
Agher Cr Roads
Kilmore Cr Roads
Mullagh
Leinster Br
Rathcore
Garadice
Baconstown
Ballinabrackey
Ballyboggan
Moyvally
Blackmore Br
INNFIELD
An Bóthar Buí
Ballynare Cr Roads
Broadford
An tÁth Leathan
Cloncurry
Castlejordan
Cadamstown
Baile Mhic Adaim
Johnstown Bridge
KILCOCK
Cill Choca
Clogharinka
Newtown
MAYNOOTH
Maigh Nuad
Duffy's Cr Roads
Kilshanchoe
Ballybrack
Royal Canal
Grange
Mucklon
Ballybryan
Laragh
Kilwoghan
Castle
Carbury
Cairbre
Castletown House
Donadea
Donadea Forest Park
CELBRIDGE
Cill Droichid
EDENDERRY
Éadan Doire
Derrinturn
Windmill Cr Roads
Timahoe
Staplestown
Rathcoffey
Killane
Aqueduct
Grand Canal
Boherhole Cr Roads
Ballyfore
Derries
Corduff
Coill Dubh
Mainham
Straffan
Teach Srafáin
Reservoir
Blackwood
Coill Dubh
Ballykilleen
Allenwood
Fiodh Alúine
PROSPEROUS
An Chorrchoill
CLANE
Claonadh
Cloncreen
Lullymore
Robertstown
Baile Riobaird
Clonbulloge
Cluain Bolg
Killinthomas
Clonavoe
Kilmeage
Cill Maodhóg
Sallins
Na Solláin
Kill
An Chill
Allen
Rathernan
Carragh
Cearach
Johnstown
Baile Eoin
Kilteel
Cill Chéile
Church & Castle
Nahana
Dunbyrne
NAAS
An Nás
Rathmore
An Ráth Mhór
Bracknagh
Breacánach
RATHANGAN
Ráth Iomgháin
Milltown
Baile an Mhuilinn
Jigginstown House
Wheelam Cr Roads
Eadestown
Dunmurry Hill
Watch Ho Cr Roads
DROICHEAD NUA
(Newbridge)
Punchestown
Two Mile House
Teach an Dá Mhíle
Blessington
Baile Coimín
Heritage Centre
Lackagh
Round Tower
Cherryville
THE CURRAGH
An Currach
Curragh Camp
Athgarvan
Áth Garbháin
Corbally Cr Roads
Lea Castle
KILDARE
Cill Dara
National Stud
Brownstown
MONASTEREVIN
Mainistir Eimhín
Grange Beg
KILCULLEN
Cill Chuillinn
BALLYMORE EUSTACE
An Baile Mór
Knockaulin Hillfort
Brannockstown
Baile na mBreatnach
Milemill
Old Kilcullen
Valleymount
amestown
enard
River Boyne
River Deel
River Liffey
Blackwater
Slate River
Figile
Rye Water
Skane River
€ Toll
LC
R156
R161
R160
R159
R158
R154
R125
R147
R148
R157
R401
R402
R403
R404
R405
R406
R407
R408
R409
R410
R411
R412
R413
R414
R415
R416
R419
R441
R442
R445
R448
R758
M3
M4
M7
M9
N7
N81
10/1
1/11

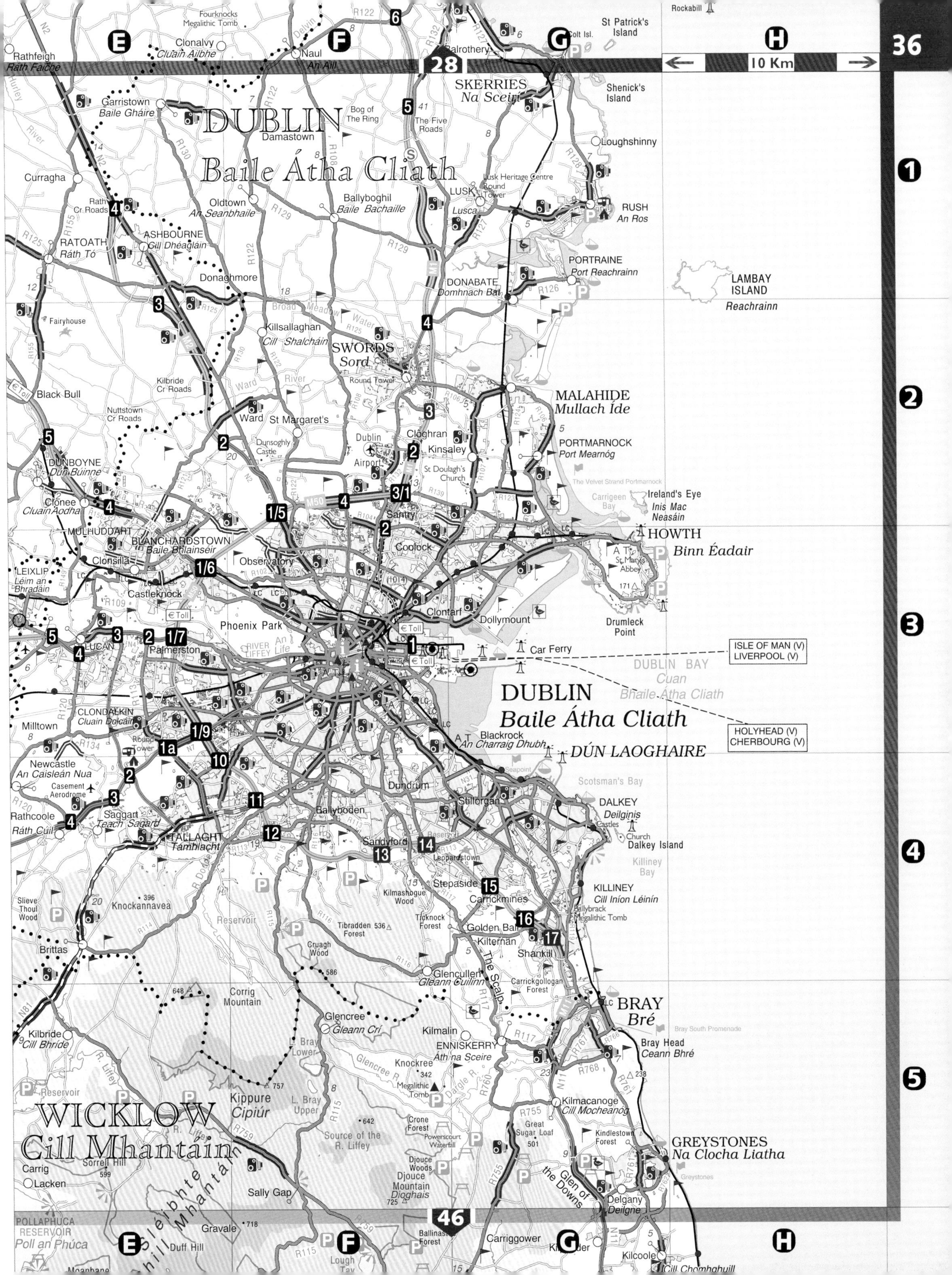
DUBLIN
Baile Átha Cliath
DUBLIN
Baile Átha Cliath
WICKLOW
Cill Mhantáin
10 Km
SKERRIES
Na Sceirí
Shenick's Island
St Patrick's Island
Colt Isl.
Rockabill
Balrothery
Naul
An Aill
Clonalvy
Cluain Ailbhe
Fourknocks Megalithic Tomb
Rathfeigh
Rath Faiche
Garristown
Baile Gháire
Damastown
Bog of The Ring
The Five Roads
Loughshinny
Curragha
Oldtown
An Seanbhaile
Ballyboghil
Baile Bachaille
Lusk Heritage Centre
Round Tower
LUSK
Lusca
RUSH
An Ros
Rath Cr Roads
RATOATH
Ráth Tó
ASHBOURNE
Cill Dhéagláin
Donaghmore
PORTRAINE
Port Reachrainn
DONABATE
Domhnach Bat
LAMBAY ISLAND
Reachrainn
Fairyhouse
Killsallaghan
Cill Shalcháin
SWORDS
Sord
Round Tower
Kilbride Cr Roads
Black Bull
Nuttstown Cr Roads
Ward
St Margaret's
MALAHIDE
Mullach Íde
Dunsoghly Castle
Dublin Airport
Cloghran
Kinsaley
St Doulagh's Church
PORTMARNOCK
Port Mearnóg
The Velvet Strand Portmarnock
Carrigeen Bay
Ireland's Eye
Inis Mac Neasáin
DUNBOYNE
Dún Búinne
Clonee
Cluain Aodha
Santry
MULHUDDART
BLANCHARDSTOWN
Baile Bhlainséir
Coolock
HOWTH
Binn Éadair
St Mary's Abbey
Clonsilla
Observatory
LEIXLIP
Léim an Bhradáin
Castleknock
Clontarf
Dollymount
Drumleck Point
Phoenix Park
LUCAN
Palmerston
RIVER LIFFEY
An Life
Car Ferry
ISLE OF MAN (V)
LIVERPOOL (V)
DUBLIN BAY
Cuan Bhaile Átha Cliath
HOLYHEAD (V)
CHERBOURG (V)
Blackrock
An Charraig Dhubh
DÚN LAOGHAIRE
Milltown
CLONDALKIN
Cluain Dolcáin
Round Tower
Newcastle
An Caisleán Nua
Casement Aerodrome
Scotsman's Bay
Dundrum
Stillorgan
DALKEY
Deilginis
Castles
Church
Dalkey Island
Rathcoole
Ráth Cúil
Saggart
Teach Sagard
TALLAGHT
Tamhlacht
Ballyboden
Sandyford
Leopardstown
Killiney Bay
Stepaside
KILLINEY
Cill Iníon Léinín
Slieve Thoul Wood
Knockannavea
Kilmashogue Wood
Carrickmines
Ballybrack Megalithic Tomb
Reservoir
Tibradden Forest
Ticknock Forest
Golden Ball
Kilternan
Brittas
Cruagh Wood
Shankill
Glencullen
Gleann Cuilinn
The Scalp
Carrickgollogan Forest
Corrig Mountain
BRAY
Bré
Bray South Promenade
Glencree
Gleann Crí
Kilmalin
ENNISKERRY
Áth na Sceire
Bray Head
Ceann Bhré
Kilbride
Cill Bhríde
L. Bray Lower
Glencree R.
Knockree
Megalithic Tomb
Dargle R.
R. Liffey
Reservoir
Kippure
Cipiúr
L. Bray Upper
Kilmacanoge
Cill Mocheanóg
Great Sugar Loaf
Crone Forest
Powerscourt Waterfall
Kindlestown Forest
Source of the R. Liffey
GREYSTONES
Na Clocha Liatha
Greystones
Carrig
Sorrell Hill
Lacken
Sally Gap
Djouce Woods
Djouce Mountain
Dioghais
Glen of the Downs
Delgany
Deilgne
POLLAPHUCA RESERVOIR
Poll an Phúca
Sléibhte Chill Mhantáin
Gravale
Duff Hill
Lough Tay
Ballinastoe Forest
Carrigower
Kilpedder
Kilcoole
Cill Chomhghuill
Moanbane
€ Toll
28
46
E
F
G
H
1
2
3
4
5

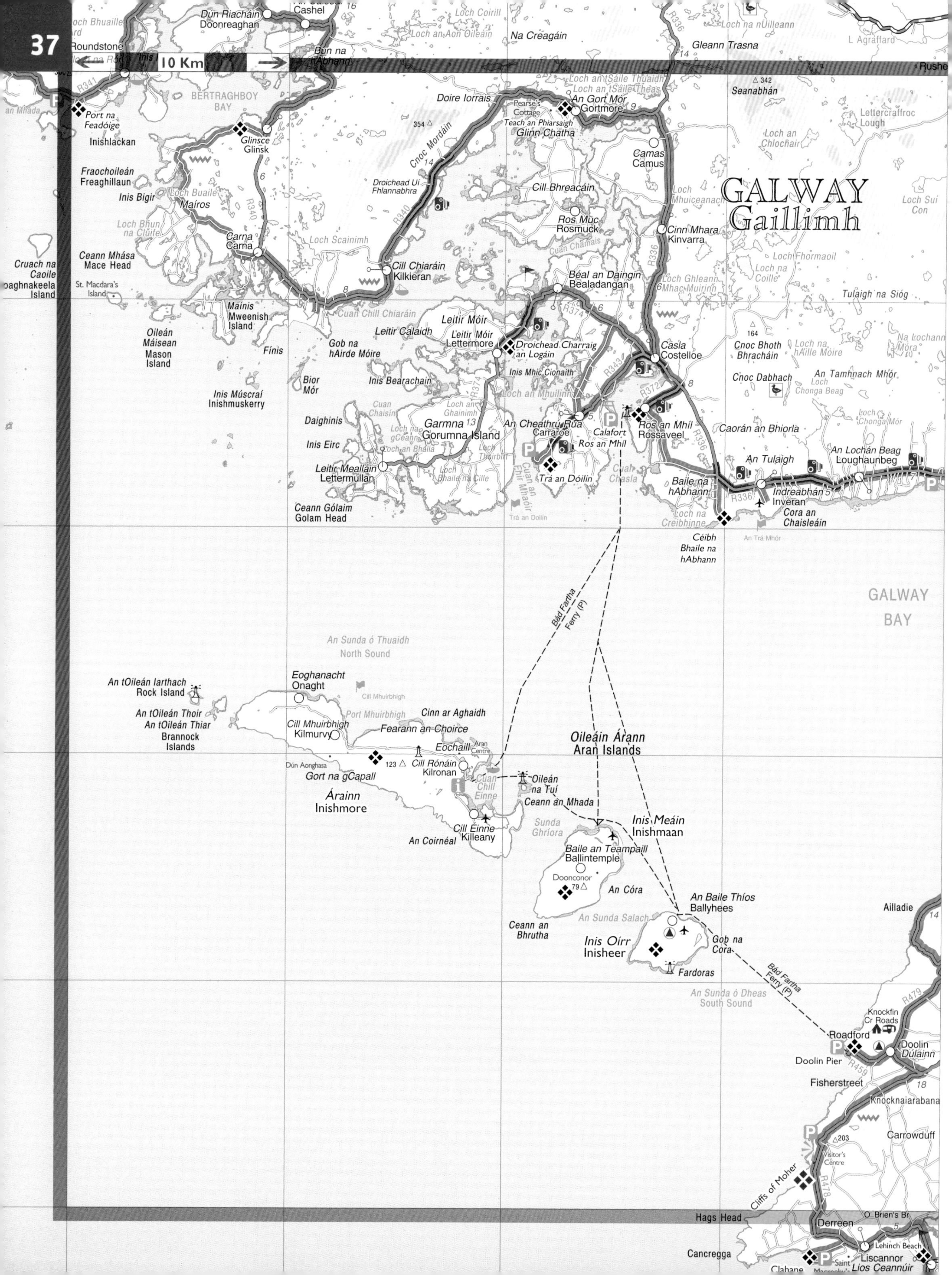
10 Km
GALWAY
Gaillimh
Roundstone
Dún Riacháin
Doonreaghan
Cashel
Loch Coirill
Loch an Aon Oileáin
Na Creagáin
Bun na hAbhann
Loch na nUilleann
Gleann Trasna
L Agraffard
BERTRAGHBOY BAY
Port na Feadóige
Inishlackan
Glinsce
Glinsk
Doire Iorrais
An Gort Mór
Gortmore
Pearse's Cottage
Teach an Phiarsaigh
Glinn Chatha
Loch an tSáile Thuaidh
Loch an tSáile Theas
Seanabhán
Lettercraffroc Lough
Loch an Chlochair
Camas
Camus
Cnoc Mordáin
Droichead Uí Fhlannabhra
Fraochoileán
Freaghillaun
Inis Bigir
Loch Buaile
Maíros
Loch Bhun na Clúife
Carna
Cill Bhreacáin
Loch Mhuiceanach
Ros Muc
Rosmuck
Cinn Mhara
Kinvarra
Loch Suí Con
Loch Scainimh
Cuan Chamais
Loch Fhormaoil
Loch na Coille
Ceann Mhása
Mace Head
Cruach na Caoile
Maghnakeela Island
St. Macdara's Island
Cill Chiaráin
Kilkieran
Béal an Daingin
Bealadangan
Loch Ghleann Mhac Muirinn
Tulaigh na Sióg
Mainis
Mweenish Island
Cuan Chill Chiaráin
Leitir Móir
Leitir Calaidh
Leitir Móir
Lettermore
Oileán Máisean
Mason Island
Fínis
Gob na hAirde Móire
Droichead Charraig an Logáin
Casla
Costelloe
Cnoc Bhoth Bhracháin
Loch na hAille Móire
Na Lochanna Móra
Inis Mhic Cionaith
An Tamhnach Mhór
Cnoc Dabhach
Loch Chonga Beag
Bior Mór
Inis Bearachain
Inis Múscraí
Inishmuskerry
Cuan Chaisin
Loch an Mhuilinn
Loch an Ghainimh
Daighinis
Garmna
Gorumna Island
An Cheathrú Rua
Carraroe
Calafort
Ros an Mhíl
Ros an Mhíl
Rossaveel
Caorán an Bhiorla
Loch Chonga Mór
Inis Eirc
Loch nae gCeann
Loch an Bhalla
Loch Thoirbirt
An Lochán Beag
Loughaunbeg
An Tulaigh
Leitir Mealláin
Lettermullan
Loch Bhaile na Cille
Cuan an Fhir Mhóir
Trá an Dóilín
Cuan Chasla
Baile na hAbhann
Indreabhán
Inveran
Cora an Chaisleáin
Ceann Gólaim
Golam Head
Trá an Doilín
Loch na Creibhinne
Céibh Bhaile na hAbhann
An Trá Mhór
Rushe
GALWAY BAY
Bád Fartha Ferry (P)
An Sunda ó Thuaidh
North Sound
An tOileán Iarthach
Rock Island
Eoghanacht
Onaght
Cill Mhuirbhigh
Port Mhuirbhigh
Cinn ar Aghaidh
An tOileán Thoir
An tOileán Thiar
Brannock Islands
Cill Mhuirbhigh
Kilmurvy
Fearann an Choirce
Oileáin Árann
Aran Islands
Eochaill
Aran Centre
Dún Aonghasa
Cill Rónáin
Kilronan
Gort na gCapall
Oileán na Tuí
Cuan Chill Éinne
Árainn
Inishmore
Ceann an Mhada
Inis Meáin
Inishmaan
Sunda Ghríora
Cill Éinne
Killeany
An Coirnéal
Baile an Teampaill
Ballintemple
Doonconor
An Córa
An Baile Thíos
Ballyhees
Ailladie
An Sunda Salach
Ceann an Bhrutha
Inis Oírr
Inisheer
Gob na Cora
Fardoras
An Sunda ó Dheas
South Sound
Bád Fartha Ferry (P)
Knockfin Cr Roads
Roadford
Doolin
Dúlainn
Doolin Pier
Fisherstreet
Knocknaiarabana
Carrowduff
Visitor's Centre
Cliffs of Moher
Hags Head
Derreen
O' Brien's Br
Lehinch Beach
Cancregga
Liscannor
Lios Ceannúir
Clahane
R341
R340
R336
R374
R343
R372
R479
R459
R478

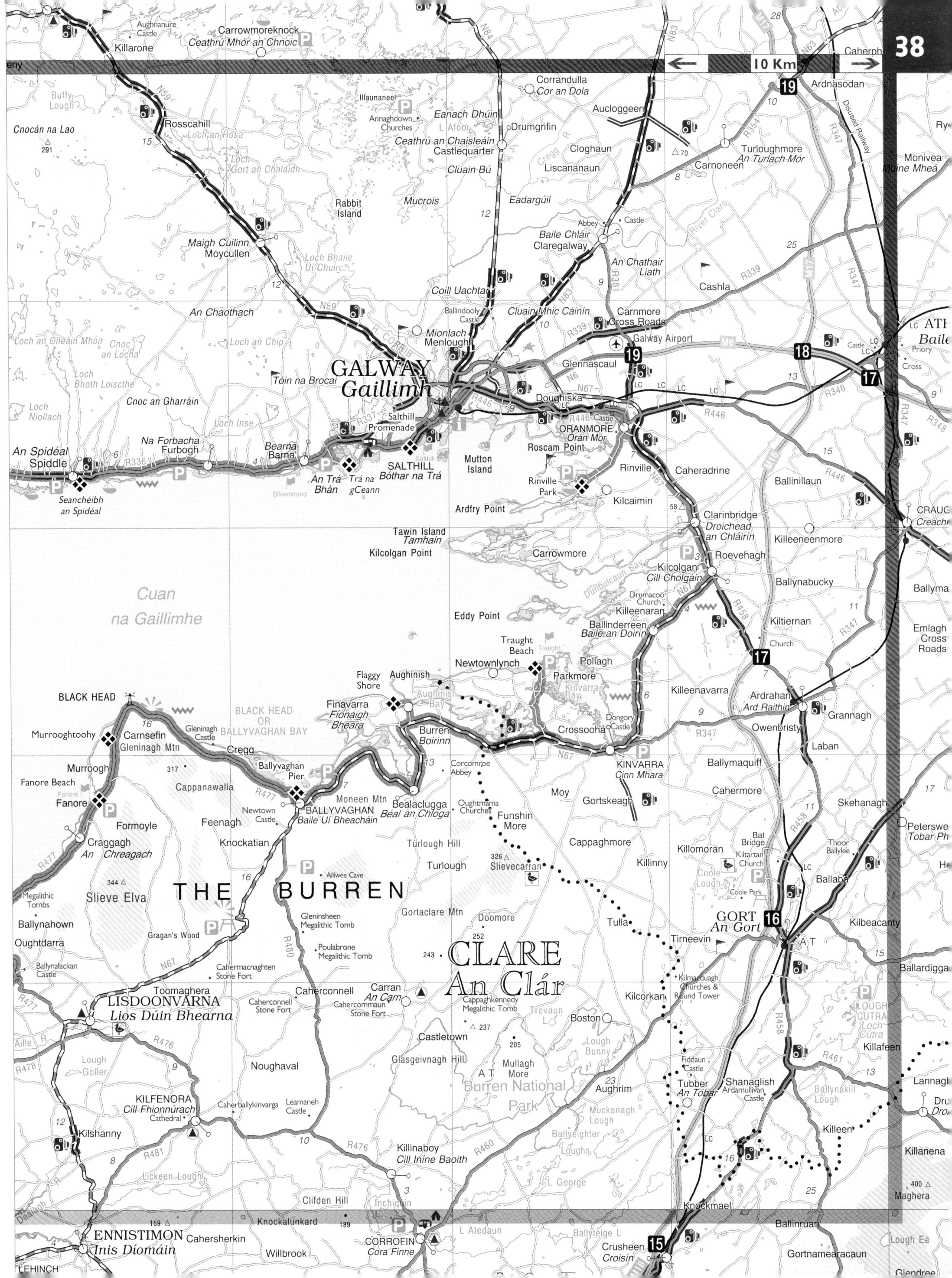
10 Km
Aughnanure Castle
Carrowmoreknock
Ceathrú Mhór an Chnoic
Killarone
Buffy Lough
Cnocán na Lao
291
Rosscahill
Loch an Rosa
Loch Gort an Chalaidh
Illaunaneel
Annaghdown Churches
Eanach Dhúin
L. Afoor
Ceathrú an Chaisleáin
Castlequarter
Cluain Bú
Drumgrifin
Corrandulla
Cor an Dola
Aucloggeen
Cloghaun
Liscananaun
Cregg R
Turloughmore
An Turlach Mór
Carnoneen
Ardnasodan
Disused Railway
Caherph
Monivea
Muine Mheá
Rabbit Island
Mucrois
Eadargúil
Abbey
Castle
Baile Chláir
Claregalway
River Clare
Maigh Cuilinn
Moycullen
Loch Bhaile Uí Chuirc
An Chathair Liath
Cashla
Coill Uachtar
Ballindooly Castle
Cluain Mhic Cáinín
Carnmore Cross Roads
Galway Airport
An Chaothach
R. Corrib
Mionlach
Menlough
Loch an Oileáin Mhóir
Cnoc an Locha
Loch an Chip
Loch Bhoth Loiscthe
GALWAY
Gaillimh
Tóin na Brocaí
Glennascaul
Doughiska
Cnoc an Gharráin
Loch Niollach
Loch Inse
Salthill Promenade
ORANMORE
Órán Mór
Roscam Point
Castle
ATH
Baile
Priory
Cross
An Spidéal
Spiddle
Na Forbacha
Furbogh
Bearna
Barna
An Trá Bhán
Trá na gCeann
SALTHILL
Bóthar na Trá
Silverstrand
Seanchéibh an Spidéal
Mutton Island
Rinville Park
Rinville
Caheradrine
Ballinillaun
Kilcaimin
Ardfry Point
Clarinbridge
Droichead an Chláirín
CRAUG
Creach
Killeeneenmore
Tawin Island
Tamhain
Kilcolgan Point
Carrowmore
Roevehagh
Kilcolgan
Cill Cholgáin
Dunbulcaun Bay
Ballynabucky
Ballyma
Cuan na Gaillimhe
Drumacoo Church
Killeenaran
Eddy Point
Ballinderreen
Baile an Doirín
Kiltiernan
Church
Emlagh Cross Roads
Traught Beach
Newtownlynch
Pollagh
Parkmore
Kinvarra Bay
Flaggy Shore
Aughinish
Aughinish Bay
Killeenavarra
Ardrahan
Ard Raithin
Grannagh
BLACK HEAD
BLACK HEAD OR BALLYVAGHAN BAY
Finavarra
Fionaigh Bheara
Burren
Boirinn
Dongory Castle
Crossooha
Owenbristy
Laban
Murrooghtoohy
Carnsefin
Gleninagh Mtn
Gleninagh Castle
Cregg
Corcomroe Abbey
KINVARRA
Cinn Mhara
Ballymaquiff
Murroogh
Fanore Beach
Fanore
Ballyvaghan Pier
Cappanawalla
Moneen Mtn
Bealaclugga
Béal an Chloga
Oughtmama Churches
Moy
Gortskeagh
Cahermore
Skehanagh
Formoyle
Newtown Castle
Feenagh
BALLYVAGHAN
Baile Uí Bheacháin
Funshin More
Cappaghmore
Killomoran
Bat Bridge
Kiltartan Church
Thoor Ballylee
Peterswe
Tobar Ph
Craggagh
An Chreagach
Knockatian
Turlough Hill
Turlough
Slievecarran
Killinny
Coole Lough
Coole Park
Ballaba
Megalithic Tombs
Slieve Elva
THE BURREN
Aillwee Cave
Gortaclare Mtn
Doomore
Tulla
GORT
An Gort
Kilbeacanty
Ballynahown
Gragan's Wood
Gleninsheen Megalithic Tomb
Poulabrone Megalithic Tomb
CLARE
An Clár
Tirneevin
Oughtdarra
Ballynalackan Castle
Cahermacnaghten Stone Fort
Ballardigga
Toomaghera
LISDOONVARNA
Lios Dúin Bhearna
Caherconnell
Caherconnell Stone Fort
Carran
An Carn
Cahercommaun Stone Fort
Cappaghkennedy Megalithic Tomb
Kilcorkan
Kilmacduagh Churches & Round Tower
Lough Cutra
Loch Cútra
Trevaun L.
Boston
Aille R.
Lough Goller
Noughaval
Castletown
Glasgeivnagh Hill
Lough Bunny
Mullagh More
Burren National Park
Fiddaun Castle
Tubber
An Tobar
Shanaglish
Ardamullivan Castle
Ballynakill Lough
Killafeen
Lannagh
Aughrim
KILFENORA
Cill Fhionnúrach
Cathedral
Caherballykinvarga
Leamaneh Castle
Muckanagh Lough
Ballyeighter Loughs
Killeen
Dru
Kilshanny
Killinaboy
Cill Iníne Baoith
Killanena
Lickeen Lough
L. George
Maghera
Clifden Hill
Inchiquin
Knockmael
Dealagh R.
Knockalunkard
ENNISTIMON
Inis Díomáin
Cahersherkin
L. Atedaun
Ballyteige L.
CORROFIN
Cora Finne
Crusheen
Croisín
Ballinruan
Lough Ea
Gortnamearacaun
Willbrook
LEHINCH
Glendree

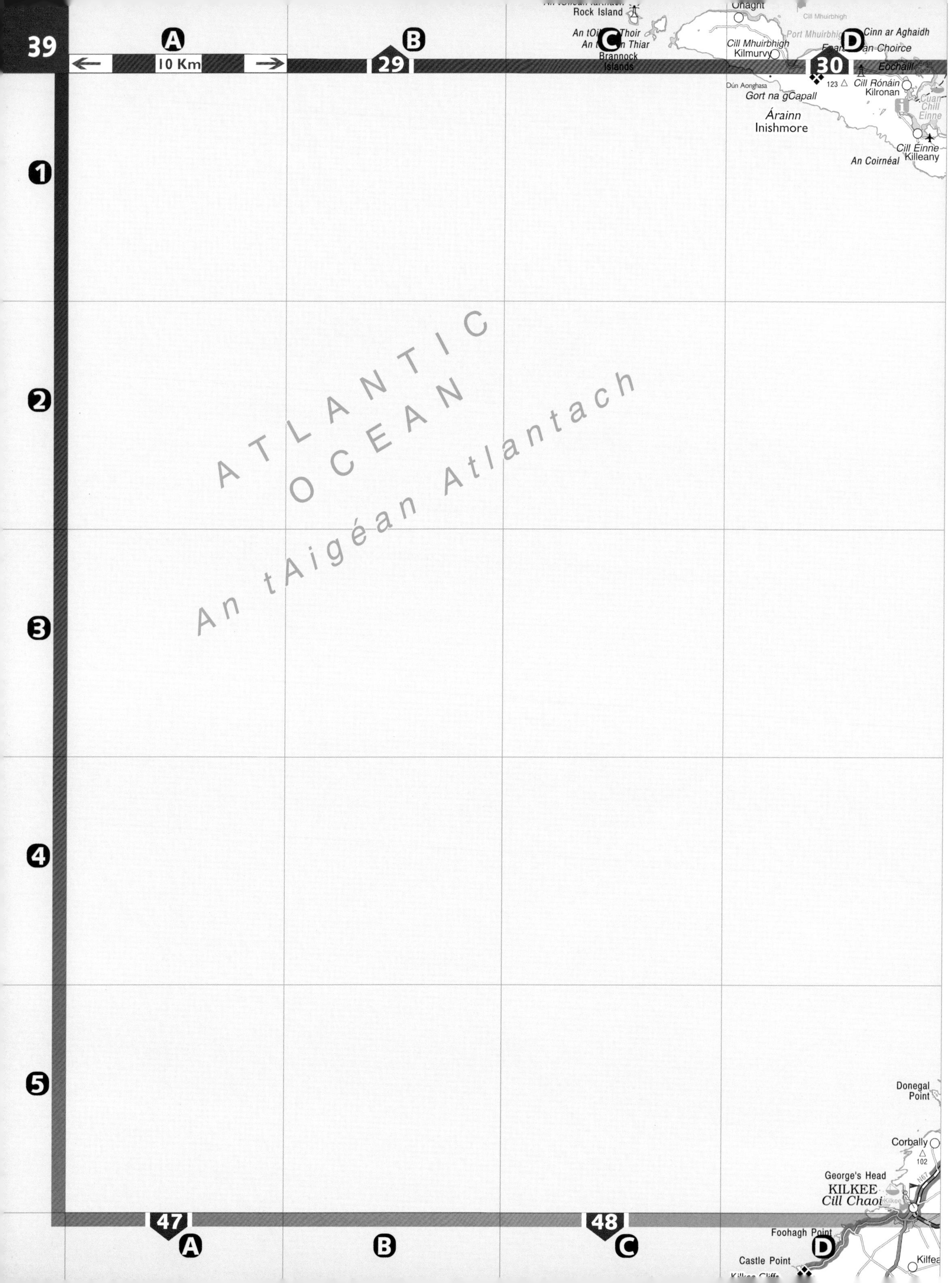
A
B
C
D
10 Km
29
30
1
2
3
4
5
47
48
Rock Island
Brannock Islands
Onaght
Cill Mhuirbhigh
Kilmurvy
Cinn ar Aghaidh
Eochaill
Dún Aonghasa
Gort na gCapall
Árainn
Inishmore
Cill Rónáin
Kilronan
Cill Éinne
Killeany
An Coirnéal
ATLANTIC
OCEAN
An tAigéan Atlantach
Donegal Point
Corbally
George's Head
KILKEE
Foohagh Point
Castle Point

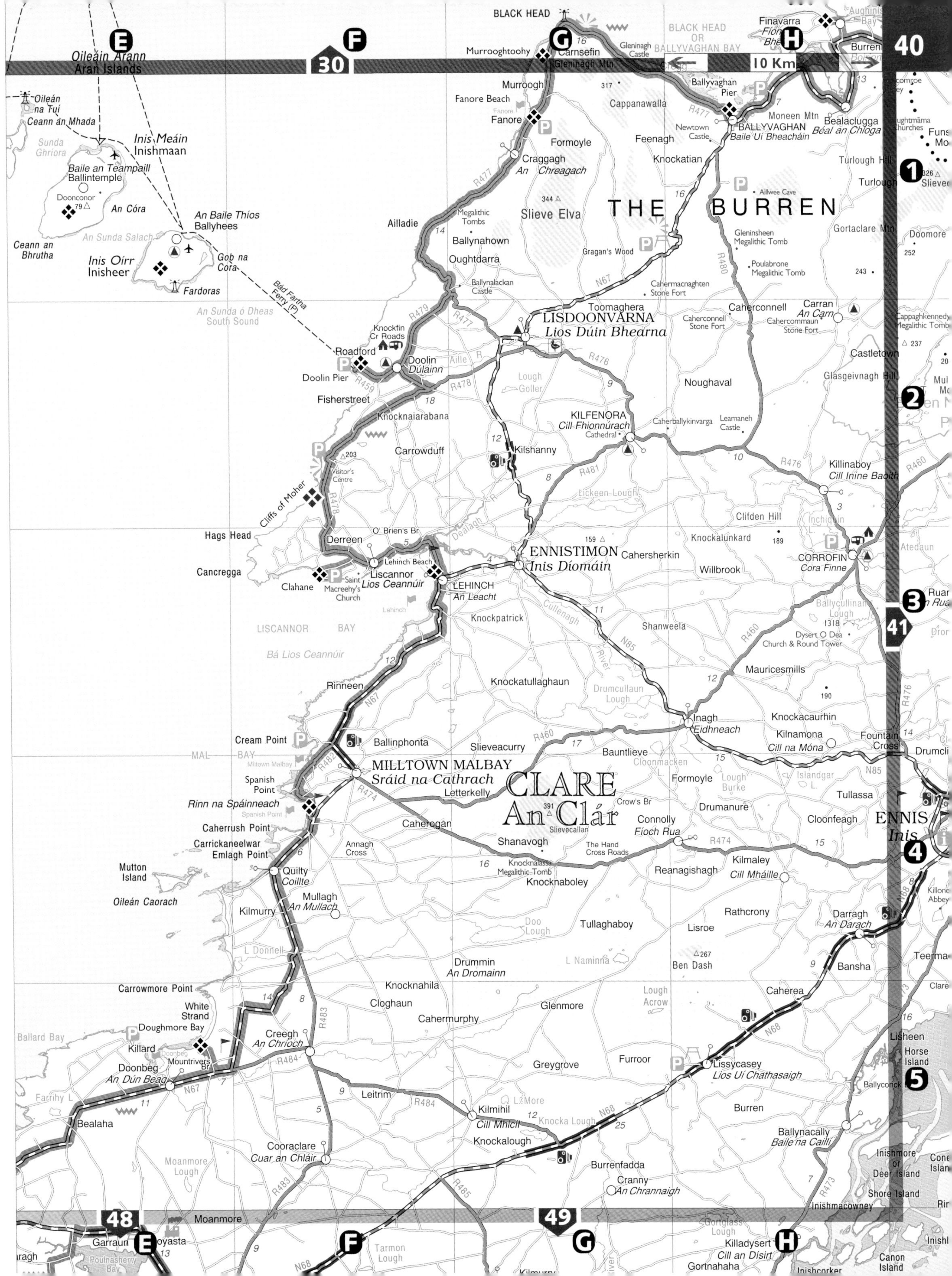
40
41
48
49
30
10 Km
BLACK HEAD
BLACK HEAD OR BALLYVAGHAN BAY
Oileáin Árann
Aran Islands
Inis Meáin
Inishmaan
Inis Oírr
Inisheer
THE BURREN
LISDOONVARNA
Lios Dúin Bhearna
KILFENORA
Cill Fhionnúrach
ENNISTIMON
Inis Díomáin
LEHINCH
An Leacht
Liscannor
Lios Ceannúir
Cliffs of Moher
Hags Head
LISCANNOR BAY
Bá Lios Ceannúir
MILLTOWN MALBAY
Sráid na Cathrach
CLARE
An Clár
Quilty
Coillte
Doonbeg
An Dún Beag
Ballyvaghan
Baile Uí Bheacháin
Fanore
Doolin
Dúlainn
Corrofin
Cora Finne
Inagh
Eidhneach
ENNIS
Lissycasey
Lios Uí Chathasaigh
Kilmihil
Cill Mhichíl
Cooraclare
Cuar an Chláir
Ballynacally
Baile na Caillí
Moanmore
Killadysert
Cill an Disirt
Gortnahaha
Tarmon Lough
Creegh
An Chríoch
Mullagh
An Mullach
Kilmaley
Cill Mháille
Connolly
Fioch Rua
Kilnamona
Cill na Móna
Killinaboy
Cill Iníne Baoith
Carran
An Carn
Craggagh
An Chreagach
Slieve Elva
Noughaval
Kilshanny
Rinneen
Spanish Point
Rinn na Spáinneach
Mutton Island
Oileán Caorach
Doughmore Bay
Killard
Bealaha
N67
N85
N68
R477
R478
R479
R480
R481
R474
R476
R460
R484
R483
R482
R485
R473

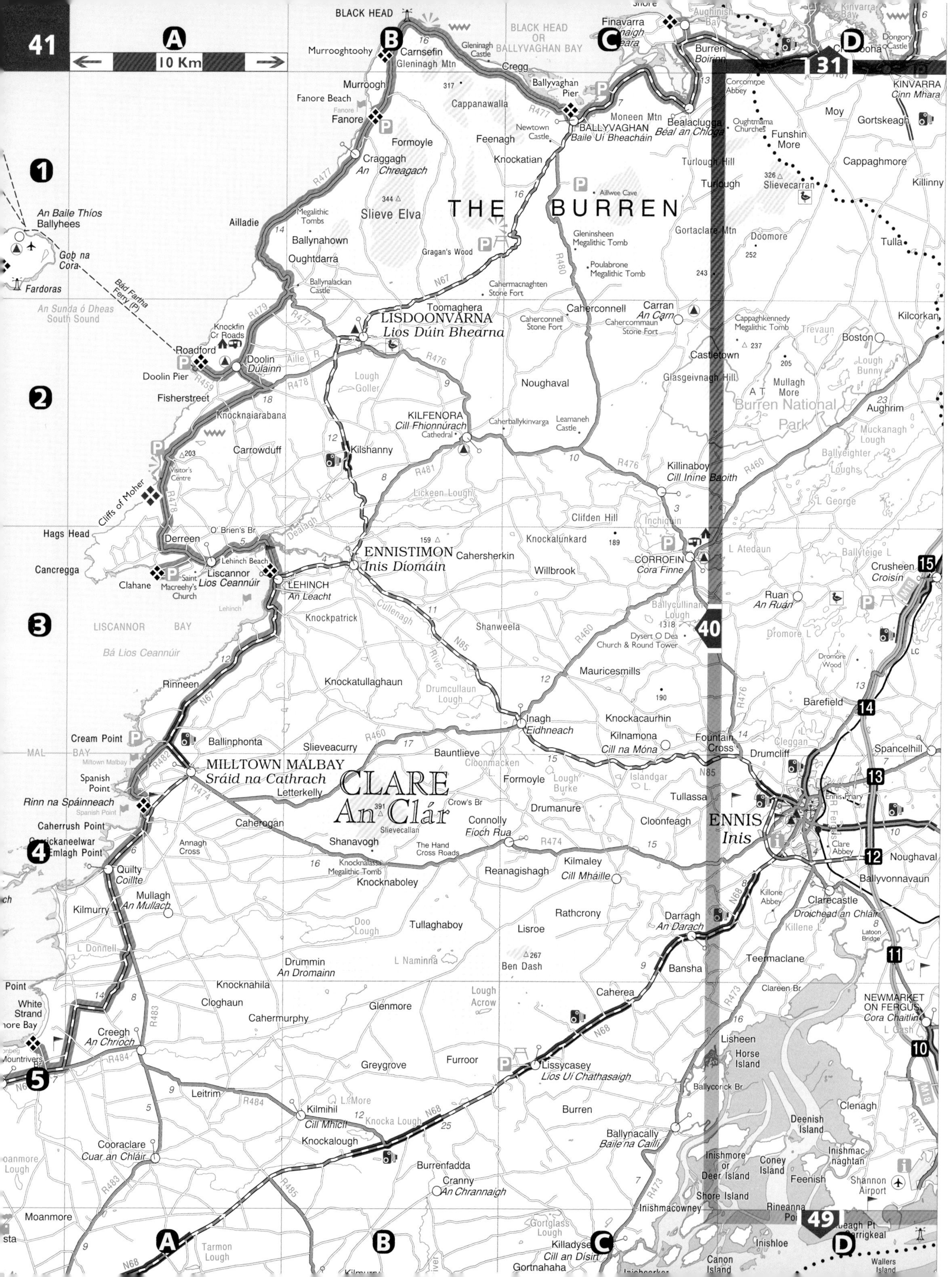

41
A
B
C
D
10 Km
1
2
3
4
5
BLACK HEAD
BLACK HEAD OR BALLYVAGHAN BAY
Murrooghtoohy
Carnsefin
Gleninagh Mtn
Gleninagh Castle
Cregg
Finavarra
Burren
Boirinn
Kinvarra Bay
Dongory Castle
31
KINVARRA
Cinn Mhara
Murrough
Fanore Beach
Fanore
Formoyle
Craggagh
An Chreagach
Cappanawalla
Ballyvaghan Pier
BALLYVAGHAN
Baile Uí Bheacháin
Newtown Castle
Feenagh
Knockatian
Moneen Mtn
Bealaclugga
Béal an Chloga
Corcomroe Abbey
Oughtmama Churches
Funshin More
Moy
Gortskeagh
Turlough Hill
Turlough
Cappaghmore
Killinny
Slievecarran
THE BURREN
Slieve Elva
Megalithic Tombs
Ailladie
An Baile Thíos
Ballyhees
Gob na Cora
Fardoras
Bád Fartha Ferry (P)
Ballynahown
Oughtdarra
Gragan's Wood
Gleninsheen Megalithic Tomb
Poulabrone Megalithic Tomb
Gortaclare Mtn
Doomore
Tulla
Ballynalackan Castle
Cahermacnaghten Stone Fort
An Sunda ó Dheas
South Sound
Toomaghera
LISDOONVARNA
Lios Dúin Bhearna
Caherconnell
Caherconnell Stone Fort
Cahercommaun Stone Fort
Carran
An Carn
Cappaghkennedy Megalithic Tomb
Trevaun L
Kilcorkan
Boston
Knockfin Cr Roads
Roadford
Doolin
Dúlainn
Doolin Pier
Aille R
Lough Goller
Castletown
Lough Bunny
Glasgeivnagh Hill
Noughaval
Mullagh More
Burren National Park
Aughrim
Fisherstreet
Knocknaiarabana
KILFENORA
Cill Fhionnúrach
Cathedral
Caherballykinvarga
Leamaneh Castle
Muckanagh Lough
Ballyeighter Loughs
Carrowduff
Kilshanny
Visitor's Centre
Cliffs of Moher
Lickeen Lough
Killinaboy
Cill Iníne Baoith
L George
Hags Head
Derreen
O' Brien's Br
Dealagh
Clifden Hill
Inchiquin
Knockalunkard
ENNISTIMON
Inis Díomáin
Cahersherkin
Willbrook
CORROFIN
Cora Finne
L Atedaun
Ballyteige L
Crusheen
Croisín
Cancregga
Clahane
Lehinch Beach
Liscannor
Lios Ceannúir
Saint Macreehy's Church
LEHINCH
An Leacht
Cullenagh
Ballycullinan Lough
Ruan
An Ruán
40
LISCANNOR BAY
Bá Lios Ceannúir
Knockpatrick
Shanweela
Dysert O Dea Church & Round Tower
Dromore L
Dromore Wood
Rinneen
Knockatullaghaun
Drumcullaun Lough
Mauricesmills
Barefield
Inagh
Eidhneach
Knockacaurhin
Kilnamona
Cill na Móna
Fountain Cross
Drumcliff
Cleggan
Spancelhill
Cream Point
Ballinphonta
Slieveacurry
Bauntlieve
Cloonmacken L
MAL BAY
Spanish Point
MILLTOWN MALBAY
Sráid na Cathrach
Letterkelly
CLARE
An Clár
Formoyle
Lough Burke
Islandgar L
Tullassa
Ennis Friary
Rinn na Spáinneach
Crow's Br
Slievecallan
Connolly
Fíoch Rua
Drumanure
Cloonfeagh
ENNIS
Inis
Caherrush Point
Caherogan
Annagh Cross
Shanavogh
The Hand Cross Roads
Clare Abbey
Noughaval
Emlagh Point
Quilty
Coillte
Knocknalassa Megalithic Tomb
Knocknaboley
Reanagishagh
Kilmaley
Cill Mháille
Ballyvonnavaun
Killone Abbey
Clarecastle
Droichead an Chláir
Killone L
Mullagh
An Mullach
Kilmurry
Doo Lough
Tullaghaboy
Rathcrony
Lisroe
Darragh
An Darach
Latoon Bridge
L Donnell
Ben Dash
Drummin
An Dromainn
L Naminna
Bansha
Teermaclane
Point
White Strand
Knocknahila
Lough Acrow
Cahereа
Clareen Br
Cloghaun
Glenmore
NEWMARKET ON FERGUS
Cora Chaitlín
L Gash
Cahermurphy
Creegh
An Chríoch
Furroor
Lissycasey
Lios Uí Chathasaigh
Lisheen
Horse Island
Greygrove
Ballycorick Br
Leitrim
L More
Kilmihil
Cill Mhichíl
Knocka Lough
Burren
Clenagh
Deenish Island
Knockalough
Ballynacally
Baile na Caillí
Cooraclare
Cuar an Chláir
Burrenfadda
Cranny
An Chrannaigh
Inishmore or Deer Island
Coney Island
Feenish
Inishmacnaghtan
Shannon Airport
Shore Island
Inishmacowney
Rineanna Point
49
Moanmore
Gortglass Lough
Killadysert
Cill an Dísirt
Tarmon Lough
Gortnahaha
Inishloe
Canon Island
Wallers Island

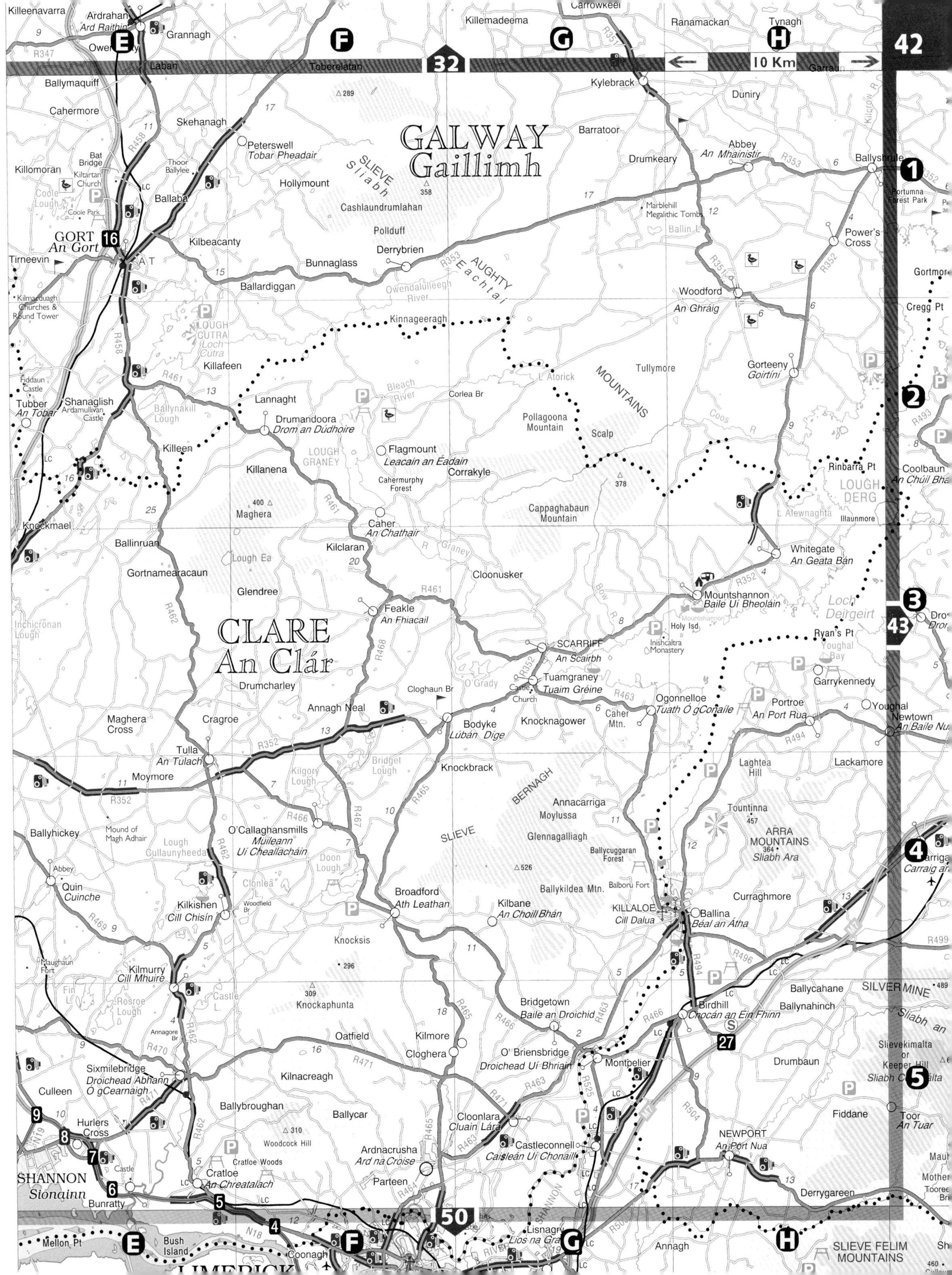

42
32
43
50
10 Km
GALWAY
Gaillimh
CLARE
An Clár
GORT
An Gort
Killeenavarra
Ardrahan
Ard Raithin
Grannagh
Laban
Toberelatan
Killemadeema
Carrowkeel
Ranamackan
Tynagh
Garrau
Kylebrack
Duniry
Ballymaquiff
Cahermore
Skehanagh
Peterswell
Tobar Pheadair
SLIEVE
Sliabh
Barratoor
Abbey
An Mhainistir
Drumkeary
Ballyshrule
Portumna Forest Park
Bat Bridge
Killomoran
Kiltartan Church
Thoor Ballylee
Coole Lough
Coole Park
Hollymount
Cashlaundrumlahan
Marblehill Megalithic Tombs
Ballin L
Ballaba
Polldutt
Derrybrien
Power's Cross
Kilbeacanty
Bunnaglass
AUGHTY
Eachtaí
Tirneevin
Ballardiggan
Owendalulleegh River
Woodford
An Ghráig
Kilmacduagh Churches & Round Tower
LOUGH CUTRA
Loch Cutra
Kinnageeragh
Cregg Pt
Gortmore
Killafeen
L. Atorick
MOUNTAINS
Tullymore
Gorteeny
Goirtíní
Fiddaun Castle
Tubber
An Tobar
Shanaglish
Ardamullivan Castle
Ballynakill Lough
Lannaght
Bleach River
Corlea Br
Drumandoora
Drom an Dúdhoire
Pollagoona Mountain
Scalp
Coos
Killeen
Flagmount
Leacain an Éadain
LOUGH GRANEY
Killanena
Cahermurphy Forest
Corrakyle
Rinbarra Pt
Coolbaun
An Chúil Bhá
LOUGH DERG
L. Alewnaghta
Illaunmore
Maghera
Knockmael
Caher
An Chathair
Cappaghabaun Mountain
Ballinruan
Kilclaran
R. Graney
Whitegate
An Geata Bán
Lough Ea
Cloonusker
Gortnamearacaun
Glendree
Mountshannon
Baile Uí Bheoláin
Loch Deirgeirt
Inchicronan Lough
Feakle
An Fhiacail
Holy Isd
Inishcaltra Monastery
Ryan's Pt
Youghal Bay
SCARRIFF
An Scairbh
Drumcharley
L. O'Grady
Tuamgraney
Tuaim Gréine
Garrykennedy
Cloghaun Br
Castle
Church
Ogonnelloe
Tuath Ó gConaile
Portroe
An Port Rua
Youghal
Maghera Cross
Cragroe
Annagh Neal
Bodyke
Lúbán Díge
Knocknagower
Caher Mtn.
Newtown
An Baile Nua
Tulla
An Tulach
Moymore
Kilgory Lough
Bridget Lough
Knockbrack
Laghtea Hill
Lackamore
BERNAGH
Annacarriga
Moylussa
Tountinna
ARRA MOUNTAINS
Sliabh Ara
Ballyhickey
Mound of Magh Adhair
Lough Cullaunyheeda
O'Callaghansmills
Muileann Uí Cheallacháin
SLIEVE
Glennagalliagh
Ballycuggaran Forest
Doon Lough
Abbey
Quin
Cuinche
Clonlea
Balboru Fort
Ballykildea Mtn.
Curraghmore
Carraig an
Kilkishen
Cill Chisín
Woodfield Br
Broadford
Ath Leathan
Kilbane
An Choill Bhán
KILLALOE
Cill Dalua
Ballina
Béal an Átha
Knocksis
Maughaun Fort
Kilmurry
Cill Mhuire
Castle L.
Rosroe Lough
Knockaphunta
Ballycahane
SILVERMINE
Ballynahinch
Sliabh
Annagore Br
Bridgetown
Baile an Droichid
Birdhill
Chocán an Éin Fhinn
Oatfield
Kilmore
Cloghera
O' Briensbridge
Droichead Uí Bhriain
Montpelier
Drumbaun
Slievekimalta or Keeper Hill
Sixmilebridge
Droichead Abhann O gCearnaigh
Kilnacreagh
Culleen
Ballybroughan
Ballycar
Cloonlara
Cluain Lára
Fiddane
Toor
An Tuar
Hurlers Cross
Woodcock Hill
Cratloe Woods
Ardnacrusha
Ard na Croise
Castleconnell
Caisleán Uí Chonaill
NEWPORT
An Port Nua
SHANNON
Sionainn
Castle
Cratloe
An Chreatalach
Parteen
Derrygareen
Bunratty
Mellon Pt
Bush Island
Coonagh
Lisnagry
Lios na Gra
Annagh
SLIEVE FELIM MOUNTAINS
SHANNON
N18
N19
N7
M7
R347
R458
R461
R462
R352
R353
R351
R466
R467
R465
R468
R463
R469
R470
R471
R494
R496
R499
R525
R504
R464

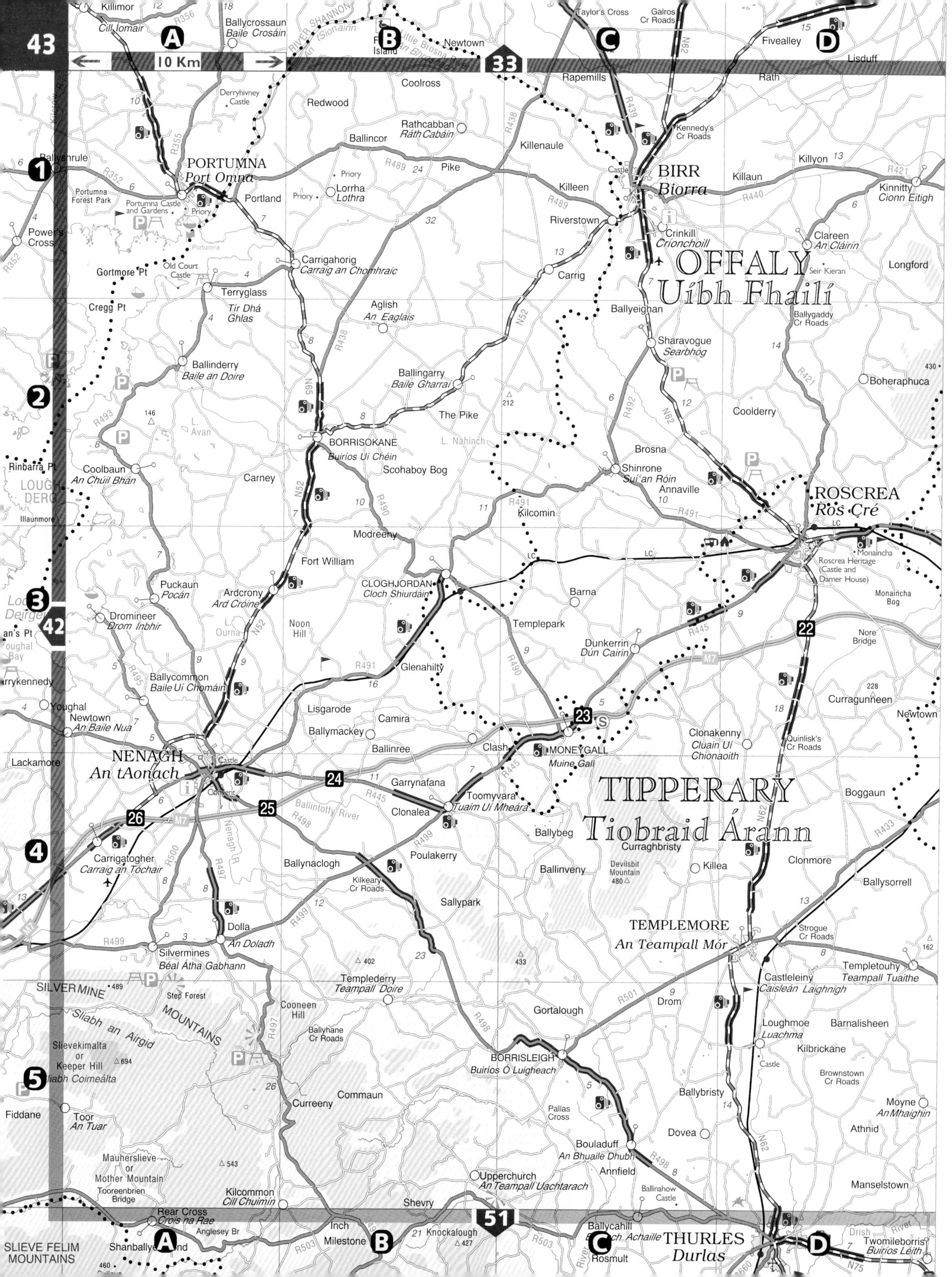
43
10 Km
33
42
51
PORTUMNA
Port Omna
BIRR
Biorra
OFFALY
Uíbh Fhailí
BORRISOKANE
Buiríos Uí Chéin
ROSCREA
Ros Cré
CLOGHJORDAN
Cloch Shiurdáin
NENAGH
An tAonach
TIPPERARY
Tiobraid Árann
TEMPLEMORE
An Teampall Mór
BORRISLEIGH
Buiríos Ó Luigheach
THURLES
Durlas
MONEYGALL
Muine Gall
LOUGH DERG
SILVERMINE MOUNTAINS
Sliabh an Airgid
SLIEVE FELIM MOUNTAINS
Killimor
Cill Iomair
Ballycrossaun
Baile Crosáin
Taylor's Cross
Galros Cr Roads
Fivealley
Lisduff
Newtown
Coolross
Rapemills
Rath
Redwood
Derryhivney Castle
Rathcabban
Ráth Cabáin
Kennedy's Cr Roads
Ballincor
Killenaule
Ballyshrule
Portumna Forest Park
Portumna Castle and Gardens
Priory
Lorrha
Lothra
Portland
Pike
Killeen
Killaun
Killyon
Kinnitty
Cionn Eitigh
Power's Cross
Riverstown
Crinkill
Críonchoill
Clareen
An Cláirín
Gortmore Pt
Old Court Castle
Terryglass
Tír Dhá Ghlas
Carrigahorig
Carraig an Chomhraic
Carrig
Seir Kieran
Longford
Cregg Pt
Aglish
An Eaglais
Ballyeighan
Ballygaddy Cr Roads
Sharavogue
Searbhóg
Ballinderry
Baile an Doire
Ballingarry
Baile Gharraí
Boheraphuca
The Pike
Coolderry
L. Avan
L. Nahinch
Brosna
Rinbarra Pt
Coolbaun
An Chúil Bhán
Carney
Scohaboy Bog
Shinrone
Suí an Róin
Annaville
Illaunmore
Kilcomin
Modreeny
Fort William
Monaincha
Roscrea Heritage (Castle and Damer House)
Monaincha Bog
Puckaun
Pocán
Ardcrony
Ard Cróine
Barna
Dromineer
Drom Inbhir
L. Ourna
Noon Hill
Templepark
Nore Bridge
Dunkerrin
Dún Cairin
Glenahilty
Ballycommon
Baile Uí Chomáin
Curragunneen
Youghal
Newtown
An Baile Nua
Lisgarode
Camira
Ballymackey
Ballinree
Clash
Clonakenny
Cluain Uí Chionaoith
Quinlisk's Cr Roads
Lackamore
Garrynafana
Toomyvara
Tuaim Uí Mheára
Clonalea
Ballintotty River
Boggaun
Ballybeg
Curraghbristy
Carrigatogher
Carraig an Tóchair
Ballynaclogh
Poulakerry
Ballinveny
Devilsbit Mountain
Killea
Clonmore
Kilkeary Cr Roads
Sallypark
Ballysorrell
Dolla
An Doladh
Silvermines
Béal Átha Gabhann
Strogue Cr Roads
Templetouhy
Teampall Tuaithe
Castleleiny
Caisleán Laighnigh
Step Forest
Templederry
Teampall Doire
Cooneen Hill
Gortalough
Drom
Ballyhane Cr Roads
Loughmoe
Luachma
Barnalisheen
Kilbrickane
Slievekimalta or Keeper Hill
Sliabh Coimeálta
Brownstown Cr Roads
Ballybristy
Fiddane
Toor
An Tuar
Curreeny
Commaun
Pallas Cross
Moyne
An Mhaighin
Athnid
Dovea
Bouladuff
An Bhuaile Dhubh
Annfield
Mauherslieve or Mother Mountain
Upperchurch
An Teampall Uachtarach
Manselstown
Tooreenbrien Bridge
Kilcommon
Cill Chuimín
Shevry
Ballinahow Castle
Rear Cross
Crois na Rae
Anglesey Br
Inch
Milestone
Knockalough
Ballycahill
Rosmult
Twomileborris
Buiríos Léith
Shanballyedmond
Drish River
M7
N52
N62
N65
N75
R352
R355
R356
R421
R433
R438
R439
R440
R445
R489
R490
R491
R492
R493
R495
R497
R498
R499
R500
R501
R503
22
23
24
25
26

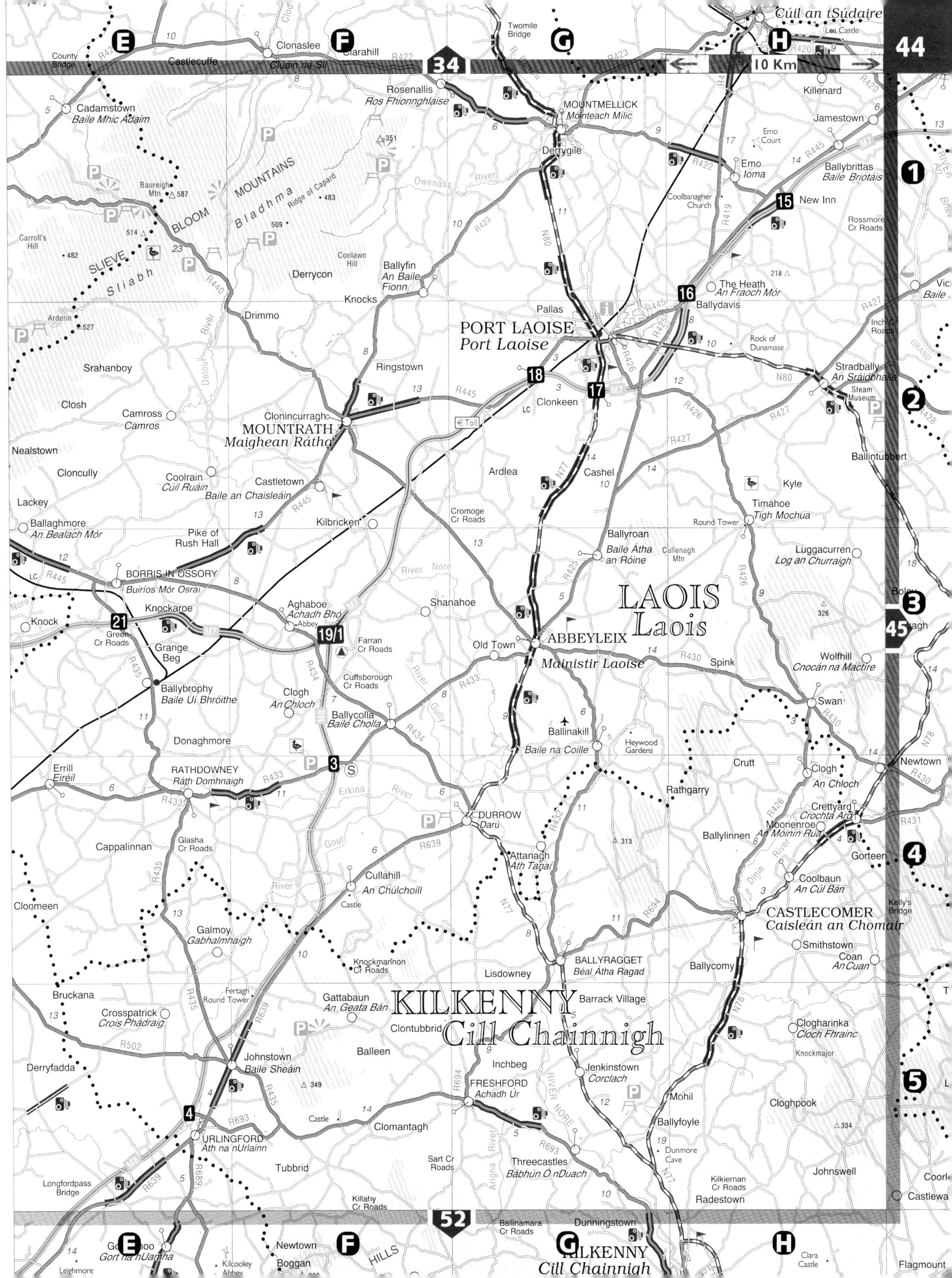

44
45
34
52
10 Km
Cúil an tSúdaire
Lea Castle
County Bridge
Castlecuffe
Clonaslee
Cluain na Slí
Clarahill
Twomile Bridge
Rosenallis
Ros Fhionnghlaise
MOUNTMELLICK
Móinteach Mílic
Killenard
Jamestown
Cadamstown
Baile Mhic Ádaim
Emo Court
Derrygile
Emo
Ioma
Ballybrittas
Baile Briotáis
Baureigh Mtn
SLIEVE BLOOM MOUNTAINS
Sliabh Bladhma
Ridge of Capard
Owenass River
Coolbanagher Church
New Inn
Rossmore Cr Roads
Carroll's Hill
Conlawn Hill
Derrycon
Ballyfin
An Baile Fionn
Knocks
The Heath
An Fraoch Mór
Ballydavis
Arderin
Drimmo
Pallas
PORT LAOISE
Port Laoise
Rock of Dunamase
Inch Cr Roads
Srahanboy
Ringstown
Stradbally
An Sráidbhaile
Steam Museum
Closh
Camross
Camros
Clonincurragh
MOUNTRATH
Maighean Rátha
Clonkeen
Nealstown
Toll
Ballintubbert
Cloncully
Coolrain
Cúil Ruáin
Castletown
Baile an Chaisleáin
Ardlea
Cashel
Kyle
Lackey
Cromoge Cr Roads
Timahoe
Tigh Mochua
Round Tower
Ballaghmore
An Bealach Mór
Pike of Rush Hall
Kilbricken
Ballyroan
Baile Átha an Róine
Cullenagh Mtn
Luggacurren
Log an Churraigh
BORRIS IN OSSORY
Buiríos Mór Osraí
River Nore
LAOIS
Laois
Knockaroe
Aghaboe
Achadh Bhó
Abbey
Shanahoe
Knock
Green Cr Roads
Grange Beg
Farran Cr Roads
Old Town
ABBEYLEIX
Mainistir Laoise
Spink
Wolfhill
Cnocán na Mactíre
Ballybrophy
Baile Uí Bhróithe
Cuffsborough Cr Roads
Clogh
An Chloch
Ballycolla
Baile Cholla
Swan
Donaghmore
Ballinakill
Baile na Coille
Heywood Gardens
Erill
Eiréil
RATHDOWNEY
Ráth Domhnaigh
Erkina River
Crutt
Newtown
Rathgarry
DURROW
Darú
Crettyard
Crochta Ard
Moonenroe
An Móinín Rua
Cappalinnan
Glasha Cr Roads
Ballylinnen
Gorteen
Attanagh
Áth Tanaí
Goul River
Cullahill
An Chúlchoill
Coolbaun
An Cúl Bán
Clonmeen
Castle
CASTLECOMER
Caisleán an Chomair
Kelly's Bridge
Galmoy
Gabhalmhaigh
Smithstown
BALLYRAGGET
Béal Átha Ragad
Coan
An Cuan
Knockmarinon Cr Roads
Lisdowney
Ballycomy
Bruckana
Fertagh Round Tower
Gattabaun
An Geata Bán
KILKENNY
Cill Chainnigh
Barrack Village
Crosspatrick
Crois Phádraig
Clontubbrid
Clogharinka
Cloch Fhrainc
R502
Knockmajor
Balleen
Johnstown
Baile Sheáin
Inchbeg
Derryfadda
Jenkinstown
Corclach
FRESHFORD
Achadh Úr
Mohil
River Nore
Cloghpook
Clomantagh
Ballyfoyle
URLINGFORD
Áth na nUrlainn
Dunmore Cave
Sart Cr Roads
Threecastles
Bábhún Ó nDuach
Tubbrid
Arigna River
Johnswell
Kilkiernan Cr Roads
Radestown
Longfordpass Bridge
Killahy Cr Roads
Castlewa
Ballinamara Cr Roads
Dunningstown
Newtown
Boggan
HILLS
Kilcooley Abbey
Gortnahoo
Gort na hUamha
Leighmore
Clara Castle
Flagmount

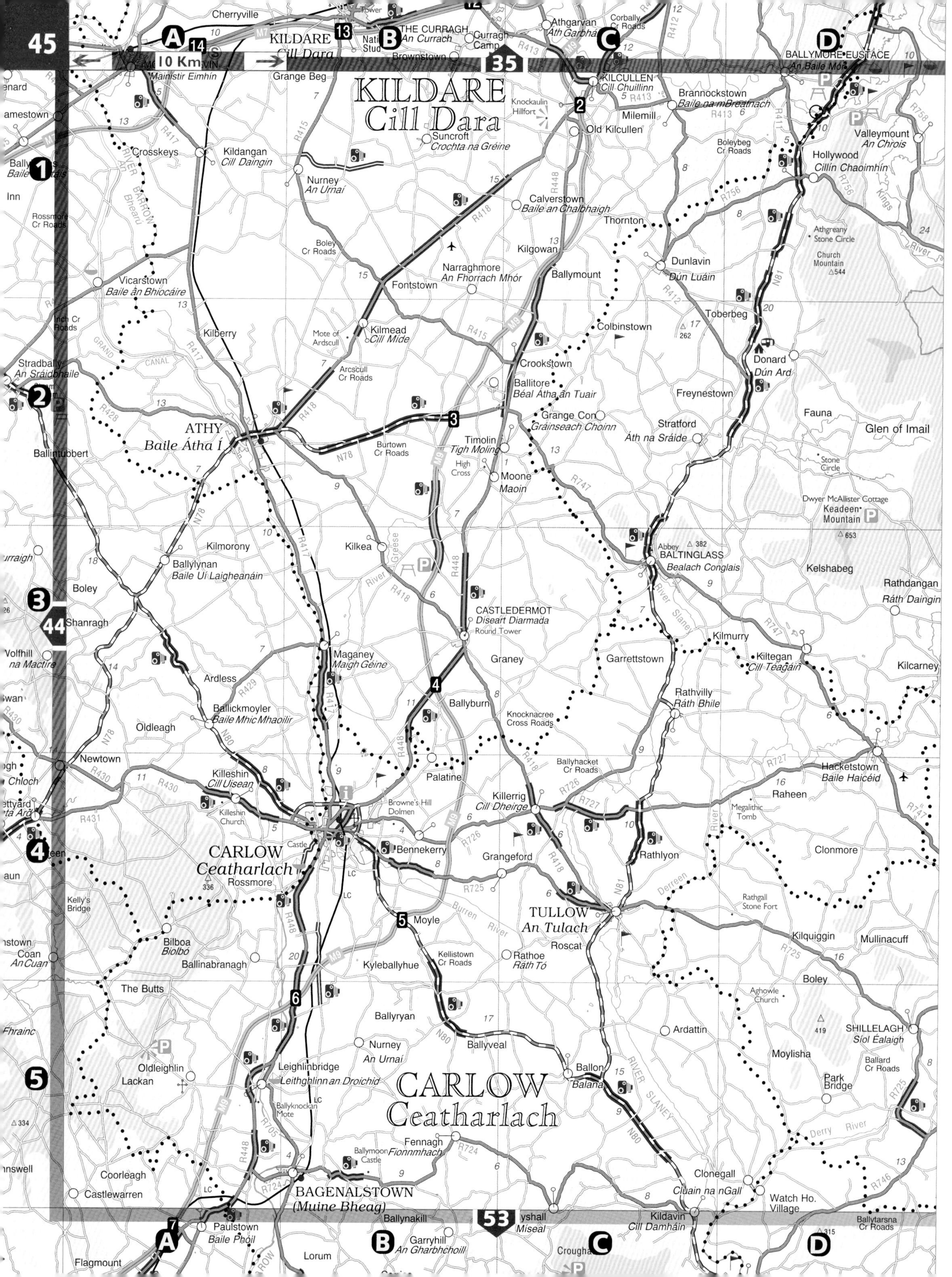

45
44
35
53
10 Km
A
B
C
D
1
2
3
4
5
KILDARE
Cill Dara
CARLOW
Ceatharlach
Cherryville
KILDARE
Cill Dara
THE CURRAGH
An Currach
Curragh Camp
Brownstown
Grange Beg
Mainistir Eimhín
Athgarvan
Áth Garbháin
Corbally Cr Roads
KILCULLEN
Cill Chuillinn
Brannockstown
Baile na mBreatnach
Milemill
Old Kilcullen
Knockaulin Hillfort
BALLYMORE EUSTACE
An Baile Mór
Valleymount
An Chrois
Hollywood
Cillín Chaoimhín
Boleybeg Cr Roads
Suncroft
Crochta na Gréine
Crosskeys
Kildangan
Cill Daingin
Nurney
An Urnaí
RIVER BARROW
An Bhearú
Rossmore Cr Roads
Calverstown
Baile an Chalbhaigh
Thornton
Athgreany Stone Circle
Church Mountain
Kilgowan
Boley Cr Roads
Narraghmore
An Fhorrach Mhór
Ballymount
Dunlavin
Dún Luáin
Vicarstown
Baile an Bhiocáire
Fontstown
Toberbeg
Inch Cr Roads
Colbinstown
Kilberry
Kilmead
Cill Mide
Mote of Ardscull
GRAND CANAL
Crookstown
Donard
Dún Ard
Stradbally
An Sráidbhaile
Arcscull Cr Roads
Ballitore
Béal Átha an Tuair
Freynestown
Grange Con
Gráinseach Choinn
Fauna
ATHY
Baile Átha Í
Stratford
Áth na Sráide
Glen of Imail
Ballintubbert
Burtown Cr Roads
Timolin
Tigh Moling
High Cross
Moone
Maoin
Stone Circle
Dwyer McAllister Cottage
Keadeen Mountain
Kilmorony
Kilkea
River Greese
Abbey
BALTINGLASS
Bealach Conglais
Kelshabeg
Ballylynan
Baile Uí Laigheanáin
Rathdangan
Ráth Daingin
Boley
CASTLEDERMOT
Díseart Diarmada
Round Tower
River Slaney
Shanragh
Kilmurry
Kiltegan
Cill Teagáin
Volfhill
na Mactire
Maganey
Maigh Géine
Graney
Garrettstown
Kilcarney
Ardless
Ballyburn
Rathvilly
Ráth Bhile
Ballickmoyler
Baile Mhic Mhaoilir
Knocknacree Cross Roads
Oldleagh
Newtown
Palatine
Ballyhacket Cr Roads
Hacketstown
Baile Haicéid
Killeshin
Cill Uisean
Killerrig
Cill Dheirge
Raheen
Killeshin Church
Browne's Hill Dolmen
Megalithic Tomb
Castle
CARLOW
Ceatharlach
Rossmore
Bennekerry
Grangeford
Rathlyon
Clonmore
Kelly's Bridge
Rathgall Stone Fort
TULLOW
An Tulach
Moyle
Burren River
Bilboa
Biolbó
Coan
An Cuan
Roscat
Kilquiggin
Mullinacuff
Ballinabranagh
Kyleballyhue
Kellistown Cr Roads
Rathoe
Ráth Tó
Boley
The Butts
Aghowle Church
Ballyryan
Ardattin
SHILLELAGH
Síol Éalaigh
Nurney
An Urnaí
Ballyveal
Moylisha
Oldleighlin
Lackan
Leighlinbridge
Leithghlinn an Droichid
Ballon
Balana
Ballard Cr Roads
Park Bridge
Ballyknockan Mote
RIVER SLANEY
Derry River
Fennagh
Fionnmhach
Ballymoon Castle
Coorleagh
Castlewarren
BAGENALSTOWN
(Muine Bheag)
Clonegall
Cluain na nGall
Watch Ho. Village
Paulstown
Baile Phóil
Ballynakill
Garryhill
An Gharbhchoill
Kildavin
Cill Damháin
Ballytarsna Cr Roads
Flagmount
Lorum

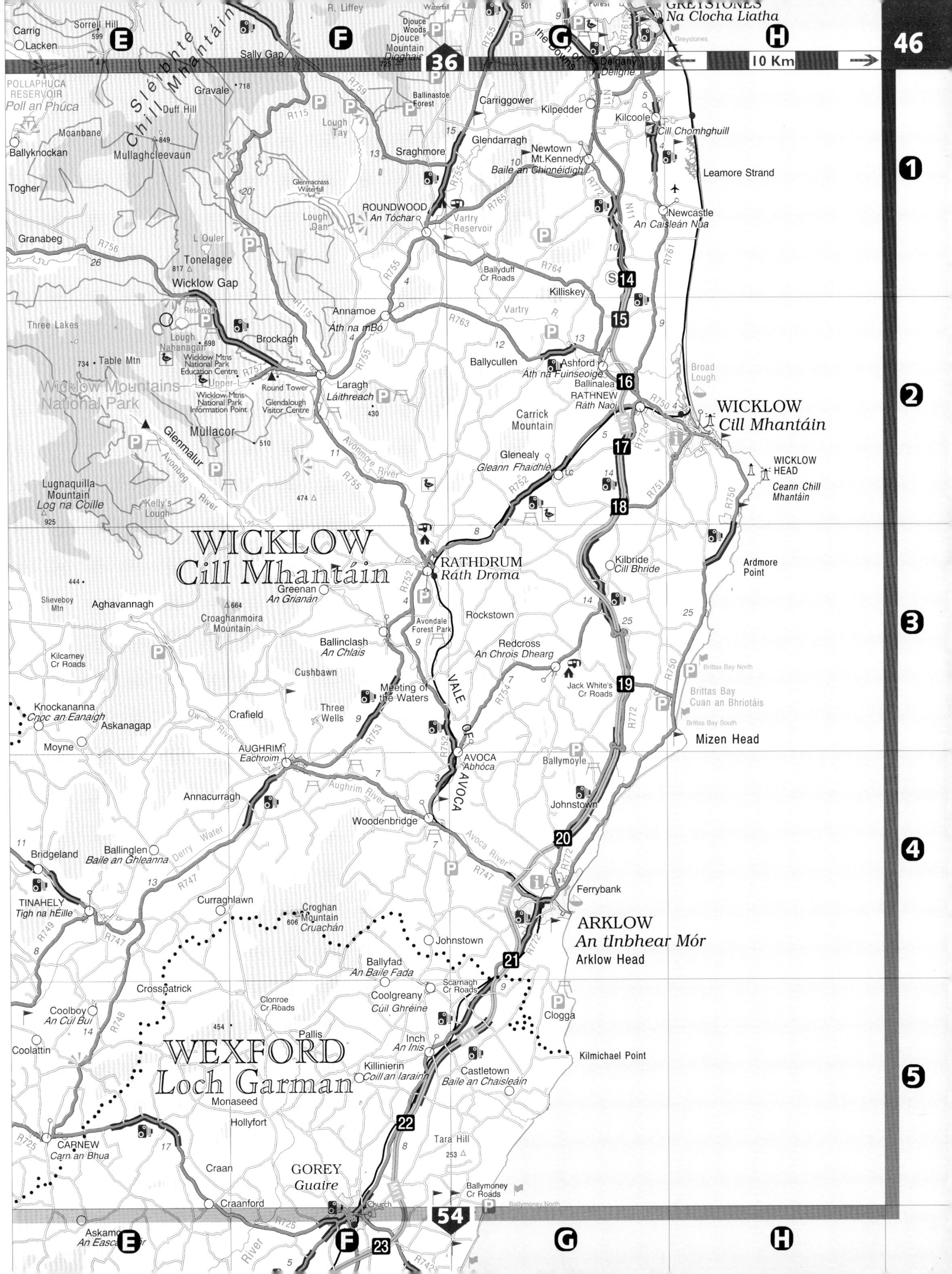

46
10 Km
GREYSTONES
Na Clocha Liatha
Delgany
Deilgne
Kilpedder
Kilcoole
Cill Chomhghuill
Leamore Strand
Newtown
Mt.Kennedy
Baile an Chinnéidigh
Newcastle
An Caisleán Nua
Carriggower
Glendarragh
Sraghmore
ROUNDWOOD
An Tóchar
Vartry Reservoir
Lough Tay
Lough Dan
Glenmacnass Waterfall
Djouce Woods
Djouce Mountain
Dioghais
Sally Gap
Sorrell Hill
Carrig
Lacken
POLLAPHUCA RESERVOIR
Poll an Phúca
Sléibhte Chill Mhantáin
Gravale
Duff Hill
Moanbane
Ballyknockan
Mullaghcleevaun
Togher
Granabeg
L Ouler
Tonelagee
Wicklow Gap
Three Lakes
Lough Nahanagan
Table Mtn
Brockagh
Wicklow Mountains National Park
Wicklow Mtns National Park Education Centre
Wicklow Mtns National Park Information Point
Round Tower
Glendalough Visitor Centre
Laragh
Láithreach
Annamoe
Áth na mBó
Ballyduff Cr Roads
Killiskey
Ballycullen
Ashford
Áth na Fuinseoige
Ballinalea
RATHNEW
Ráth Naoi
Broad Lough
WICKLOW
Cill Mhantáin
WICKLOW HEAD
Ceann Chill Mhantáin
Carrick Mountain
Glenealy
Gleann Fhaidhle
Mullacor
Glenmalur
Lugnaquilla Mountain
Log na Coille
Kelly's Lough
Avonbeg River
Avonmore River
WICKLOW
Cill Mhantáin
RATHDRUM
Ráth Droma
Greenan
An Grianán
Kilbride
Cill Bhríde
Ardmore Point
Slieveboy Mtn
Aghavannagh
Croaghanmoira Mountain
Avondale Forest Park
Rockstown
Redcross
An Chrois Dhearg
Ballinclash
An Chlais
Kilcarney Cr Roads
Cushbawn
Meeting of the Waters
Jack White's Cr Roads
Brittas Bay
Cuan an Bhriotáis
Mizen Head
Knockananna
Cnoc an Eanaigh
Askanagap
Moyne
Crafield
Three Wells
VALE OF AVOCA
AUGHRIM
Eachroim
AVOCA
Abhóca
Ballymoyle
Annacurragh
Aughrim River
Woodenbridge
Johnstown
Avoca River
Bridgeland
Ballinglen
Baile an Ghleanna
Derry Water
TINAHELY
Tigh na hÉille
Curraghlawn
Croghan Mountain
Cruachán
Ferrybank
ARKLOW
An tInbhear Mór
Arklow Head
Johnstown
Ballyfad
An Baile Fada
Scarnagh Cr Roads
Coolgreany
Cúil Ghréine
Crosspatrick
Clonroe Cr Roads
Clogga
Coolboy
An Cúl Buí
Coolattin
Pallis
Inch
An Inis
Kilmichael Point
WEXFORD
Loch Garman
Killinierin
Coill an Iarainn
Castletown
Baile an Chaisleáin
Monaseed
Hollyfort
CARNEW
Carn an Bhua
Tara Hill
Craan
GOREY
Guaire
Ballymoney Cr Roads
Craanford
Church
Askamore
An Eascair Mhór

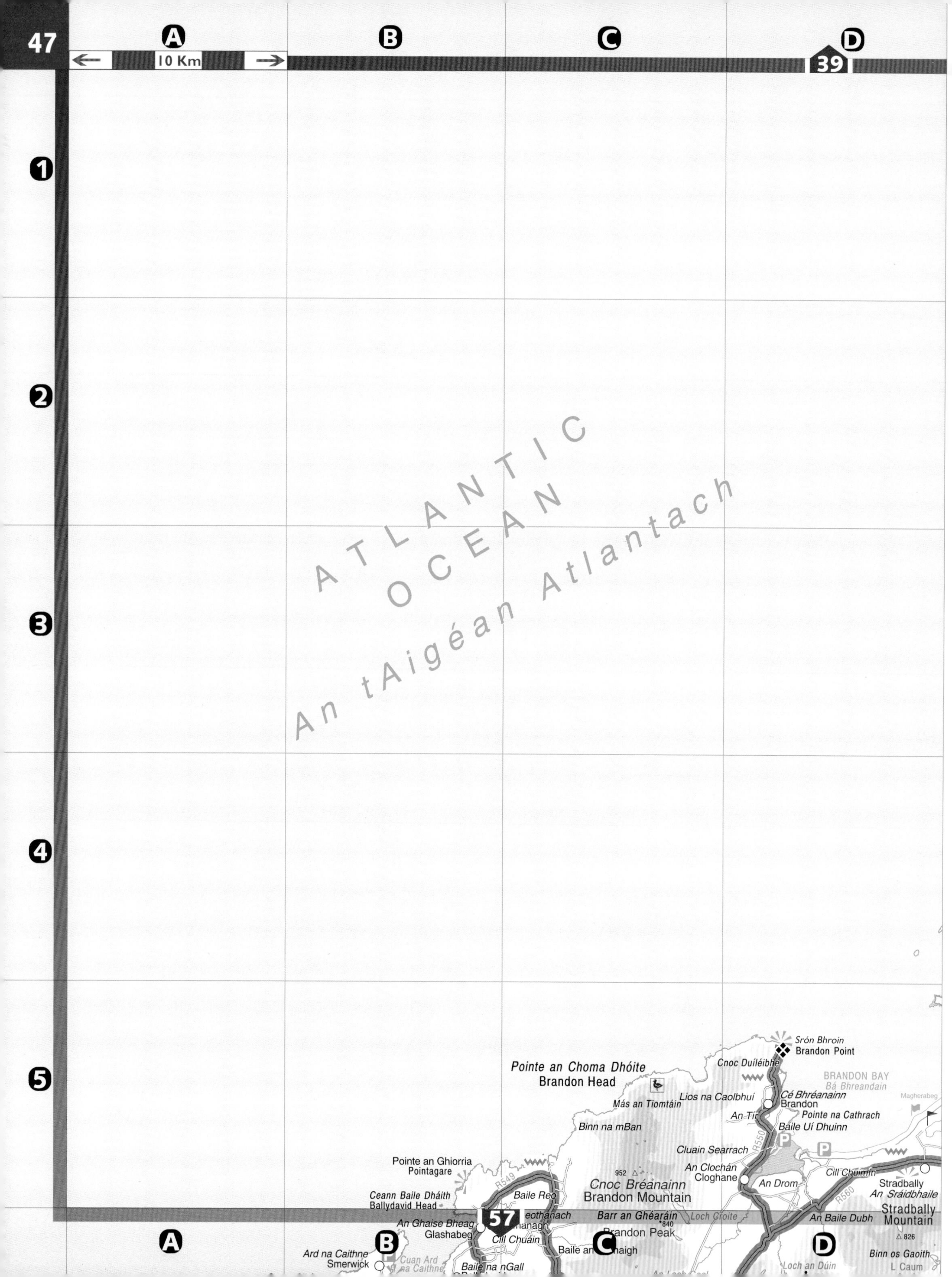
A
B
C
D
10 Km
39
1
2
3
4
5
ATLANTIC
OCEAN
An tAigéan Atlantach
Srón Bhroin
Brandon Point
Pointe an Choma Dhóite
Brandon Head
Cnoc Duíléibhe
BRANDON BAY
Bá Bhreandain
Lios na Caolbhuí
Más an Tiomtáin
Cé Bhréanainn
Brandon
Magherabeg
An Tír
Pointe na Cathrach
Binn na mBan
Baile Uí Dhuinn
R550
Cluain Searrach
Pointe an Ghiorria
Pointagare
An Clochán
Cloghane
Cill Chuimín
952
Stradbally
An Sráidbhaile
Cnoc Bréanainn
Brandon Mountain
An Drom
R549
Baile Reo
R560
Ceann Baile Dháith
Ballydavid Head
57
Stradbally Mountain
An Ghaise Bheag
Glashabeg
Barr an Ghéaráin
Loch Croite
An Baile Dubh
840
Brandon Peak
Cill Chuáin
826
Ard na Caithne
Smerwick
Cuan Ard na Caithne
Baile na nGall
Loch an Dúin
Binn os Gaoith
L. Caum

E
F
G
H
39
10 Km
KILKEE
Cill Chaoi
Foohagh Point
Castle Point
Kilkee Cliffs
Moveen
Goleen Bay
Kilfearagh
Garraun
Moyasta
Moanmore
Moanmore Lough
Poulnasherry Bay
KILRUSH
Cill Rois
Kilrush Marina
Scattery Island Visitor Centre
Cappagh Pier
Hog Island
Scattery Island
Monastery Round Tower
Querrin
Breaghva
Liscrona
Doonaha
Dún Átha
Corlis Point
Croan Rock
Tullig
Tullig Point
Cross
An Chrois
Carrigaholt
Carrig an Chabhaltaigh
Carrigaholt Bay
Castle
Bridges of Ross
Feeard
Moneen
Kilbaha
Cill Bheathach
Kilbaha Bay
Rehy Hill
Rinevella Bay
Kilcredaun Point
Kilcloher Head
LOOP HEAD
Ceannn Léime
Dunmore Head
Beal Point
Beal Strand
Beal
Bunaclugga Bay
Carrig Island
Carrigafoyle Castle
Kilconly Point
Astee
Eas Daoi
Leck Point
Doon Point
MOUTH OF THE SHANNON
Béal na Sionainne
BALLYLONGFORD
Béal Átha Long
Shrone
Knockanore Mountain
BALLYBUNNION
Baile an Bhuinneánaigh
Ahafona
Ballybunnion Beach
Lisselton
Lios Eiltín
Shronowen
Tullamore
Kilmore
Galey Cr Roads
Bird Island
Ballyduff
An Baile Dubh
Oaghley
LISTOWEL
Lios Tuathail
Inshaboy Point
Ballynaskreena
Rattoo Round Tower
Dreenagh
KERRY HEAD
Ceann Chiarraí
Tiduff
Maulin Mountain
Heirhill
Causeway
An Tóchar
KERRY
Ciarraí
Crompaun Br
Finuge
Fionnúig
Six Crosses
Lixnaw
Leic Snámha
Knockburrane Cross Roads
Glenderry
Glenn Doire
BALLYHEIGE
Baile Uí Thaidhg
Ballyheige Beach
BALLYHEIGE BAY
Togherbane
Ballincloher Cross Roads
Banemore
An Bán Mór
Black Rock
Lerrig
Baltovin
Rathscannel
Tullig
Glanoe
Lyracrumpane
Ladhar an Chrompáin
Banna
Ardconnell
Ballysheen
Kilflyn
Cill Flainn
Banna Strand
ABBEYDORNEY
Mainistir O dTorna
Magharee Islands
Oileáin an Mhachaire
Illauntannig
Ballybroman
STACK'S MOUNTAINS
Beennageeha Mountain
Cathedral
ARDFERT
Ard Fhearta
Knockbrack
Muingatlaunlush
Dromcunnig
Carrahane Strand
Rough Point
Kilshannig
Fahamore
Barrow
Barrow Harbour
Drehidasillagh
Knocknahaha
Ballincollig Hill
Reanagowan Cross Roads
Listellick
Church Hill
Scrahan
Disused Railway
Spa
An Spá
Frogmore
Muingnaminnane
GLANARUDDERY MOUNTAINS
TRALEE BAY
Bá Thrá Lí
Trench Br
Castlegregory Beach
Fenit Harbour
FENIT
An Fhianait
Samphire Island
Gortnaleaha
Broughane Cross Roads
Fahaduff
TRALEE
Trá Lí
Ratass Church
Rathanny
CASTLEGREGORY
Caisleán Ghriaire
Killiney
Tullaree
Blennerville
Cathair Uí Mhóráin
Blennerville Windmill
Tonevane Cr Rds
Farmer's Br
Ballymacelligott
Mweennalaa
Aughacasla
Carrigagharoe Point
Derrymore
Carrigaday
Camp
An Com
Corrin
Gearhane
Glanbrack
MISH MOUNTAINS
Baurtregaum
Ballygamboon Wood
Garraun
Knockeen Cross Roads
CASTLEISLAND
Oileán C
Cummeen
58
49

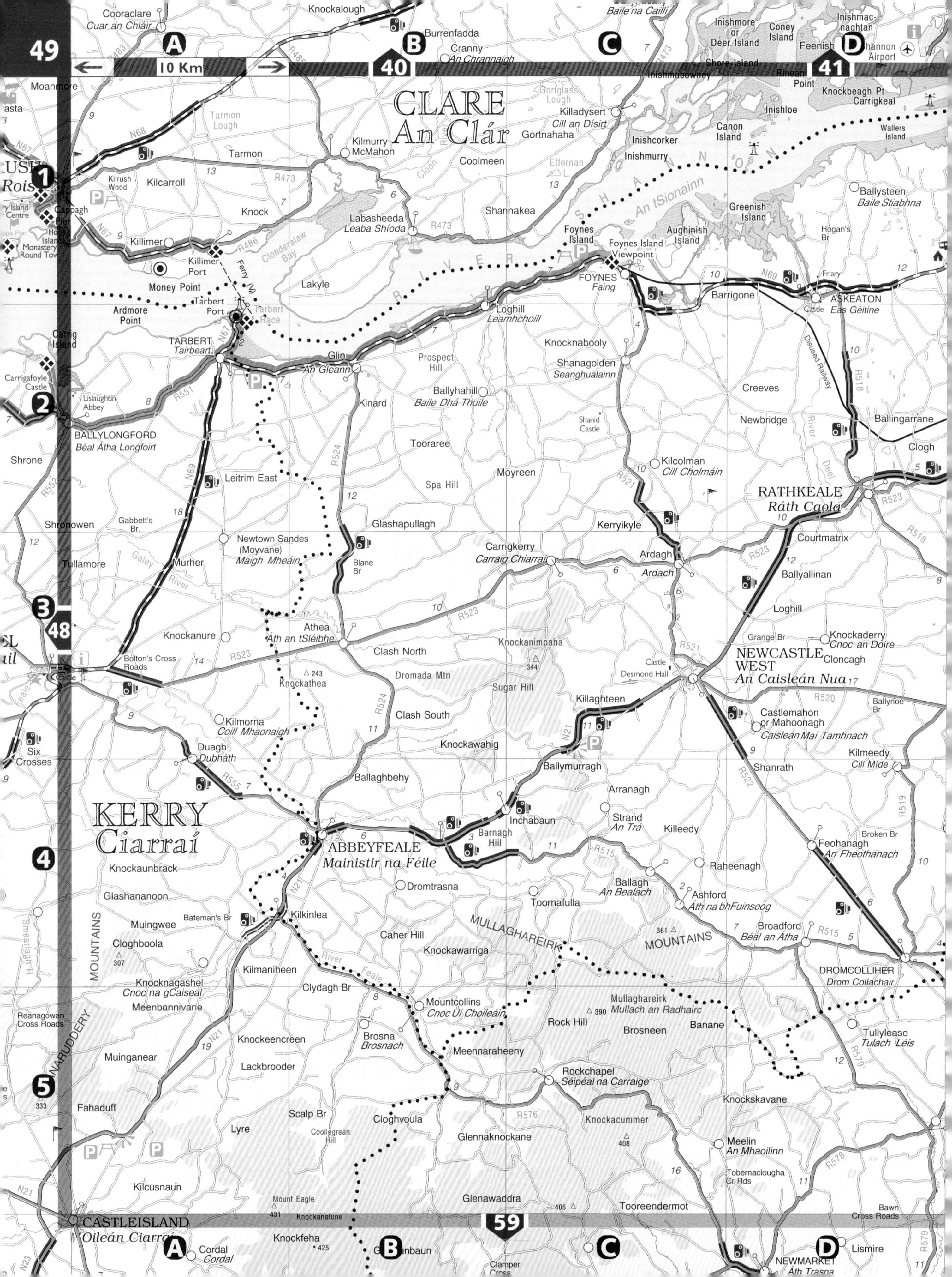
49
Cooraclare
Cuar an Chláir
Knockalough
Burrenfadda
Cranny
An Chrannaigh
Baile na Caillí
Inishmore or Deer Island
Coney Island
Inishmac-naghtan
Feenish
Shannon Airport
A
B
C
D
10 Km
40
41
Shore Island
Inishmacowney
Rineanna Point
Knockbeagh Pt
Carrigkeal
Moanmore
CLARE
An Clár
Gortglass Lough
Killadysert
Cill an Dísirt
Gortnahaha
Inishloe
Canon Island
Wallers Island
Tarmon Lough
Kilmurry McMahon
Tarmon
Inishcorker
Inishmurry
Kilrush Wood
Kilcarroll
Coolmeen
Effernan L.
SHANNON
An tSionainn
Ballysteen
Baile Stiabhna
Cappagh Pier
Knock
Labasheeda
Leaba Shíoda
Shannakea
Greenish Island
Aughinish Island
Hogan's Br
Killimer
Clonderalaw Bay
Foynes Island
Foynes Island Viewpoint
Killimer Port
Ferry
Money Point
Lakyle
RIVER
FOYNES
Faing
Barrigone
Friary
ASKEATON
Eas Géitine
Castle
Ardmore Point
Tarbert Port
Tarbert Race
Loghill
Leamhchoill
Carrig Island
TARBERT
Tairbeart
Glin
An Gleann
Prospect Hill
Knocknabooly
Shanagolden
Seanghualainn
Disused Railway
Carrigafoyle Castle
Lislaughtin Abbey
Kinard
Ballyhahill
Baile Dhá Thuile
Creeves
BALLYLONGFORD
Béal Átha Longfoirt
Shanid Castle
Newbridge
Ballingarrane
Tooraree
Clogh
Shrone
Leitrim East
Kilcolman
Cill Cholmáin
Spa Hill
Moyreen
RATHKEALE
Ráth Caola
Shronowen
Gabbett's Br.
Glashapullagh
Kerryikyle
Courtmatrix
Newtown Sandes (Moyvane)
Maigh Mheáin
Blane Br
Carrigkerry
Carraig Chiarraí
Ardagh
Ardach
Ballyallinan
Tullamore
Murher
Galey River
Loghill
48
Knockanure
Athea
Áth an tSléibhe
Knockanimpaha
Grange Br
Knockaderry
Cnoc an Doire
Bolton's Cross Roads
Clash North
Castle
Desmond Hall
NEWCASTLE WEST
An Caisleán Nua
Cloncagh
Dromada Mtn
243
Knockathea
344
Sugar Hill
Killaghteen
Ballynoe Br
Castlemahon or Mahoonagh
Caisleán Maí Tamhnach
Clash South
Kilmorna
Coill Mhaonaigh
Six Crosses
Duagh
Dubháth
Knockawahig
Kilmeedy
Cill Míde
Ballymurragh
Shanrath
Ballaghbehy
Arranagh
KERRY
Ciarraí
Inchabaun
Strand
An Trá
Killeedy
Barnagh Hill
ABBEYFEALE
Mainistir na Féile
Broken Br
Feohanagh
An Fheothanach
Knockaunbrack
Raheenagh
Dromtrasna
Ballagh
An Bealach
Ashford
Áth na bhFuinseog
Glashananoon
Toornafulla
Kilkinlea
Bateman's Br
Muingwee
MULLAGHAREIRK
361
MOUNTAINS
Broadford
Béal an Átha
Caher Hill
Cloghboola
307
Knockawarriga
MOUNTAINS
DROMCOLLIHER
Drom Collachair
Kilmaniheen
River Feale
Knocknagashel
Cnoc na gCaiseal
Clydagh Br
Mountcollins
Cnoc Uí Choileáin
Mullaghareirk
Mullach an Radhairc
390
Meenbannivane
Reanagowan Cross Roads
Rock Hill
Brosneen
Banane
Tullylease
Tulach Léis
Brosna
Brosnach
Knockeencreen
NARUDDERY
Muinganear
Meennaraheeny
Lackbrooder
Rockchapel
Séipéal na Carraige
Knockskavane
333
Fahaduff
Scalp Br
Cloghvoula
R576
Knockacummer
Lyre
Coollegrean Hill
Glennaknockane
408
Meelin
An Mhaoilinn
Tobernaclougha Cr Rds
Kilcusnaun
Mount Eagle
431
Knockanefune
Glenawaddra
405
Tooreendermot
Bawn Cross Roads
CASTLEISLAND
Oileán Ciarraí
59
Knockfeha
425
Cordal
Cordal
Gneeveguilla
Clamper Cross
Lismire
NEWMARKET
Áth Trasna

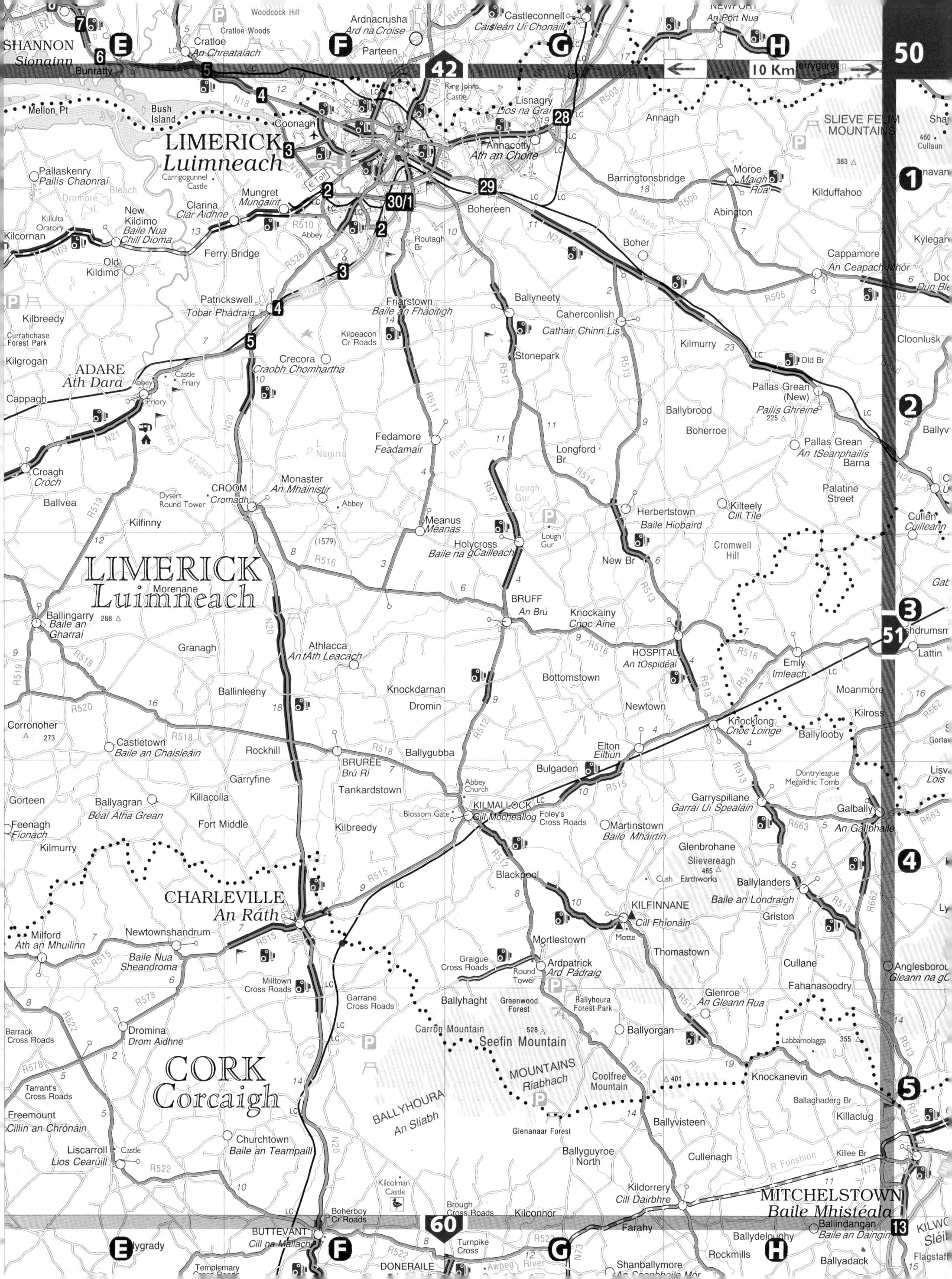

50
42
60
51
10 Km
SHANNON
Sionainn
Bunratty
Mellon Pt
Bush Island
Coonagh
Woodcock Hill
Cratloe Woods
Cratloe
An Chreatalach
Ardnacrusha
Ard na Croise
Parteen
Castleconnell
Caisleán Uí Chonaill
Newport
An Port Nua
King Johns Castle
Lisnagry
Lios na Graí
Annacotty
Áth an Choite
Annagh
SLIEVE FELIM MOUNTAINS
Cullaun
LIMERICK
Luimneach
Carrigogunnel Castle
Pallaskenry
Pailís Chaonraí
Dromore
Bleach
Mungret
Mungairit
Clarina
Clár Aidhne
New Kildimo
Baile Nua Chill Dioma
Killulta Oratory
Kilcornan
Old Kildimo
Ferry Bridge
Abbey
Routagh Br
Bohereen
Barringtonsbridge
Moroe
Maigh Rua
Kilduffahoo
Abington
Mulkear
Boher
Kylegarve
Cappamore
An Ceapach Mhór
Doon
Dún Bleisce
Patrickswell
Tobar Phádraig
Kilbreedy
Currahchase Forest Park
Kilgrogan
Friarstown
Baile an Fhaoitigh
Kilpeacon Cr Roads
Crecora
Craobh Chomhartha
Ballyneety
Caherconlish
Cathair Chinn Lis
Stonepark
Kilmurry
Old Br
Cloonlusk
ADARE
Áth Dara
Castle Friary
Priory
Cappagh
Pallas Grean (New)
Pailís Ghréine
Ballybrood
Boherroe
Fedamore
Feadamair
L. Nagirra
Longford Br
Pallas Grean
An tSeanphailís
Barna
Croagh
Cróch
Maigue
CROOM
Cromadh
Dysert Round Tower
Monaster
An Mhainistir
Lough Gur
Herbertstown
Baile Hiobaird
Kilteely
Cill Tíle
Palatine Street
Cullen
Cuilleann
Ballvea
Kilfinny
Meanus
Méanas
Camoge
Holycross
Baile na gCailleach
Cromwell Hill
New Br
LIMERICK
Luimneach
Morenane
Ballingarry
Baile an Gharraí
BRUFF
An Brú
Knockainy
Cnoc Áine
Emly
Imleach
Lattin
Granagh
Athlacca
An tÁth Leacach
HOSPITAL
An tOspidéal
Bottomstown
Knockdarnan
Dromin
Ballinleeny
Newtown
Moanmore
Corronoher
Kilross
Knocklong
Cnoc Loinge
Ballylooby
Castletown
Baile an Chaisleáin
Rockhill
BRUREE
Brú Rí
Ballygubba
Elton
Eiltiún
Bulgaden
Tankardstown
Garryfine
Duntryleague Megalithic Tomb
Gorteen
Ballyagran
Béal Átha Grean
Killacolla
Abbey Church
KILMALLOCK
Cill Mocheallóg
Foley's Cross Roads
Garryspillane
Garraí Uí Spealáin
Galbally
An Gallbhaile
Feenagh
Fionach
Fort Middle
Blossom Gate
Kilbreedy
Martinstown
Baile Mháirtín
Kilmurry
Glenbrohane
Slievereagh
Cush
Earthworks
Blackpool
Ballylanders
Baile an Londraigh
CHARLEVILLE
An Ráth
KILFINNANE
Cill Fhionáin
Motte
Griston
Milford
Áth an Mhuilinn
Newtownshandrum
Baile Nua Sheandroma
Mortlestown
Thomastown
Graigue Cross Roads
Ardpatrick
Ard Pádraig
Round Tower
Cullane
Anglesborough
Gleann na gCloch
Milltown Cross Roads
Garrane Cross Roads
Ballyhaght
Greenwood Forest
Ballyhoura Forest Park
Fahanasoodry
Glenroe
An Gleann Rua
Barrack Cross Roads
Dromina
Drom Aidhne
Carron Mountain
Seefin Mountain
Ballyorgan
Labbamolagga
CORK
Corcaigh
MOUNTAINS
Riabhach
Coolfree Mountain
Knockanevin
Tarrant's Cross Roads
BALLYHOURA
An Sliabh
Ballaghaderg Br
Killaclug
Freemount
Cillín an Chrónáin
Glenanaar Forest
Ballyvisteen
Churchtown
Baile an Teampaill
Liscarroll
Lios Cearúill
Castle
Ballyguyroe North
Cullenagh
R Funshion
Killee Br
Kilcolman Castle
Kildorrery
Cill Dairbhre
MITCHELSTOWN
Baile Mhistéala
Brough Cross Roads
Kilconnor
Boherboy Cr Roads
Farahy
Ballindangan
Baile an Daingin
BUTTEVANT
Cill na Mallach
Turnpike Cross
Ballydeloughy
Rockmills
Ballyadack
Flagstaff
Templemary
DONERAILE
Awbeg River
Shanballymore

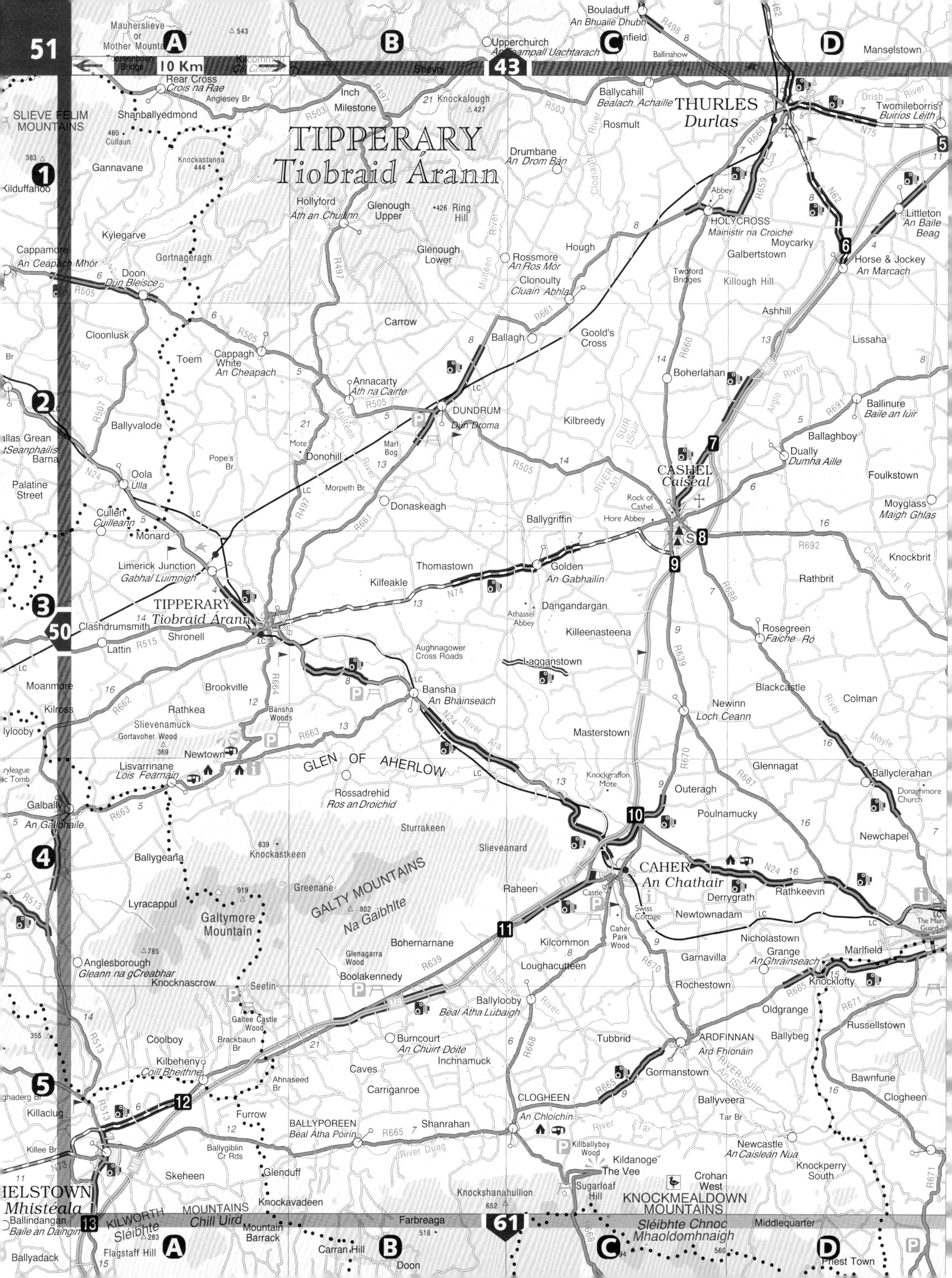
A
B
C
D
10 Km
43
50
61
Bouladuff
An Bhuaile Dhubh
Upperchurch
An Teampall Uachtarach
Manselstown
Shevry
Rear Cross
Crois na Rae
Anglesey Br
Inch
Milestone
Knockalough
Ballycahill
Bealach Achaille
THURLES
Durlas
Twomileborris
Buiríos Léith
SLIEVE FELIM MOUNTAINS
Shanballyedmond
Cullaun
Knockastanna
Rosmult
TIPPERARY
Tiobraid Árann
Drumbane
An Drom Bán
Gannavane
Kilduffahoo
Hollyford
Áth an Chuilinn
Glenough Upper
Ring Hill
Abbey
HOLYCROSS
Mainistir na Croiche
Littleton
An Baile Beag
Kylegarve
Gortnageragh
Glenough Lower
Rossmore
An Ros Mór
Hough
Moycarky
Galbertstown
Horse & Jockey
An Marcach
Cappamore
An Ceapach Mhór
Doon
Dún Bleisce
Clonoulty
Cluain Abhla
Twoford Bridges
Killough Hill
Ashhill
Carrow
Ballagh
Goold's Cross
Cloonlusk
Toem
Cappagh White
An Cheapach
Lissaha
Annacarty
Áth na Cairte
Boherlahan
DUNDRUM
Dún Droma
Ballinure
Baile an Iúir
Ballyvalode
Kilbreedy
Mote
Marl Bog
Donohill
Pope's Br
Ballaghboy
Dually
Dumha Aille
Pallas Green
Barna
Palatine Street
Oola
Ulla
Morpeth Br
CASHEL
Caiseal
Foulkstown
Donaskeagh
Rock of Cashel
Hore Abbey
Moyglass
Maigh Ghlas
Cullen
Cuilleann
Monard
Ballygriffin
Limerick Junction
Gabhal Luimnigh
Thomastown
Golden
An Gabhailín
Knockbrit
Kilfeakle
Rathbrit
TIPPERARY
Tiobraid Árann
Clashdrumsmith
Shronell
Lattin
Athassel Abbey
Dangandargan
Killeenasteena
Rosegreen
Faiche Ró
Aughnagower Cross Roads
Lagganstown
Moanmore
Kilross
Brookville
Rathkea
Bansha
An Bháinseach
Bansha Woods
Blackcastle
Colman
Newinn
Loch Ceann
Slievenamuck
Gortavoher Wood
Masterstown
Newtown
Lisvarrinane
Lois Fearnáin
GLEN OF AHERLOW
Rossadrehid
Ros an Droichid
Knockgraffon Mote
Outeragh
Glennagat
Ballyclerahan
Donaghmore Church
Galbally
An Gallbhaile
Sturrakeen
Poulnamucky
Newchapel
Knockastkeen
Ballygeana
Slieveanard
CAHER
An Chathair
Greenane
GALTY MOUNTAINS
Na Gaibhlte
Raheen
Castle
Swiss Cottage
Derrygrath
Rathkeevin
Lyracappul
Galtymore Mountain
Newtownadam
Caher Park Wood
Kilcommon
Bohernarnane
Nicholastown
Grange
An Ghráinseach
Marlfield
Anglesborough
Gleann na gCreabhar
Glenagarra Wood
Garnavilla
Loughacutteen
Knocknascrow
Boolakennedy
Seefin
Rochestown
Knocklofty
Ballylooby
Béal Átha Lúbaigh
Galtee Castle Wood
Oldgrange
Russellstown
Coolboy
Brackbaun Br
Burncourt
An Chúirt Dóite
Tubbrid
ARDFINNAN
Ard Fhionáin
Ballybeg
Kilbeheny
Coill Bheithne
Inchnamuck
Ahnaseed Br
Caves
Gormanstown
Bawnfune
Carriganroe
Killaclug
Furrow
CLOGHEEN
An Chloichín
Ballyveera
Clogheen
BALLYPOREEN
Béal Átha Póirín
Shanrahan
Tar Br
Killee Br
Ballygiblin Cr Rds
Killballyboy Wood
Kildanoge
The Vee
Newcastle
An Caisleán Nua
Knockperry South
Skeheen
Glenduff
Crohan West
Knockshanahullion
Sugarloaf Hill
KNOCKMEALDOWN MOUNTAINS
Knockavadeen
Ballindangan
Baile an Daingin
KILWORTH MOUNTAINS
Sléibhte Chill Uird
Mountain Barrack
Farbreaga
Sléibhte Chnoc Mhaoldomhnaigh
Middlequarter
Ballyadack
Flagstaff Hill
Carran Hill
Doon
Priest Town

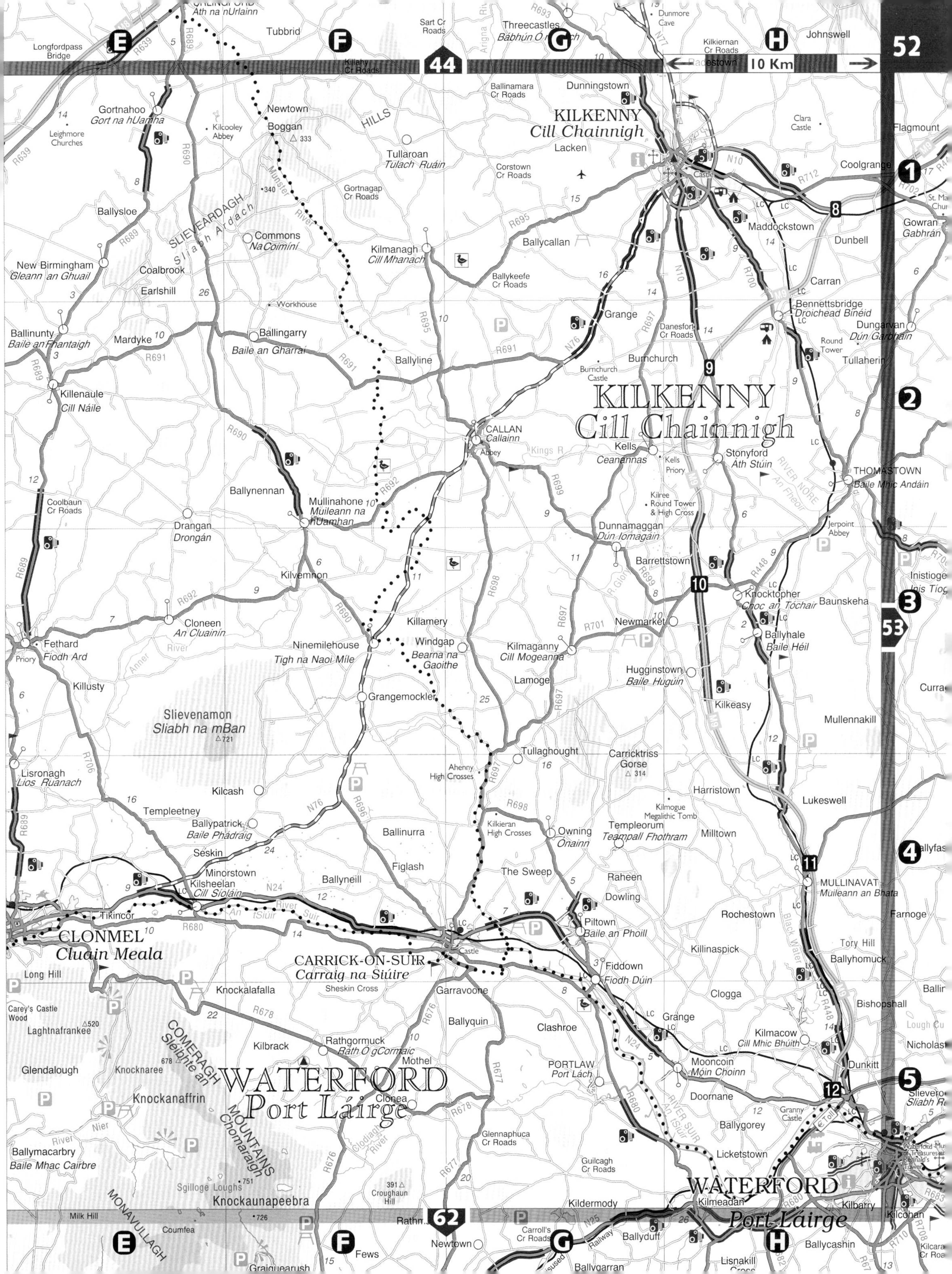

52
44
62
53
10 Km
E
F
G
H
1
2
3
4
5
Ath na nUrlainn
Longfordpass Bridge
Tubbrid
Sart Cr Roads
Threecastles
Bábhún Ó
Dunmore Cave
Kilkiernan Cr Roads
Johnswell
Killahy Cr Roads
Radestown
Ballinamara Cr Roads
Dunningstown
KILKENNY
Cill Chainnigh
Lacken
Gortnahoo
Gort na hUamha
Newtown
Boggan
333
Kilcooley Abbey
HILLS
Tullaroan
Tulach Ruáin
Leighmore Churches
Corstown Cr Roads
Clara Castle
Flagmount
Coolgrange
Castle
Gortnagap Cr Roads
340
Munster River
SLIEVEARDAGH
Sliabh Ardach
Commons
Na Coimíní
Ballysloe
Maddockstown
Gowran
Gabhrán
Dunbell
Ballycallan
Kilmanagh
Cill Mhanach
New Birmingham
Gleann an Ghuail
Coalbrook
Earlshill
Ballykeefe Cr Roads
Carran
Workhouse
Bennettsbridge
Droichead Binéid
Grange
Ballinunty
Baile an Fhantaigh
Mardyke
Ballingarry
Baile an Gharraí
Danesfort Cr Roads
Dungarvan
Dún Garbháin
Round Tower
Tullaherin
Ballyline
Burnchurch
Burnchurch Castle
Killenaule
Cill Náile
KILKENNY
Cill Chainnigh
CALLAN
Callainn
Abbey
Kings R
Kells
Ceanannas
Kells Priory
Stonyford
Áth Stúin
RIVER NORE
An Fheoir
THOMASTOWN
Baile Mhic Andáin
Coolbaun Cr Roads
Ballynennan
Mullinahone
Muileann na hUamhan
Drangan
Drongán
Kilree Round Tower & High Cross
Dunnamaggan
Dún Iomagáin
Jerpoint Abbey
Kilvemnon
Barrettstown
Inistioge
Inis Tíog
Knocktopher
Cnoc an Tóchair
Baunskeha
Cloneen
An Cluainín
Killamery
Windgap
Bearna na Gaoithe
Newmarket
Ballyhale
Baile Héil
Fethard
Fiodh Ard
Priory
Ninemilehouse
Tigh na Naoi Míle
Kilmaganny
Cill Mogeanna
Anner River
Lamoge
Hugginstown
Baile Huigín
Killusty
Grangemockler
Kilkeasy
Slievenamon
Sliabh na mBan
721
Mullennakill
Tullaghought
Carricktriss Gorse
314
Lisronagh
Lios Ruanach
Ahenny High Crosses
Kilcash
Harristown
Kilmogue Megalithic Tomb
Lukeswell
Templeetney
Ballypatrick
Baile Phádraig
Kilkieran High Crosses
Owning
Onainn
Templeorum
Teampall Fhothram
Milltown
Ballinurra
Seskin
Minorstown
Kilsheelan
Cill Síoláin
Figlash
The Sweep
Raheen
Ballyneill
MULLINAVAT
Muileann an Bhata
Dowling
Tikincor
River Suir
An tSiúir
Piltown
Baile an Phoill
Rochestown
Farnoge
CLONMEL
Cluain Meala
CARRICK-ON-SUIR
Carraig na Siúire
Castle
Killinaspick
Tory Hill
Ballyhomuck
Long Hill
Fiddown
Fiodh Dúin
Sheskin Cross
Knockalafalla
Garravoone
Clogga
Carey's Castle Wood
Laghtnafrankee
520
Grange
Bishopshall
Ballyquin
Clashroe
COMERAGH
Sléibhte an
Kilbrack
Rathgormuck
Ráth Ó gCormaic
Kilmacow
Cill Mhic Bhúith
Glendalough
Knocknaree
678
Mothel
PORTLAW
Port Lách
Mooncoin
Móin Choinn
Dunkitt
WATERFORD
Port Láirge
Knockanaffrin
Clonea
MOUNTAINS
Chomaraigh
Doornane
Granny Castle
Nier River
Ballymacarbry
Baile Mhac Cairbre
Glenaphuca Cr Roads
Clodiagh River
Ballygorey
Licketstown
Sgilloge Loughs
751
Guilcagh Cr Roads
391
Croughaun Hill
WATERFORD
Knockaunapeebra
Kildermody
Kilmeadan
Port Láirge
Kilbarry
Milk Hill
726
Rathn
MONAVULLAGH
Coumfea
Carroll's Cross Roads
Ballyduff
Railway
Kilcohan
Newtown
Fews
Ballycashin
Graiguearush
Ballygarran
Lisnakill

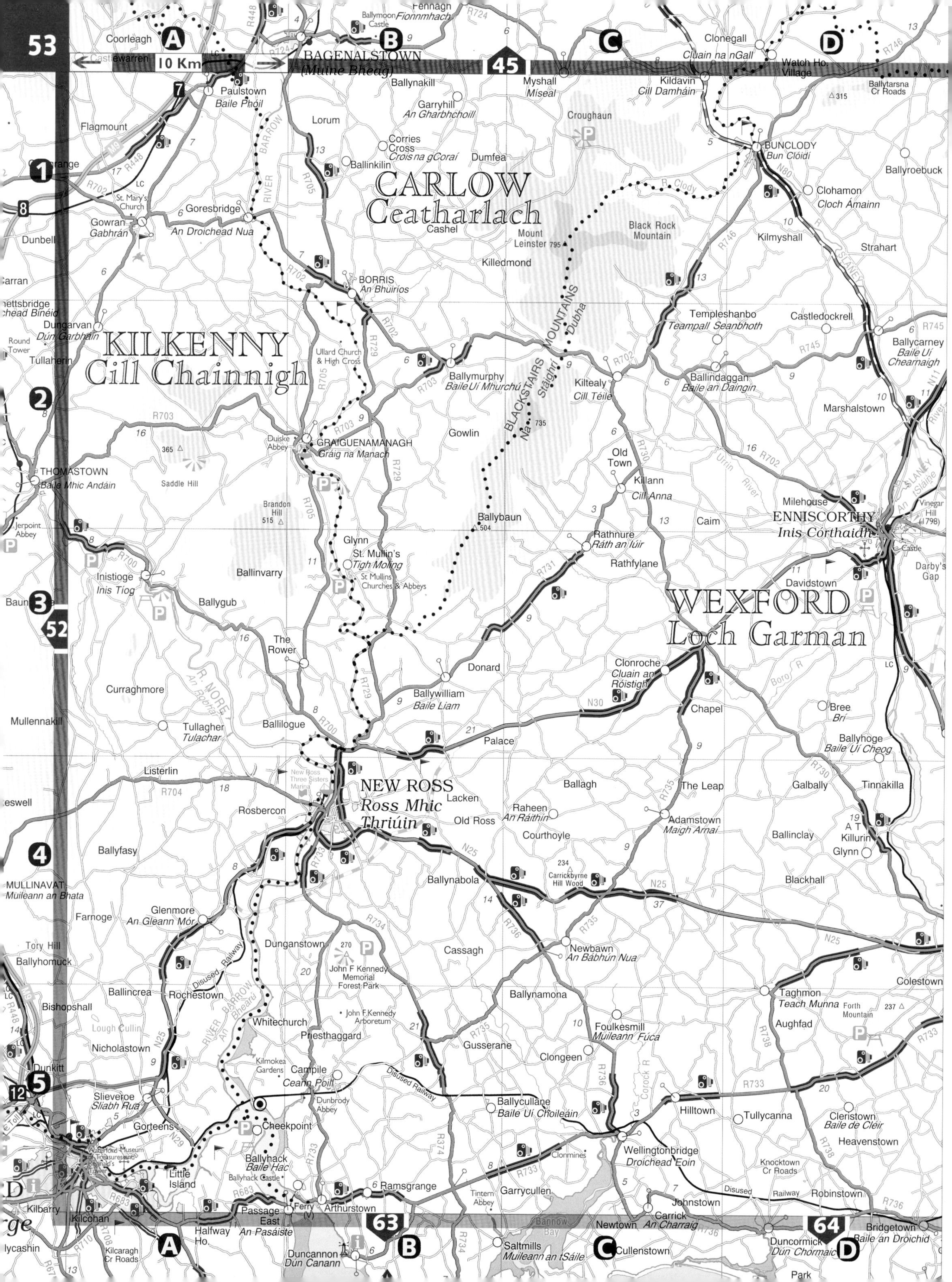

53
45
52
63
64
10 Km
CARLOW
Ceatharlach
KILKENNY
Cill Chainnigh
WEXFORD
Loch Garman
BLACKSTAIRS MOUNTAINS
Na Staighrí Dubha
Coorleagh
Fennagh
Ballymoon Castle
Fionnmhach
BAGENALSTOWN
(Muine Bheag)
Paulstown
Baile Phóil
Flagmount
Ballynakill
Garryhill
An Gharbhchoill
Lorum
Corries Cross
Crois na gCoraí
Dumfea
Ballinkilin
Myshall
Míseal
Croughaun
Kildavin
Cill Damháin
Clonegall
Cluain na nGall
Watch Ho. Village
Ballytarsna Cr Roads
BUNCLODY
Bun Clóidí
Ballyroebuck
Clohamon
Cloch Ámainn
Kilmyshall
Strahart
Black Rock Mountain
Mount Leinster 795
Killedmond
Cashel
St. Mary's Church
Goresbridge
An Droichead Nua
Gowran
Gabhrán
Dunbell
BORRIS
An Bhuiríos
Dungarvan
Dún Garbháin
Round Tower
Tullaherin
Ullard Church & High Cross
Ballymurphy
Baile Uí Mhurchú
Templeshanbo
Teampall Seanbhoth
Castledockrell
Ballycarney
Baile Uí Chearnaigh
Ballindaggan
Baile an Daingin
Kiltealy
Cill Téile
Marshalstown
Gowlin
Duiske Abbey
GRAIGUENAMANAGH
Gráig na Manach
Saddle Hill
THOMASTOWN
Baile Mhic Andáin
Old Town
Killann
Cill Anna
Milehouse
ENNISCORTHY
Inis Córthaidh
Vinegar Hill (1798)
Castle
Brandon Hill 515
Ballybaun
Rathnure
Ráth an Iúir
Caim
Rathfylane
Jerpoint Abbey
Glynn
St. Mullin's
Tigh Moling
St Mullins Churches & Abbeys
Inistioge
Inis Tíog
Ballinvarry
Ballygub
Davidstown
Darby's Gap
The Rower
Donard
Clonroche
Cluain an Róistigh
Curraghmore
Ballywilliam
Baile Liam
Chapel
Bree
Brí
Mullennakill
Tullagher
Tulachar
Ballilogue
Palace
Ballyhoge
Baile Uí Cheog
R. Nore
An Fheoir
Listerlin
New Ross Three Sisters Marina
NEW ROSS
Ross Mhic Thriúin
Lacken
Ballagh
The Leap
Galbally
Tinnakilla
Rosbercon
Old Ross
Raheen
An Ráithín
Adamstown
Maigh Arnaí
Courthoyle
Ballinclay
Killurin
Glynn
Ballyfasy
Ballynabola
Carrickbyrne Hill Wood
Blackhall
MULLINAVAT
Muileann an Bhata
Glenmore
An Gleann Mór
Farnoge
Dunganstown
John F Kennedy Memorial Forest Park
Cassagh
Newbawn
An Bábhún Nua
Tory Hill
Ballyhomuck
Colestown
Disused Railway
Ballincrea
Rochestown
Ballynamona
Taghmon
Teach Munna
Forth Mountain
Bishopshall
Lough Cullin
John F Kennedy Arboretum
Whitechurch
Foulkesmill
Muileann Fúca
Aughfad
Nicholastown
Priesthaggard
Gusserane
Clongeen
River Barrow
An Bhearú
Kilmokea Gardens
Campile
Ceann Poill
Dunkitt
Slieveroe
Sliabh Rua
Dunbrody Abbey
Ballycullane
Baile Uí Choileáin
Hilltown
Tullycanna
Cleristown
Baile de Cléir
Gorteens
Cheekpoint
Heavenstown
Waterford Museum of Treasures
Ballyhack
Baile Hac
Ballyhack Castle
Little Island
Clonmines
Wellingtonbridge
Droichead Eoin
Knocktown Cr Roads
Ramsgrange
Tintern Abbey
Garrycullen
Johnstown
Robinstown
Passage East
An Pasáiste
Ferry
Arthurstown
Carrick
An Charraig
Newtown
Bannow Bay
Bridgetown
Baile an Droichid
Kilbarry
Kilcohan
Halfway Ho.
Kilcaragh Cr Roads
Duncannon
Dún Canann
Saltmills
Muileann an tSáile
Cullenstown
Duncormick
Dún Chormaic
Park
N25
N30
N80
N11
N29
M9
R702
R705
R729
R703
R704
R700
R733
R734
R735
R736
R730
R731
R738
R745
R746
R724
R448
R683
Disused Railway

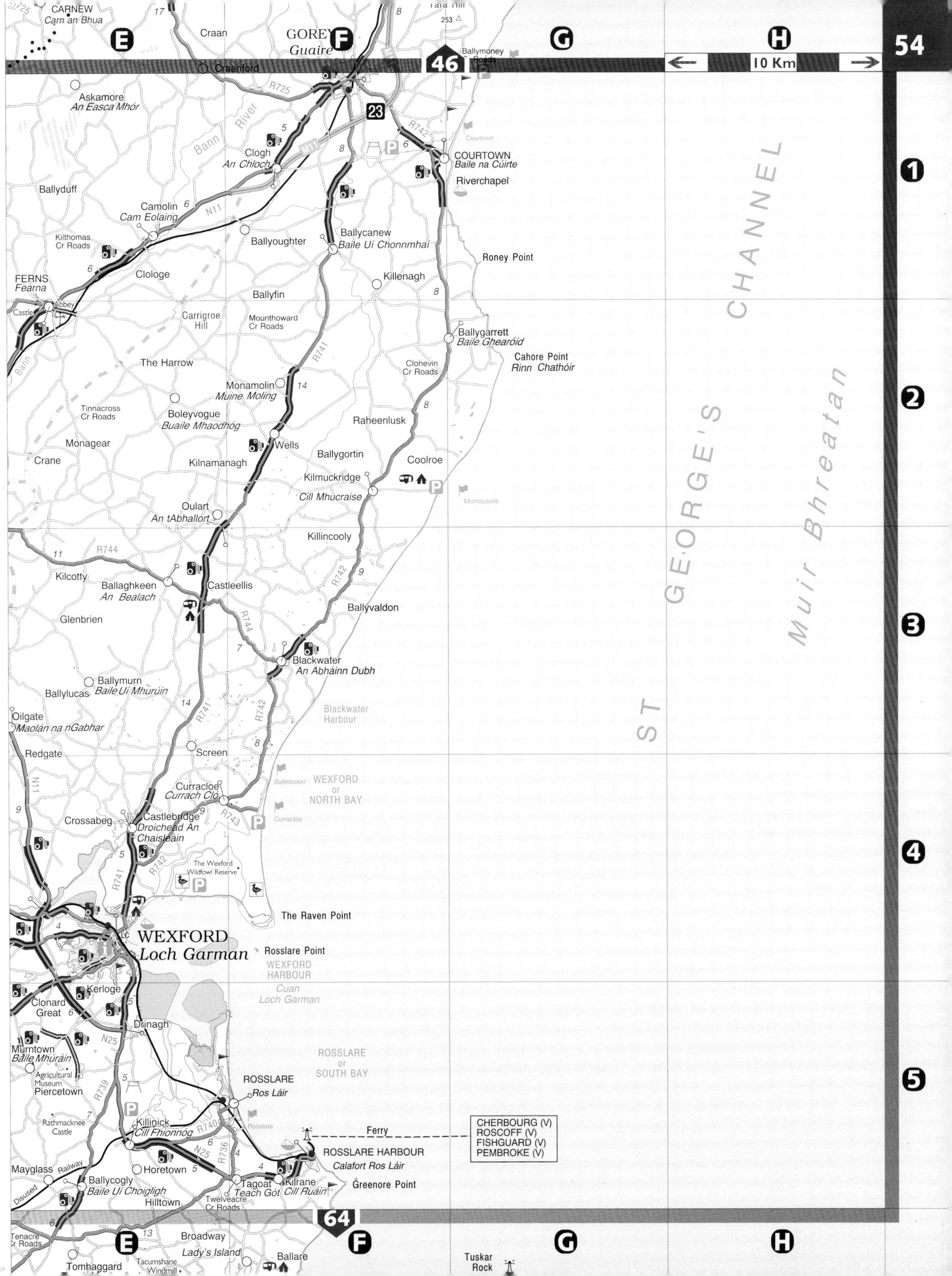
CARNEW
Carn an Bhua
Craan
GOREY
Guaire
Craanford
Ballymoney Roads
46
10 Km
Askamore
An Easca Mhór
23
Courtown
COURTOWN
Baile na Cúirte
Riverchapel
Clogh
An Chloch
Bann River
Ballyduff
Camolin
Cam Eolaing
Kilthomas Cr Roads
Ballyoughter
Ballycanew
Baile Uí Chonnmhaí
Roney Point
FERNS
Fearna
Clologe
Killenagh
Ballyfin
Carrigroe Hill
Mounthoward Cr Roads
Ballygarrett
Baile Ghearóid
Cahore Point
Rinn Chathóir
The Harrow
Clonevin Cr Roads
Monamolin
Muine Moling
Tinnacross Cr Roads
Boleyvogue
Buaile Mhaodhóg
Raheenlusk
Monagear
Wells
Crane
Kilnamanagh
Ballygortin
Coolroe
Kilmuckridge
Cill Mhucraise
Morriscastle
Oulart
An tAbhallort
Killincooly
Kilcotty
Ballaghkeen
An Bealach
Castleellis
Glenbrien
Ballyvaldon
Blackwater
An Abhainn Dubh
Ballymurn
Baile Uí Mhuruín
Ballylucas
Blackwater Harbour
Oilgate
Maolán na nGabhar
Screen
Redgate
Ballinesker
WEXFORD or NORTH BAY
Curracloe
Currach Cló
Crossabeg
Castlebridge
Droichead An Chaisleáin
The Wexford Wildfowl Reserve
The Raven Point
WEXFORD
Loch Garman
Rosslare Point
WEXFORD HARBOUR
Cuan Loch Garman
Kerloge
Clonard Great
Drinagh
Murntown
Baile Mhuráin
Agricultural Museum
Piercetown
ROSSLARE or SOUTH BAY
ROSSLARE
Ros Láir
Rathmacknee Castle
Killinick
Cill Fhionnóg
Ferry
CHERBOURG (V)
ROSCOFF (V)
FISHGUARD (V)
PEMBROKE (V)
ROSSLARE HARBOUR
Calafort Ros Láir
Mayglass
Horetown
Ballycogly
Baile Uí Choigligh
Tagoat
Teach Gót
Kilrane
Cill Ruáin
Greenore Point
Hilltown
Twelveacre Cr Roads
64
Tenacre Cr Roads
Broadway
Lady's Island
Tomhaggard
Tacumshane Windmill
Ballare
Tuskar Rock
ST GEORGE'S CHANNEL
Muir Bhreatan

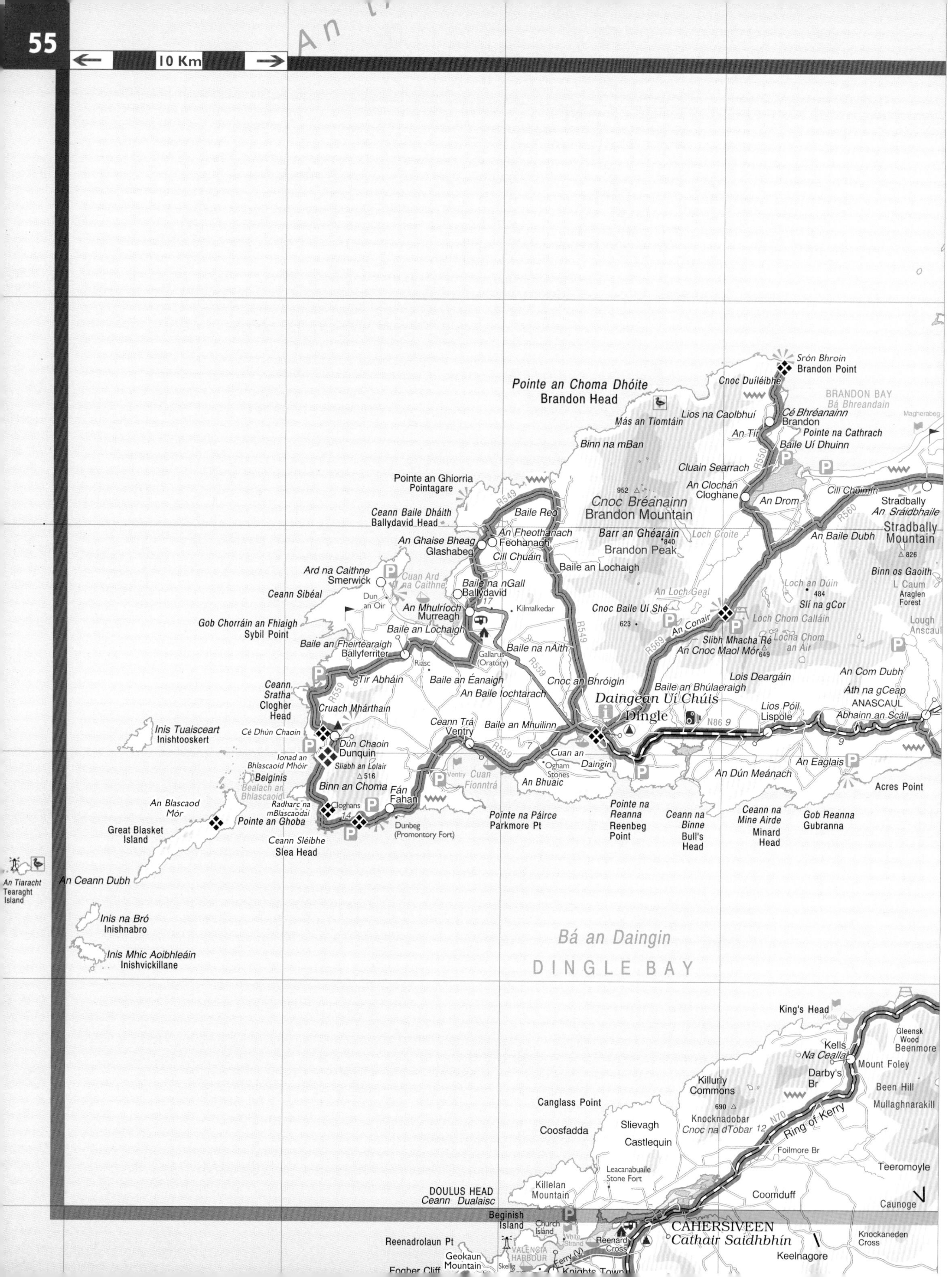
10 Km
Srón Bhroin
Brandon Point
Pointe an Choma Dhóite
Brandon Head
Cnoc Duíléibhe
BRANDON BAY
Bá Bhreandain
Magherabeg
Más an Tiomtáin
Lios na Caolbhuí
Cé Bhréanainn
Brandon
An Tír
Pointe na Cathrach
Baile Uí Dhuinn
Binn na mBan
Cluain Searrach
Pointe an Ghiorria
Pointagare
An Clochán
Cloghane
An Drom
Cill Chuimín
Stradbally
An Sráidbhaile
Cnoc Bréanainn
Brandon Mountain
Ceann Baile Dháith
Ballydavid Head
Baile Reo
An Fheothanach
Feohanagh
Barr an Ghéaráin
Brandon Peak
Loch Cróite
An Baile Dubh
Stradbally Mountain
An Ghaise Bheag
Glashabeg
Cill Chuáin
Ard na Caithne
Smerwick
Cuan Ard na Caithne
Baile na nGall
Ballydavid
Baile an Lochaigh
Binn os Gaoith
L Caum
Araglen Forest
Ceann Sibéal
Dún an Óir
An Mhuiríoch
Murreagh
Kilmalkedar
An Loch Geal
Loch an Dúin
Slí na gCor
Cnoc Baile Uí Shé
Gob Chorráin an Fhiaigh
Sybil Point
Baile an Lochaigh
An Conair
Loch Chom Calláin
Lough Anscaul
Baile an Fheirtéaraigh
Ballyferriter
Riasc
Gallarus (Oratory)
Baile na nÁith
Sliabh Mhacha Ré
An Cnoc Maol Mór
Locha Chom an Air
Tír Abháin
Baile an Éanaigh
Cnoc an Bhróigin
Lois Deargáin
An Com Dubh
Ceann Sratha
Clogher Head
An Baile Íochtarach
Baile an Bhúlaeraigh
Áth na gCeap
ANASCAUL
Cruach Mhárthain
Daingean Uí Chúis
Dingle
Lios Póil
Lispole
Abhainn an Scáil
Inis Tuaisceart
Inishtooskert
Cé Dhún Chaoin
Ceann Trá
Ventry
Baile an Mhuilinn
Dún Chaoin
Dunquin
Cuan an Daingin
Ogham Stones
An Eaglais
Ionad an Bhlascaoid Mhóir
Sliabh an Lolair
Beiginis
Bealach an Bhlascaoid
Binn an Choma
Cuan Fionntrá
An Bhuaic
An Dún Meánach
Acres Point
An Blascaod Mór
Great Blasket Island
Radharc na mBlascaodaí
Pointe an Ghoba
Cloghans
Fán
Fahan
Dunbeg (Promontory Fort)
Pointe na Páirce
Parkmore Pt
Pointe na Reanna
Reenbeg Point
Ceann na Binne
Bull's Head
Ceann na Mine Airde
Minard Head
Gob Reanna
Gubranna
Ceann Sléibhe
Slea Head
An Tiaracht
Tearaght Island
An Ceann Dubh
Inis na Bró
Inishnabro
Inis Mhic Aoibhleáin
Inishvickillane
Bá an Daingin
DINGLE BAY
King's Head
Kells
Gleensk Wood
Beenmore
Kells
Na Cealla
Mount Foley
Darby's Br
Killurly Commons
Been Hill
Mullaghnarakill
Canglass Point
Knocknadobar
Cnoc na dTobar
Coosfadda
Slievagh
Castlequin
Ring of Kerry
Foilmore Br
Teeromoyle
Leacanabuaile Stone Fort
DOULUS HEAD
Ceann Dualaisc
Killelan Mountain
Coomduff
Caunoge
Beginish Island
Church Island
White Strand
Reenard Cross
CAHERSIVEEN
Cathair Saidhbhín
Knockaneden Cross
Reenadrolaun Pt
VALENCIA HARBOUR
Geokaun Mountain
Ferry
Knights Town
Keelnagore
Fogher Cliff
R549
R559
R550
R560
R569
N86
N70
952
840
826
484
623
649
516
690

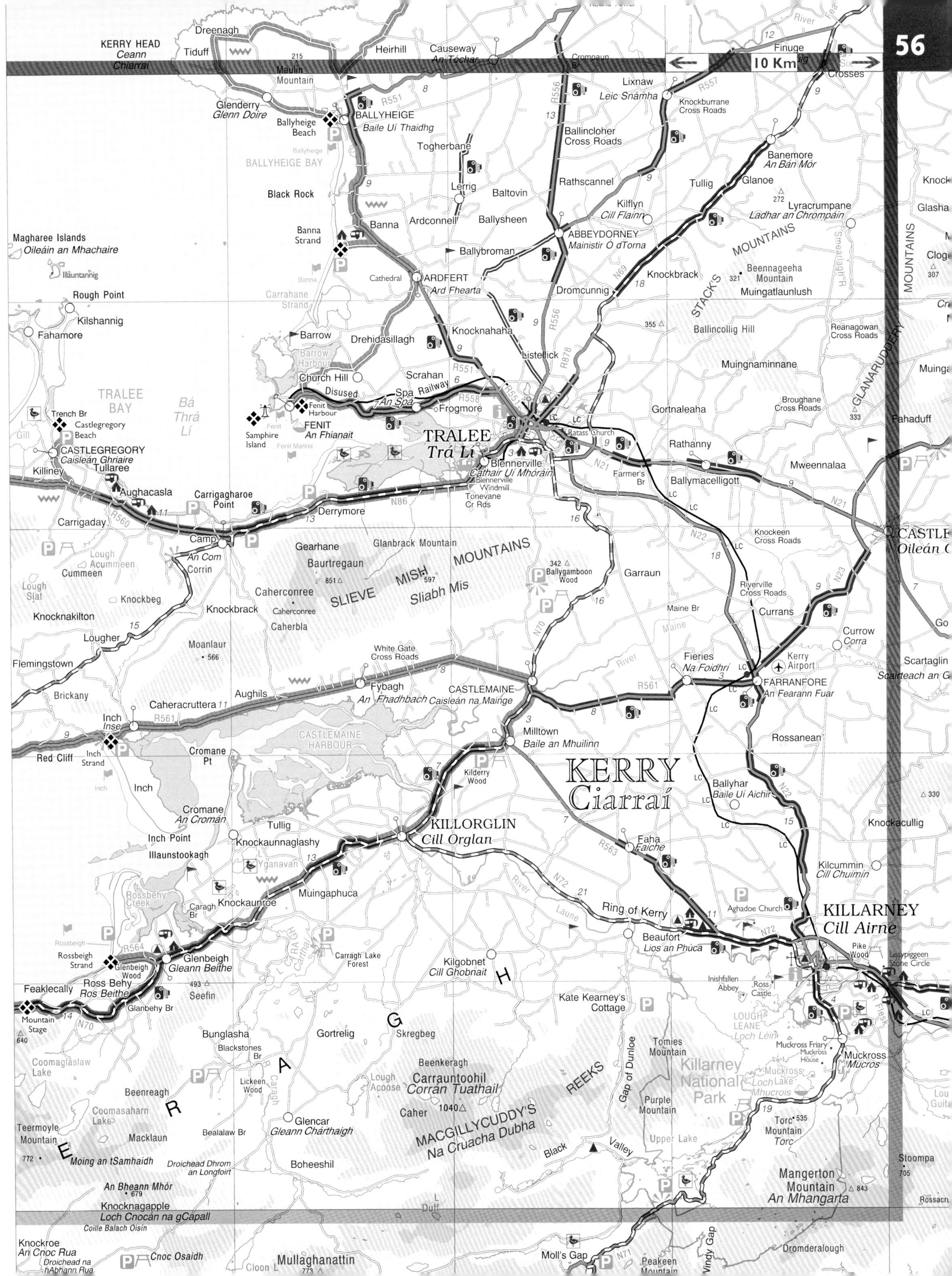

KERRY HEAD
Ceann Chiarraí
Dreenagh
Tiduff
Maulin Mountain
Heirhill
Causeway
An Tóchar
Lixnaw
Leic Snámha
Finuge
Six Crosses
10 Km
Glenderry
Glenn Doire
Ballyheige Beach
BALLYHEIGE
Baile Uí Thaidhg
Knockburrane Cross Roads
Ballincloher Cross Roads
Togherbane
BALLYHEIGE BAY
Banemore
An Bán Mór
Rathscannel
Tullig
Glanoe
Black Rock
Lerrig
Baltovin
Lyracrumpane
Ladhar an Chrompáin
Kilflyn
Cill Flainn
Banna
Ardconnell
Ballysheen
Banna Strand
ABBEYDORNEY
Mainistir Ó dTorna
Magharee Islands
Oileáin an Mhachaire
Illauntannig
Ballybroman
MOUNTAINS
Beennageeha Mountain
Cathedral
ARDFERT
Ard Fhearta
Knockbrack
Dromcunnig
Muingatlaunlush
Rough Point
Carrahane Strand
STACK'S
Kilshannig
Fahamore
Knocknahaha
Ballincollig Hill
Reanagowan Cross Roads
Barrow
Drehidasillagh
Barrow Harbour
Listellick
Muingnaminnane
GLANARUDDERY
Church Hill
Scrahan
Disused Railway
Spa
An Spá
TRALEE BAY
Bá Thrá Lí
Trench Br
Fenit Harbour
FENIT
An Fhianait
Frogmore
Gortnaleaha
Broughane Cross Roads
Fahaduff
Castlegregory Beach
Samphire Island
TRALEE
Trá Lí
Ratass Church
Rathanny
CASTLEGREGORY
Caisleán Ghriaire
Blennerville
Cathair Uí Mhóráin
Blennerville Windmill
Mweennalaa
Killiney
Tullaree
Farmer's Br
Ballymacelligott
Aughacasla
Carrigagharoe Point
Tonevane Cr Rds
Derrymore
Carrigaday
Camp
An Com
Knockeen Cross Roads
CASTLE
Lough Acummeen
Cummeen
Corrin
Gearhane
Baurtregaun
Glanbrack Mountain
MOUNTAINS
Ballygamboon Wood
Garraun
SLIEVE
MISH
Sliabh Mis
Lough Slat
Knockbeg
Caherconree
Riverville Cross Roads
Knocknakilton
Knockbrack
Caherbla
Maine Br
Currans
Lougher
Moanlaur
Currow
Corra
Flemingstown
White Gate Cross Roads
Fieries
Na Foidhrí
Kerry Airport
Scartaglin
Scairteach an G
Brickany
Fybagh
An Fhadhbach
CASTLEMAINE
Caisleán na Mainge
FARRANFORE
An Fearann Fuar
Aughils
Caheracruttera
Inch
Inse
CASTLEMAINE HARBOUR
Milltown
Baile an Mhuilinn
Red Cliff
Inch Strand
Cromane Pt
Rossanean
Kilderry Wood
KERRY
Ciarraí
Inch
Ballyhar
Baile Uí Aichir
Cromane
An Cromán
KILLORGLIN
Cill Orglan
Knockacullig
Tullig
Inch Point
Knockaunnaglashy
Faha
Faiche
Illaunstookagh
Yganavan
Kilcummin
Cill Chuimín
Muingaphuca
Rossbehy Creek
Caragh Br
Knockaunroe
Ring of Kerry
Aghadoe Church
KILLARNEY
Cill Airne
Beaufort
Lios an Phúca
Rossbeigh Strand
Glenbeigh Wood
Glenbeigh
Gleann Beithe
Carragh Lake Forest
Kilgobnet
Cill Ghobnait
Pike Wood
Lissyviggeen Stone Circle
Feaklecally
Ross Behy
Ros Beithe
Seefin
Inishfallen Abbey
Ross Castle
Glanbehy Br
Kate Kearney's Cottage
Mountain Stage
LOUGH LEANE
Loch Léin
Bunglasha
Gortrelig
Skregbeg
Muckross Friary
Muckross House
Muckross
Mucros
Coomaglaslaw Lake
Blackstones Br
Tomies Mountain
Beenkeragh
Carrauntoohil
Corrán Tuathail
Killarney National Park
Muckross Lake
Loch Mhucrois
Lickeen Wood
Lough Acoose
Beenreagh
Gap of Dunloe
REEKS
Purple Mountain
Coomasaharn Lake
Caher
Glencar
Gleann Chárthaigh
MACGILLYCUDDY'S
Na Cruacha Dubha
Torc Mountain
Torc
Teermoyle Mountain
Macklaun
Bealalaw Br
Black
Valley
Upper Lake
Moing an tSamhaidh
Droichead Dhrom an Longfoirt
Boheeshil
Stoompa
Mangerton Mountain
An Mhangarta
An Bheann Mhór
Knocknagapple
Loch Cnocán na gCapall
Coille Balach Oisín
Rossacru
Knockroe
An Cnoc Rua
Droichead na hAbhann Rua
Cnoc Osaidh
Cloon
Mullaghanattin
Moll's Gap
Peakeen Mountain
Windy Gap
Dromderalough
IVERAGH

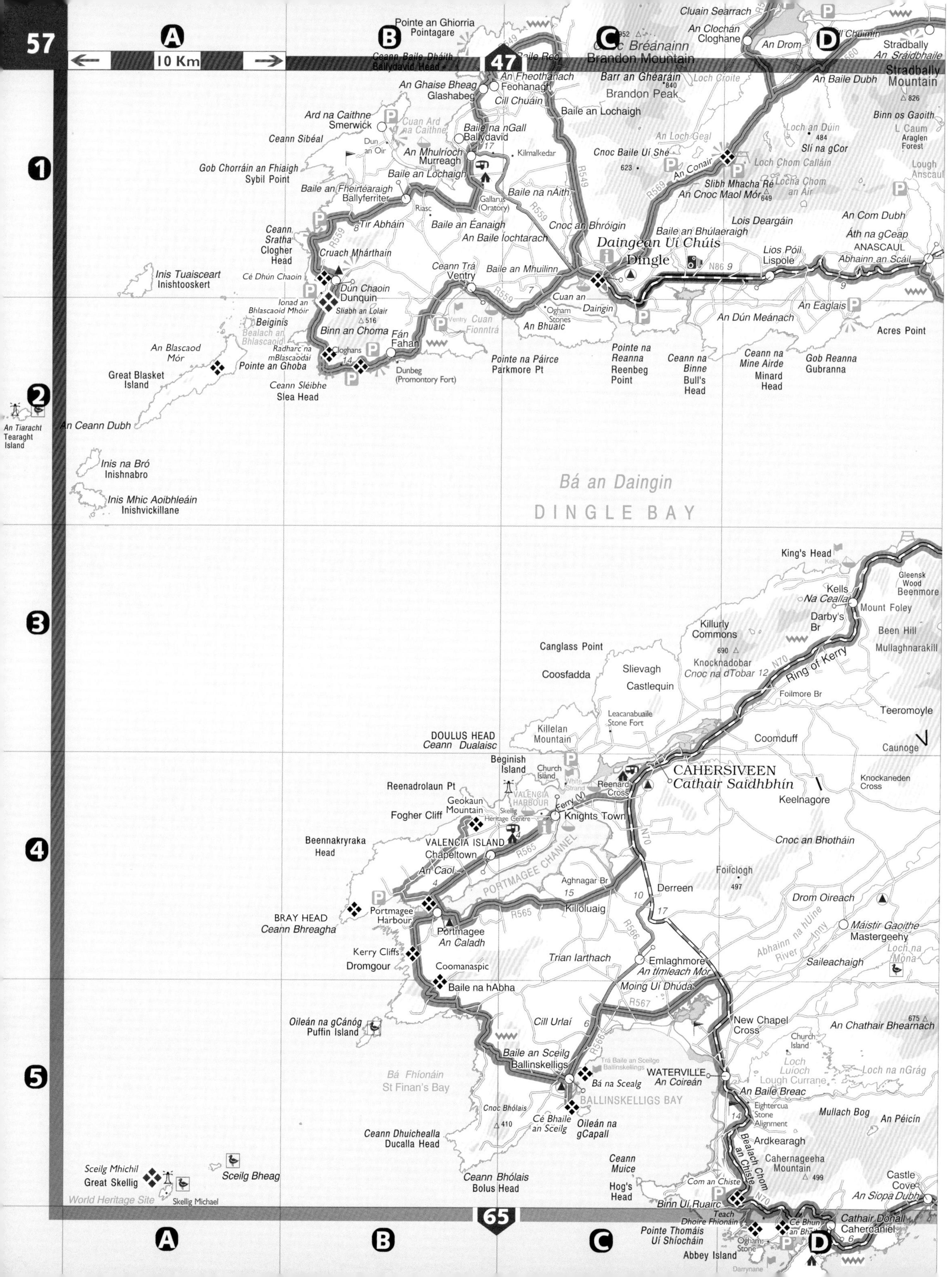
A
B
C
D
10 Km
47
65
1
2
3
4
5
Pointe an Ghiorria
Pointagare
Ceann Baile Dháith
Ballydavid Head
Cnoc Bréanainn
Brandon Mountain
Cluain Searrach
An Clochán
Cloghane
An Drom
Stradbally
An Sráidbhaile
Stradbally Mountain
An Fheothanach
Feohanagh
An Ghaise Bheag
Glashabeg
Cill Chuáin
Barr an Ghéaráin
Brandon Peak
Loch Croite
An Baile Dubh
Baile an Lochaigh
Ard na Caithne
Smerwick
Cuan Ard na Caithne
Baile na nGall
Ballydavid
Ceann Sibéal
An Mhulríoch
Murreagh
Kilmalkedar
Gob Chorráin an Fhiaigh
Sybil Point
Baile an Lochaigh
Baile an Fheirtéaraigh
Ballyferriter
Baile na nAith
Gallarus (Oratory)
Riasc
Tír Abháin
Baile an Éanaigh
An Baile Íochtarach
Cnoc Baile Uí Shé
An Loch Geal
Binn os Gaoith
Loch an Dúin
Slí na gCor
Loch Chom Calláin
An Conair
Slibh Mhacha Ré
An Cnoc Maol Mór
Locha Chom an Áir
Lough Anscaul
Ceann Sratha
Clogher Head
Cruach Mhárthain
Cnoc an Bhróigin
Baile an Bhúlaeraigh
Lois Deargáin
An Com Dubh
Áth na gCeap
ANASCAUL
Abhainn an Scáil
Daingean Uí Chúis
Dingle
Lios Póil
Lispole
Inis Tuaisceart
Inishtooskert
Cé Dhún Chaoin
Ceann Trá
Ventry
Baile an Mhuilinn
Dún Chaoin
Dunquin
Ionad an Bhlascaoid Mhóir
Beiginis
Sliabh an Iolair
Cuan an Daingin
Ogham Stones
An Eaglais
An Dún Meánach
Bealach an Bhlascaoid
Binn an Choma
Cuan Fionntrá
An Bhuaic
Acres Point
An Blascaod Mór
Great Blasket Island
Radharc na mBlascaodaí
Cloghans
Fán
Fahan
Pointe an Ghoba
Ceann Sléibhe
Slea Head
Dunbeg (Promontory Fort)
Pointe na Páirce
Parkmore Pt
Pointe na Reanna
Reenbeg Point
Ceann na Binne
Bull's Head
Ceann na Mine Airde
Minard Head
Gob Reanna
Gubranna
An Tiaracht
Tearaght Island
An Ceann Dubh
Inis na Bró
Inishnabro
Inis Mhic Aoibhleáin
Inishvickillane
Bá an Daingin
DINGLE BAY
King's Head
Kells
Na Cealla
Gleensk Wood
Beenmore
Mount Foley
Darby's Br
Been Hill
Mullaghnarakill
Killurly Commons
Knocknadobar
Cnoc na dTobar
Ring of Kerry
Canglass Point
Coosfadda
Slievagh
Castlequin
Foilmore Br
Teeromoyle
Leacanabuaile Stone Fort
Killelan Mountain
Coomduff
Caunoge
DOULUS HEAD
Ceann Dualaisc
Beginish Island
Church Island
CAHERSIVEEN
Cathair Saidhbhín
Knockaneden Cross
Reenadrolaun Pt
VALENCIA HARBOUR
Reenard Cross
Keelnagore
Geokaun Mountain
Fogher Cliff
Skellig Heritage Centre
Ferry
Knights Town
Beennakryraka Head
VALENCIA ISLAND
Chapeltown
Cnoc an Bhotháin
An Caol
PORTMAGEE CHANNEL
Foilclogh
Aghnagar Br
Derreen
Drom Oireach
BRAY HEAD
Ceann Bhreagha
Portmagee Harbour
Killoluaig
Portmagee
An Caladh
Máistir Gaoithe
Mastergeehy
Kerry Cliffs
Dromgour
Coomanaspic
Trian Iarthach
Emlaghmore
An tImleach Mór
Abhainn na hUine
River Inny
Loch na Móna
Saileachaigh
Baile na hAbha
Moing Uí Dhúda
Oileán na gCánóg
Puffin Island
Cill Urlaí
New Chapel Cross
Church Island
An Chathair Bhearnach
Baile an Sceilg
Ballinskelligs
Trá Baile an Sceilge
Bá na Scealg
WATERVILLE
An Coireán
Loch Luioch
Lough Currane
Loch na nGrág
Bá Fhionáin
St Finan's Bay
BALLINSKELLIGS BAY
An Baile Breac
Eightercua Stone Alignment
Mullach Bog
An Péicín
Cnoc Bhólais
Cé Bhaile an Sceilg
Oileán na gCapall
Ceann Dhuichealla
Ducalla Head
Ardkearagh
Bealach Chom an Chiste
Cahernageeha Mountain
Ceann Muice
Hog's Head
Castle Cove
An Siopa Dubh
Sceilg Mhichil
Great Skellig
Skellig Michael
Sceilg Bheag
World Heritage Site
Ceann Bhólais
Bolus Head
Com an Chiste
Binn Uí Ruairc
Teach Dhoire Fhionáin
Cathair Dónall
Caherdaniel
Pointe Thomáis Uí Shíocháin
Abbey Island
Ogham Stone
Darrynane
R549
R559
R560
R561
R569
N86
N70
R565
R566
R567

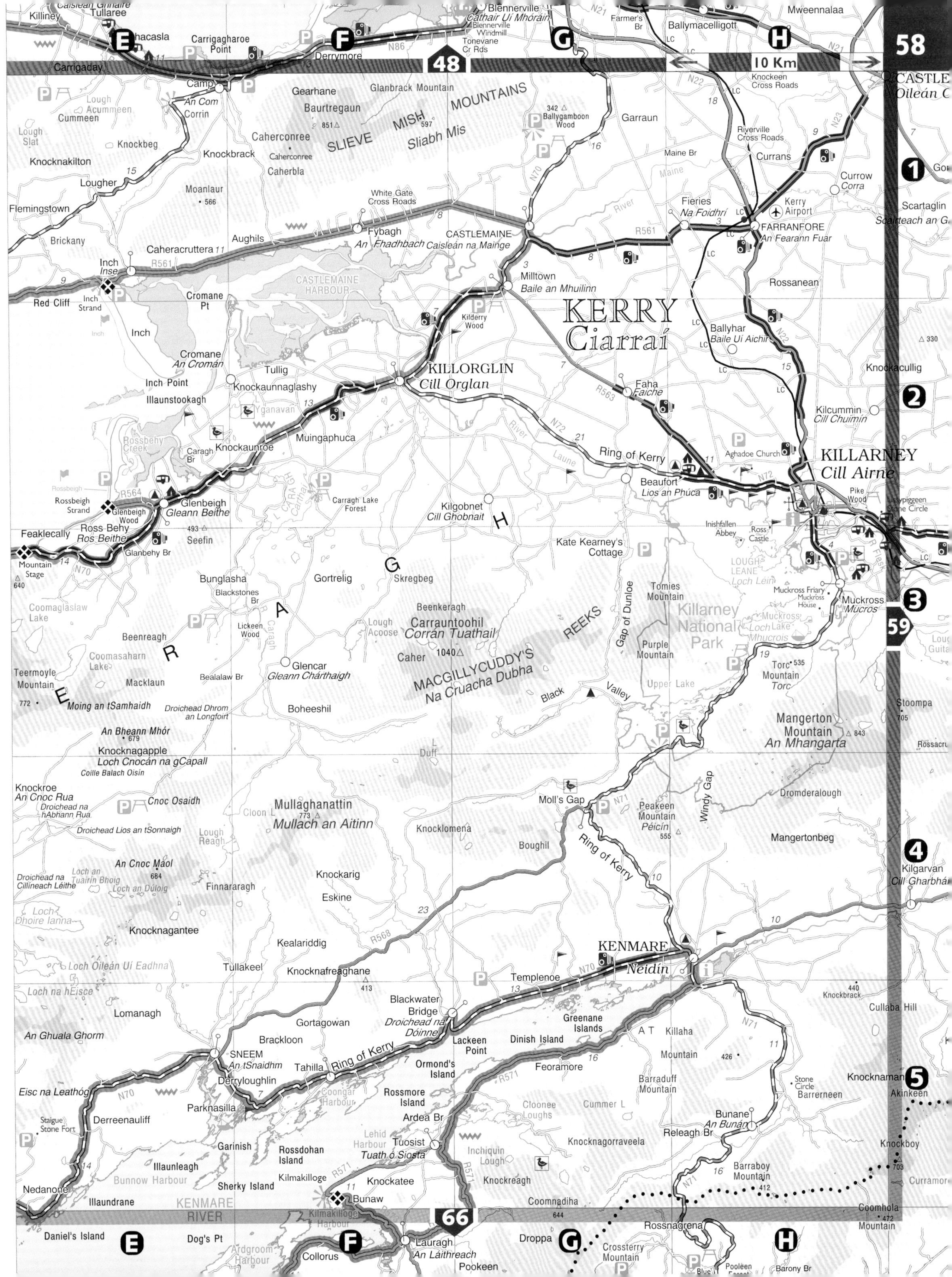

KERRY
Ciarraí
KILLARNEY
Cill Airne
KILLORGLIN
Cill Orglan
KENMARE
Neidín
CASTLEMAINE
Caisleán na Mainge
FARRANFORE
An Fearann Fuar
Kerry Airport
SLIEVE MISH MOUNTAINS
Sliabh Mis
MACGILLYCUDDY'S REEKS
Na Cruacha Dubha
Carrauntoohil
Corrán Tuathail
Killarney National Park
Ring of Kerry
Moll's Gap
Gap of Dunloe
Black Valley
Mangerton Mountain
An Mhangarta
Glenbeigh
Gleann Beithe
Glencar
Gleann Chárthaigh
SNEEM
An tSnaidhm
Tuosist
Tuath ó Siosta
Lauragh
An Láithreach
Milltown
Baile an Mhuilinn
Inch
Inse
Muckross
Mucros
Beaufort
Lios an Phúca
Kilgarvan
Cill Gharbhán
Bunane
An Bunán
KENMARE RIVER
CASTLEMAINE HARBOUR
10 Km
48
59
66

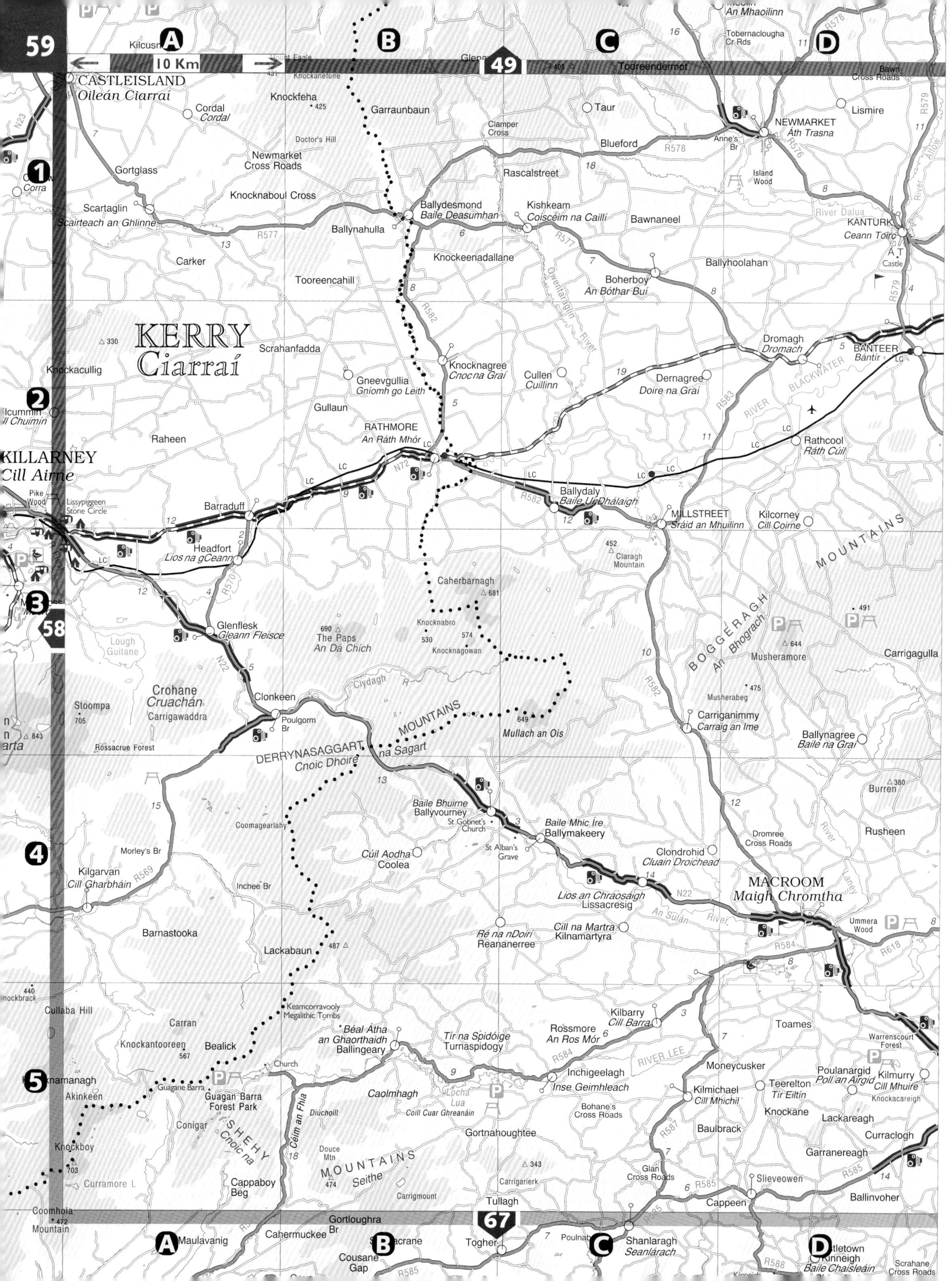
A
B
C
D
10 Km
49
58
67
1
2
3
4
5
CASTLEISLAND
Oileán Ciarraí
Kilcusnan
Knockfeha
Cordal
Garraunbaun
Taur
Tooreendermot
Tobernacloughа
NEWMARKET
Áth Trasna
Lismire
Clamper Cross
Blueford
Doctor's Hill
Newmarket Cross Roads
Gortglass
Rascalstreet
Island Wood
Knocknaboul Cross
Scartaglin
Scairteach an Ghlinne
Ballydesmond
Baile Deasumhan
Kishkeam
Coiscéim na Caillí
Bawnaneel
KANTURK
Ceann Toirc
Ballynahulla
Knockeenadallane
Carker
Tooreencahill
Boherboy
An Bóthar Buí
Ballyhoolahan
KERRY
Ciarraí
Scrahanfadda
Knockacullig
Knocknagree
Cnoc na Graí
Gneevgullia
Gníomh go Leith
Cullen
Cuillinn
Dromagh
Dromach
Dernagree
Doire na Graí
BANTEER
Bántír
Gullaun
RATHMORE
An Ráth Mhór
Raheen
KILLARNEY
Cill Airne
Rathcool
Ráth Cúil
Barraduff
Headfort
Lios na gCeann
Ballydaly
Baile Uí Dhálaigh
MILLSTREET
Sráid an Mhuilinn
Kilcorney
Cill Coirne
Lissypiggeen Stone Circle
Claragh Mountain
Caherbarnagh
MOUNTAINS
Glenflesk
Gleann Fleisce
The Paps
An Dá Chích
Knocknabro
Knocknagowan
Lough Guitane
BOGGERAGH
An Bhograch
Musheramore
Carrigagulla
Musherabeg
Crohane
Cruachán
Carrigawaddra
Clonkeen
Poulgorm Br
Stoompa
Carriganimmy
Carraig an Ime
Ballynagree
Baile na Graí
Rossacrue Forest
DERRYNASAGGART
Cnoic Dhoire na Sagart
Mullach an Ois
Burren
Baile Bhuirne
Ballyvourney
St Gobnet's Church
Baile Mhic Íre
Ballymakeery
Coomagearlahy
Rusheen
Morley's Br
Cúil Aodha
Coolea
St Alban's Grave
Clondrohid
Cluain Droichead
Dromree Cross Roads
Kilgarvan
Cill Gharbháin
Inchee Br
MACROOM
Maigh Chromtha
Lios an Chraosaigh
Lissacresig
Barnastooka
Ré na nDoirí
Reananerree
Cill na Martra
Kilnamartyra
Ummera Wood
Lackabaun
Cullaba Hill
Keamcorravooly Megalithic Tombs
Carran
Kilbarry
Cill Barra
Toames
Knockantooreen
Bealick
Béal Átha an Ghaorthaidh
Ballingeary
Tír na Spidóige
Turnaspidogy
Rossmore
An Ros Mór
Warrenscourt Forest
Church
Inchigeelagh
Inse Geimhleach
Moneycusker
Poulanargid
Poll an Airgid
Kilmurry
Cill Mhuire
Akinkeen
Guagane Barra
Guagan Barra Forest Park
Caolmhagh
Lough Lua
Kilmichael
Cill Mhichíl
Teerelton
Tír Eiltín
Knockacareigh
Conigar
SHEHY
Cnoic na Seithe
Céim an Fhia
Diúchoill
Coill Cuar Ghreanáin
Bohane's Cross Roads
Knockane
Lackareagh
Gortnahoughtee
Baulbrack
Curraclogh
Knockboy
Douce Mtn
MOUNTAINS
Garranereagh
Curramore L
Cappaboy Beg
Carrigarierk
Glan Cross Roads
Slieveowen
Carrigmount
Coomhola Mountain
Tullagh
Cappeen
Ballinvoher
Gortloughra Br
Maulavanig
Cahermuckee
Togher
Poulnabro
Shanlaragh
Seanlárach
Cousane Gap
Scrahane Cross Roads
Baile Chaisleáin
RIVER BLACKWATER
River Dalua
River Allow
Owentaraglin River
An Súlán River
RIVER LEE
Clydagh River
Laney River
N22
N72
N23
R577
R578
R579
R582
R583
R584
R585
R587
R569
R570
R576
R618
R588
LC
Castle

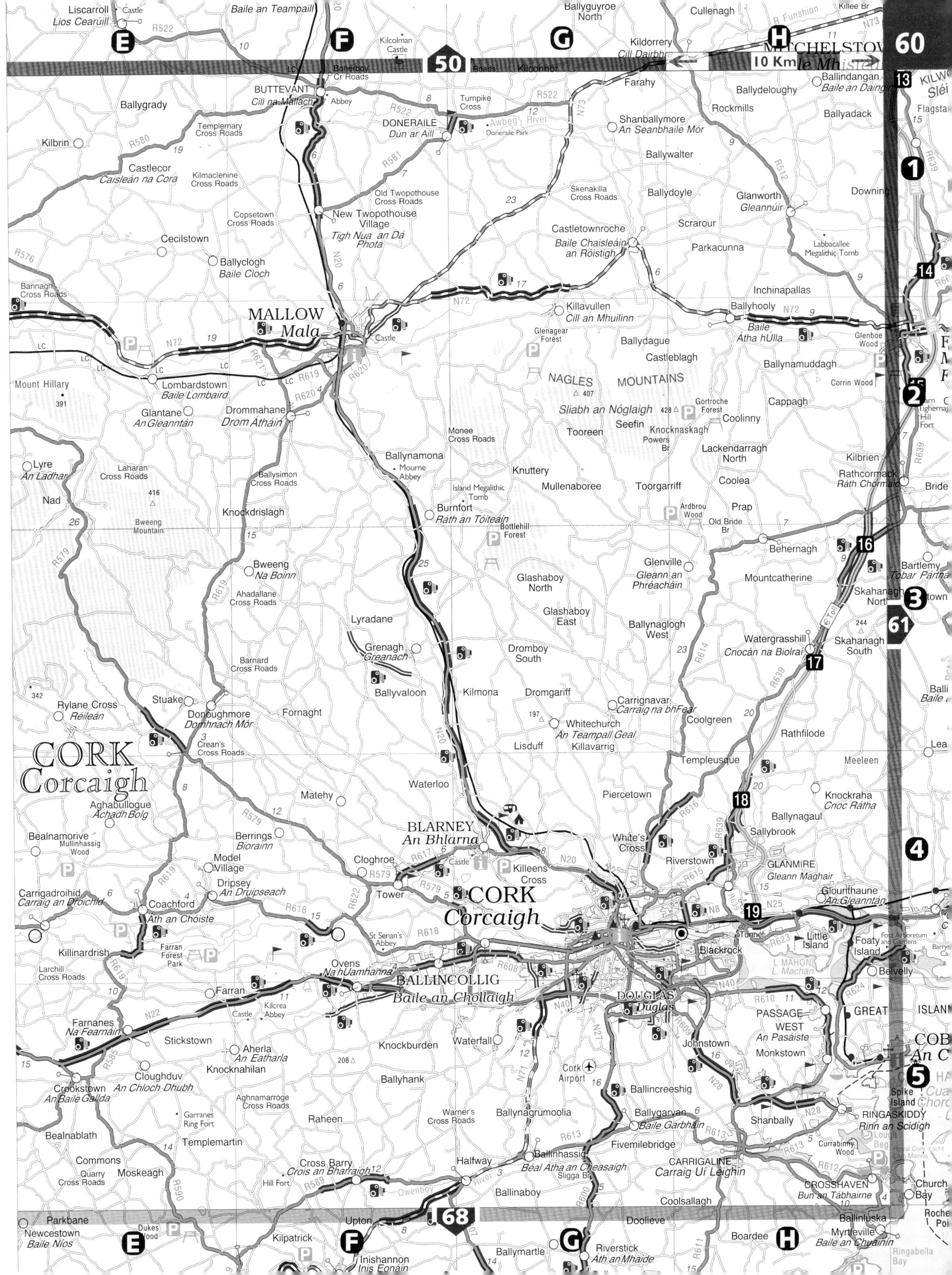
60
Liscarroll
Lios Cearúill
Castle
Baile an Teampaill
Kilcolman Castle
Ballyguyroe North
Cullenagh
R Funshion
Kildorrery
Cill Dairbhre
MITCHELSTOWN
10 Km
Ballindangan
Baile an Daingin
Boherboy Cr Roads
Kilconnor
Farahy
Ballydeloughy
Rockmills
Ballyadack
BUTTEVANT
Cill na Mallach
Abbey
Turnpike Cross
R522
Ballygrady
Templemary Cross Roads
DONERAILE
Dún ar Aill
Awbeg River
Doneraile Park
Shanballymore
An Seanbhaile Mór
Kilbrin
R580
Castlecor
Caisleán na Cora
Kilmaclenine Cross Roads
R581
Ballywalter
Old Twopothouse Cross Roads
Skenakilla Cross Roads
Ballydoyle
Glanworth
Gleannúir
Downing
New Twopothouse Village
Tigh Nua an Dá Phota
Copsetown Cross Roads
Scrarour
Castletownroche
Baile Chaisleáin an Róistigh
Parkacunna
Labbacallee Megalithic Tomb
Cecilstown
R576
Ballyclogh
Baile Cloch
N20
Bannagh Cross Roads
Inchinapallas
MALLOW
Mala
Castle
N72
Killavullen
Cill an Mhuilinn
Ballyhooly
Baile Átha hÚlla
Glenagear Forest
Ballydague
Glenboe Wood
Castleblagh
Ballynamuddagh
Mount Hillary
391
Lombardstown
Baile Lombaird
R621
R619
R620
NAGLES MOUNTAINS
407
Corrin Wood
Cappagh
Glantane
An Gleanntán
Drommahane
Drom Átháin
Sliabh an Nóglaigh
428
Gortroche Forest
Coolinny
Seefin
Tooreen
Knocknaskagh
Powers Br
Monee Cross Roads
Lackendarragh North
Lyre
An Ladhar
Laharan Cross Roads
Ballysimon Cross Roads
Ballynamona
Mourne Abbey
Knuttery
Kilbrien
Rathcormack
Ráth Chormaic
Bride
Mullenaboree
Toorgarriff
Coolea
Nad
416
Island Megalithic Tomb
Burnfort
Ráth an Tóiteáin
Ardbrou Wood
Prap
Knockdrislagh
Bweeng Mountain
Bottlehill Forest
Old Bride Br
Beherragh
Bartlemy
Tobar Parthaláin
R579
Bweeng
Na Boinn
Glenville
Gleann an Phréacháin
Mountcatherine
Glashaboy North
Skahanagh North
Ahadallane Cross Roads
Lyradane
Glashaboy East
Ballynaglogh West
244
61
Skahanagh South
Watergrasshill
Cnocán na Biolraí
Grenagh
Greanach
Dromboy South
Barnard Cross Roads
R614
R639
Ballyvaloon
Kilmona
Dromgariff
Carrignavar
Carraig na bhFear
342
Rylane Cross
Réileán
Stuake
Donoughmore
Domhnach Mór
Fornaght
197
Whitechurch
An Teampall Geal
Coolgreen
Rathfilode
Crean's Cross Roads
Lisduff
Killavarrig
CORK
Corcaigh
Templeusque
Meeleen
Waterloo
Matehy
Piercetown
Knockraha
Cnoc Rátha
Aghabullogue
Achadh Bolg
R616
Ballynagaul
Bealnamorive
Mullinhassig Wood
Berrings
Biorainn
BLARNEY
An Bhlarna
White's Cross
Sallybrook
Model Village
Cloghroe
R617
Castle
Killeens Cross
N20
Riverstown
GLANMIRE
Gleann Maghair
Dripsey
An Druipseach
R579
Tower
R622
Carrigadroihid
Carraig an Droichid
Coachford
Áth an Chóiste
R618
Glounthaune
An Gleanntán
N8
N25
Tunnel
R623
Little Island
Fota Island
Fota Arboretum and Gardens
Farran Forest Park
St Senan's Abbey
Killinardrish
Blackrock
L. MAHON
L. Machan
Belvelly
Larchill Cross Roads
Ovens
Na hUamhanna
BALLINCOLLIG
Baile an Chollaigh
R608
N40
R610
R624
Farran
Castle
Kilcrea Abbey
DOUGLAS
Dúglas
PASSAGE WEST
An Pasáiste
GREAT ISLAND
Farnanes
Na Fearnáin
N22
Stickstown
Aherla
An Eatharla
Knockburden
Waterfall
N27
R609
Johnstown
Monkstown
COBH
An Cóbh
Cork Airport
N71
208
Cloughduv
An Chloch Dhubh
Crookstown
An Baile Gallda
Knocknahilan
Ballyhank
Ballincreeshig
Spike Island
N28
Aghnamarroge Cross Roads
Garranes Ring Fort
Raheen
Warner's Cross Roads
Ballynagrumoolia
Ballygarvan
Baile Garbháin
Shanbally
RINGASKIDDY
Rinn an Scidigh
Bealnablath
Templemartin
R613
Fivemilebridge
Currabinny Wood
Commons
Quarry Cross Roads
Moskeagh
Cross Barry
Crois an Bharraigh
Halfway
Ballinhassig
Béal Átha an Cheasaigh
Sligga Br
CARRIGALINE
Carraig Uí Leighin
R612
Hill Fort
R589
Owenboy River
R590
Ballinaboy
R600
CROSSHAVEN
Bun an Tábhairne
Church Bay
Coolsallagh
Roches Point
Parkbane
Dukes Wood
Newcestown
Baile Nóis
Upton
168
Doolieve
Ballinluska
Kilpatrick
Inishannon
Inis Eonáin
Riverstick
Áth an Mhaide
Ballymartle
Boardee
Myrtleville
Baile an Chuainín
R611
Ringabella Bay

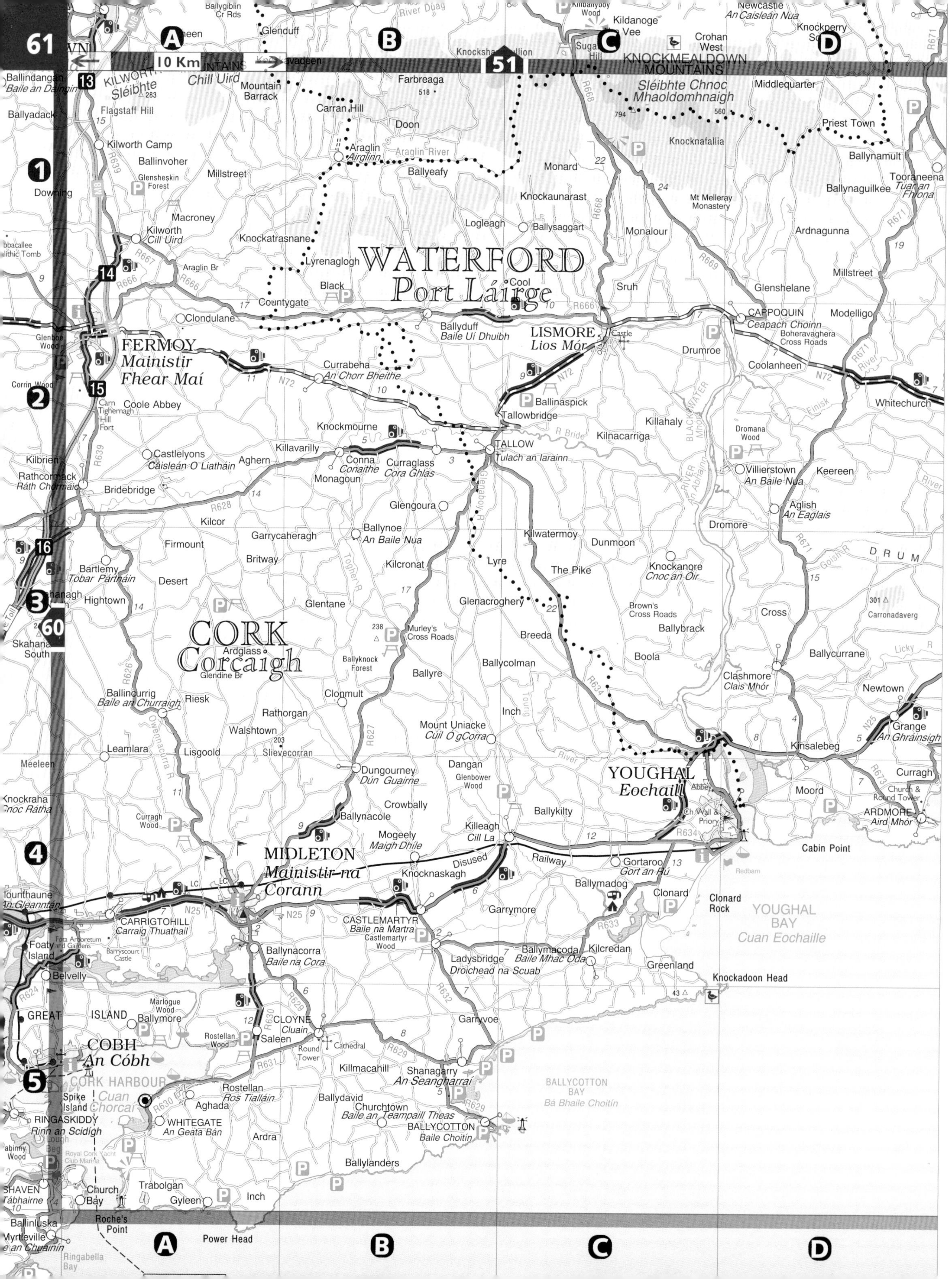
10 Km
51
60
WATERFORD
Port Láirge
CORK
Corcaigh
KNOCKMEALDOWN MOUNTAINS
Sléibhte Chnoc Mhaoldomhnaigh
FERMOY
Mainistir Fhear Maí
LISMORE
Lios Mór
CAPPOQUIN
Ceapach Choinn
TALLOW
Tulach an Iarainn
YOUGHAL
Eochaill
MIDLETON
Mainistir na Corann
CARRIGTOHILL
Carraig Thuathail
CASTLEMARTYR
Baile na Martra
CLOYNE
Cluain
COBH
An Cóbh
CORK HARBOUR
Cuan Chorcaí
WHITEGATE
An Geata Bán
RINGASKIDDY
Rinn an Scidigh
BALLYCOTTON
Baile Choitín
BALLYCOTTON BAY
Bá Bhaile Choitín
YOUGHAL BAY
Cuan Eochaille
ARDMORE
Aird Mhór
Kilworth
Cill Uird
Ballyduff
Baile Uí Dhuibh
Currabeha
An Chorr Bheithe
Conna
Conaithe
Curraglass
Cora Ghlas
Castlelyons
Caisleán O Liatháin
Rathcormack
Ráth Chormaic
Villierstown
An Baile Nua
Aglish
An Eaglais
Knockanore
Cnoc an Óir
Ballynoe
An Baile Nua
Clashmore
Clais Mhór
Grange
An Ghráinsigh
Ballincurrig
Baile an Churraigh
Mount Uniacke
Cúil O gCorra
Dungourney
Dún Guairne
Killeagh
Cill La
Mogeely
Maigh Dhíle
Gortaroo
Gort an Rú
Ballynacorra
Baile na Cora
Ladysbridge
Droichead na Scuab
Ballymacoda
Baile Mhac Oda
Shanagarry
An Seangharraí
Churchtown
Baile an Teampaill Theas
Rostellan
Ros Tialláin
Bartlemy
Tobar Parthain
Araglin
Airglinn
Kilworth Sléibhte
Chill Uird
Ballindangan
Baile an Daingin
Tooraneena
Tuar an Fhíona
Newcastle
An Caisleán Nua
A
B
C
D
1
2
3
4
5
13
14
15
16
Power Head
Roche's Point
Cabin Point
Clonard Rock
Knockadoon Head
Spike Island
GREAT ISLAND
Foaty Island
Belvelly
Trabolgan
Church Bay
Gyleen
Inch
Ballylanders
Ballydavid
Killmacahill
Aghada
Saleen
Ballymore
Garryvoe
Garrymore
Kilcredan
Greenland
Ballymadog
Clonard
Knocknaskagh
Ballynacole
Crowbally
Ballykilty
Lisgoold
Leamlara
Walshtown
Slievecorran
Rathorgan
Clonmult
Ballyre
Ballycolman
Inch
Dangan
Glenbower Wood
Riesk
Glentane
Murley's Cross Roads
Breeda
Glenacroghery
Lyre
The Pike
Kilcronat
Britway
Garrycaheragh
Firmount
Kilcor
Desert
Hightown
Glengoura
Kilwatermoy
Dunmoon
Brown's Cross Roads
Ballybrack
Boola
Cross
Dromore
Keereen
Ballycurrane
Newtown
Kinsalebeg
Curragh
Moord
Killahaly
Kilnacarriga
Ballinaspick
Tallowbridge
Knockmourne
Killavarilly
Aghern
Monagoun
Bridebridge
Coole Abbey
Clondulane
Countygate
Black
Cool
Lyrenaglogh
Knockatrasnane
Macroney
Millstreet
Ballinvoher
Kilworth Camp
Flagstaff Hill
Ballyadack
Downing
Mountain Barrack
Carran Hill
Doon
Farbreaga
Ballyeafy
Logleagh
Ballysaggart
Knockaunarast
Monard
Monalour
Sruh
Knocknafallia
Mt Melleray Monastery
Middlequarter
Priest Town
Ballynamult
Ballynaguilkee
Ardnagunna
Millstreet
Glenshelane
Modelligo
Boheravaghera Cross Roads
Drumroe
Coolanheen
Whitechurch
Dromana Wood
Carronadaverg
Crohan West
Knockperry
Kildanoge
Glenduff
Araglin River
Araglin Br
Kilbrien
Meeleen
Knockraha
Curragh Wood
Marlogue Wood
Rostellan Wood
Round Tower
Cathedral
Ballyknock Forest
Ardglass
Glendine Br
Castlemartyr Wood
Disused Railway
Fota Arboretum and Gardens
Barryscourt Castle
Royal Cork Yacht Club Marina
Ringabella Bay
Myrtleville
Ballinluska
Skahana South
Glenboe Wood
Corrin Wood
Carn Tierna Hill Fort
Glensheskin Forest
Church & Round Tower
Ch Wall & Priory
Abbey
Redbarn
River Bride
River Blackwater
DRUM
Knockshanahullion

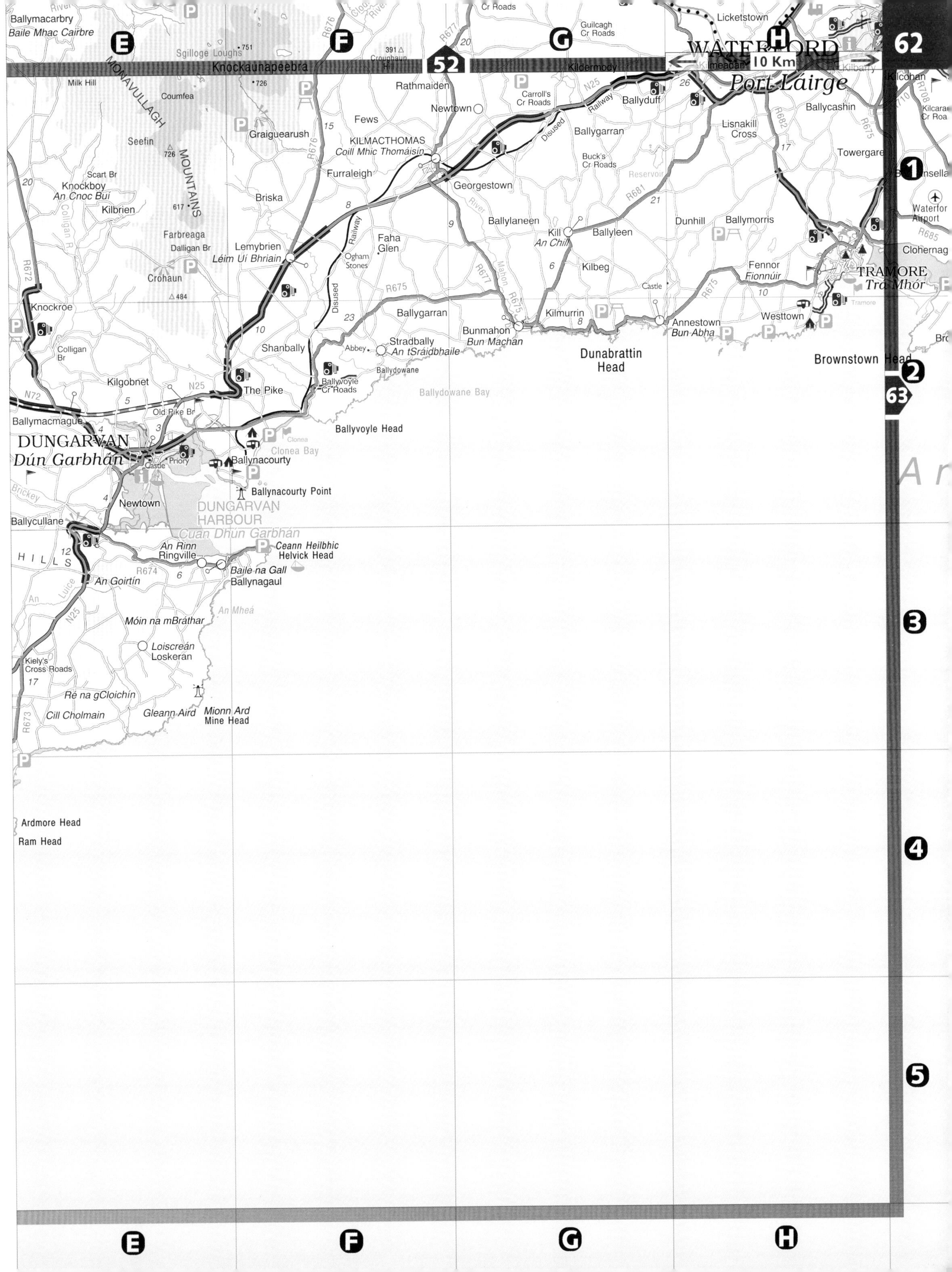

E
F
G
H
1
2
3
4
5
52
63
Ballymacarbry
Baile Mhac Cairbre
Sgilloge Loughs
751
Knockaunapeebra
391
Croughaun Hill
R676
R677
Cr Roads
Guilcagh Cr Roads
Kildermody
Licketstown
WATERFORD
Port Láirge
10 Km
Kilconan
Kilcarae Cr Roa
R708
Milk Hill
MONAVULLAGH
MOUNTAINS
Coumfea
726
Rathmaiden
Newtown
Carroll's Cr Roads
N25
Railway
Disused
Ballyduff
26
Ballycashin
Lisnakill Cross
R682
R675
Towergare
Seefin
Graiguearush
Fews
15
KILMACTHOMAS
Coill Mhic Thomáisín
Ballygarran
Buck's Cr Roads
Reservoir
17
Scart Br
Knockboy
An Cnoc Buí
Kilbrien
617
Furraleigh
Briska
Georgestown
R681
21
Waterford Airport
20
Colligan R.
Farbreaga
Dalligan Br
8
River
9
Ballylaneen
Kill
An Chill
Ballyleen
Dunhill
Ballymorris
R685
Clohernag
Lemybrien
Léim Uí Bhriain
Faha Glen
Ogham Stones
6
Kilbeg
Fennor
Fionnúir
TRAMORE
Trá Mhór
R672
Crohaun
484
Castle
10
R675
Mahon
Tramore
Knockroe
R675
23
Ballygarran
Kilmurrin
Annestown
Bun Abha
Westtown
Bunmahon
Bun Machan
10
Shanbally
Abbey
Stradbally
An tSráidbhaile
Dunabrattin Head
Brownstown Head
Colligan Br
Ballydowane
Kilgobnet
N25
Ballyvoyle Cr Roads
The Pike
Ballydowane Bay
N72
5
Old Pike Br
Ballymacmague
4
3
Ballyvoyle Head
DUNGARVAN
Dún Garbhán
Clonea
Clonea Bay
Castle
Priory
Ballynacourty
Brickey
Ballynacourty Point
4
Newtown
DUNGARVAN HARBOUR
Cuan Dhún Garbhán
Ballycullane
An Rinn
Ringville
Ceann Heilbhic
Helvick Head
HILLS
12
R674
6
Baile na Gall
Ballynagaul
An Goirtín
An
Luice
N25
An Mhea
Móin na mBráthar
Loiscreán
Loskeran
Kiely's Cross Roads
17
Ré na gCloichín
Cill Cholmain
Gleann Aird
Mionn Ard
Mine Head
R673
Ardmore Head
Ram Head

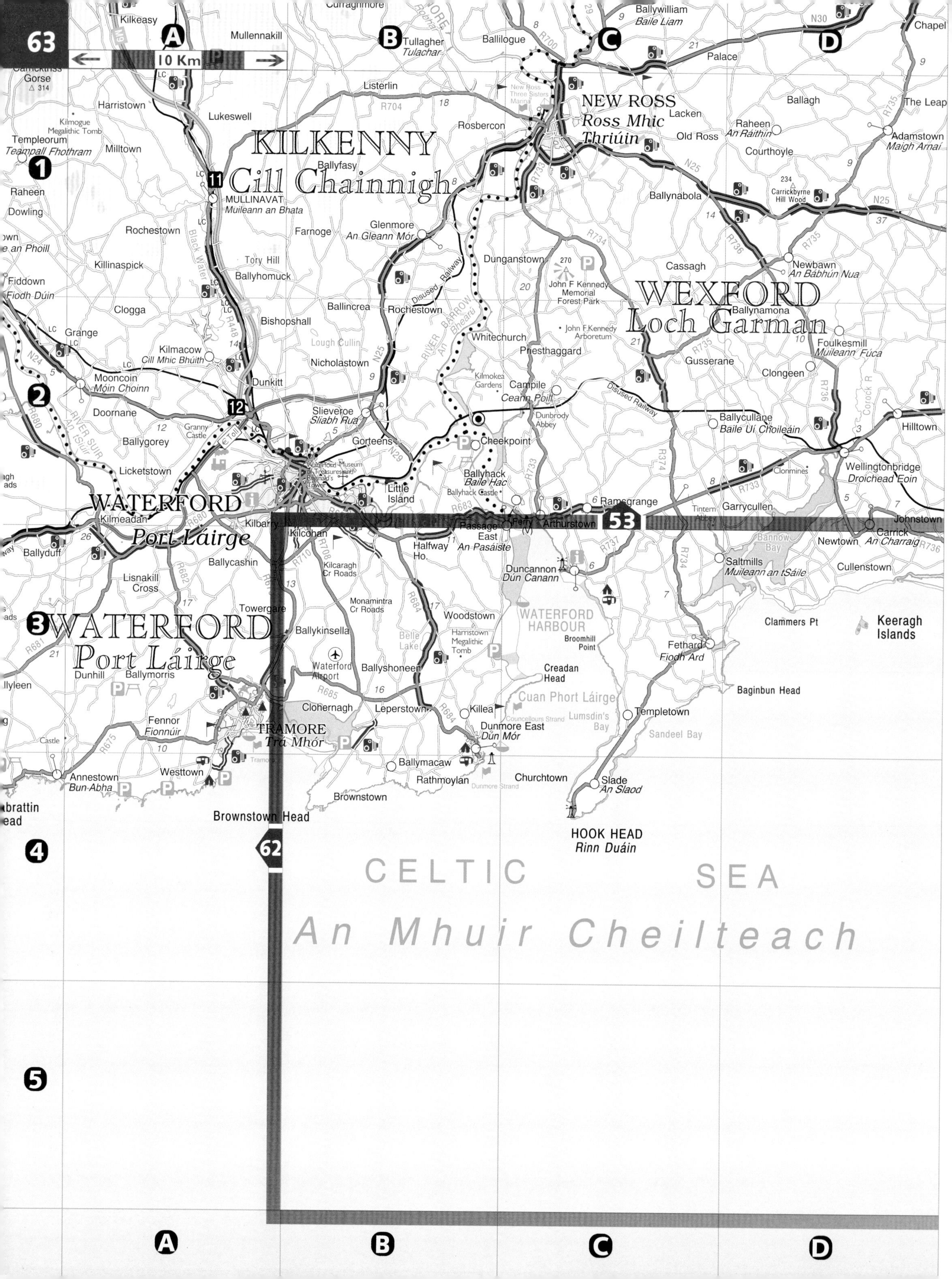
10 Km
KILKENNY
Cill Chainnigh
WEXFORD
Loch Garman
WATERFORD
Port Láirge
NEW ROSS
Ross Mhic Thriúin
MULLINAVAT
Muileann an Bhata
TRAMORE
Trá Mhór
Kilkeasy
Mullennakill
Tullagher
Tulachar
Ballilogue
Ballywilliam
Baile Liam
Palace
Chapel
Listerlin
Harristown
Lukeswell
Rosbercon
Lacken
Old Ross
Ballagh
The Leap
Raheen
An Ráithín
Adamstown
Maigh Arnaí
Courthoyle
Templeorum
Teampall Fhothram
Milltown
Ballyfasy
Raheen
Dowling
Ballynabola
Carrickbyrne Hill Wood
Rochestown
Farnoge
Glenmore
An Gleann Mór
Dunganstown
Cassagh
Newbawn
An Bábhún Nua
Killinaspick
Tory Hill
Ballyhomuck
John F Kennedy Memorial Forest Park
Fiddown
Fiodh Dúin
Clogga
Bishopshall
Ballincrea
Rochestown
Ballynamona
Grange
Whitechurch
Priesthaggard
Foulkesmill
Muileann Fúca
Kilmacow
Cill Mhic Bhúith
Nicholastown
Gusserane
Clongeen
Mooncoin
Móin Choinn
Dunkitt
Campile
Ceann Poill
Doornane
Slieveroe
Sliabh Rua
Ballycullane
Baile Uí Choileáin
Hilltown
Ballygorey
Gorteens
Cheekpoint
Licketstown
Little Island
Ballyhack
Baile Hac
Wellingtonbridge
Droichead Eoin
Ramsgrange
Garrycullen
Kilmeadan
Kilbarry
Kilcohan
Passage East
An Pasáiste
Arthurstown
Carrick
An Charraig
Johnstown
Ballyduff
Halfway Ho.
Newtown
Ballycashin
Duncannon
Dún Canann
Saltmills
Muileann an tSáile
Cullenstown
Lisnakill Cross
Kilcaragh Cr Roads
Monamintra Cr Roads
Towergare
Woodstown
WATERFORD HARBOUR
Clammers Pt
Keeragh Islands
Ballykinsella
Fethard
Fiodh Ard
Dunhill
Ballymorris
Waterford Airport
Ballyshoneen
Creadan Head
Baginbun Head
Cuan Phort Láirge
Clohernagh
Leperstown
Killea
Templetown
Fennor
Fionnúir
Dunmore East
Dún Mór
Sandeel Bay
Annestown
Bun Abha
Westtown
Ballymacaw
Rathmoylan
Churchtown
Slade
An Slaod
Brownstown
Brownstown Head
HOOK HEAD
Rinn Duáin
CELTIC SEA
An Mhuir Cheilteach
53
62
A
B
C
D
1
2
3
4
5

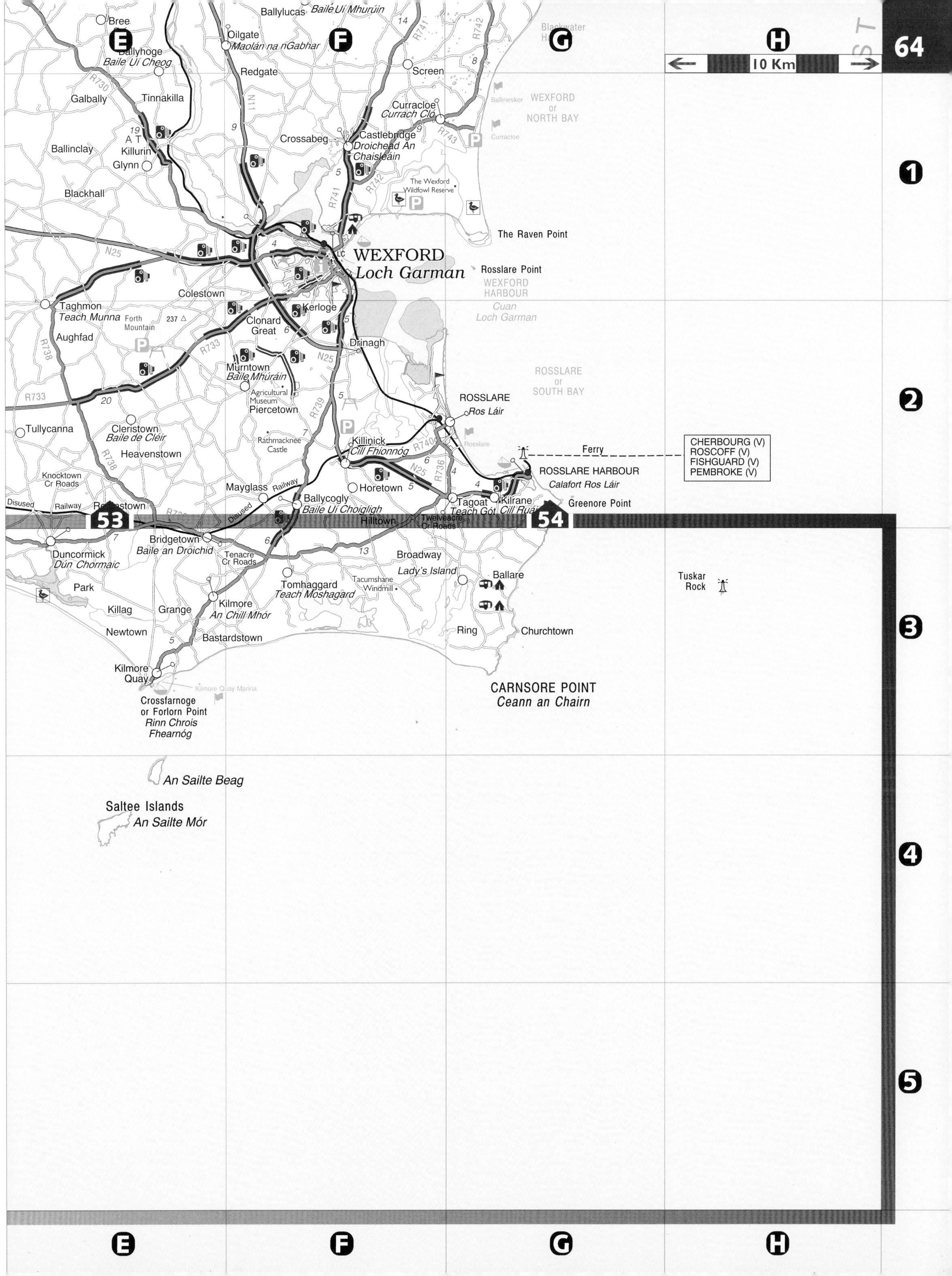

10 Km
WEXFORD
Loch Garman
WEXFORD or NORTH BAY
WEXFORD HARBOUR
Cuan Loch Garman
ROSSLARE or SOUTH BAY
The Raven Point
Rosslare Point
ROSSLARE
Ros Láir
ROSSLARE HARBOUR
Calafort Ros Láir
Ferry
CHERBOURG (V)
ROSCOFF (V)
FISHGUARD (V)
PEMBROKE (V)
Greenore Point
Tuskar Rock
CARNSORE POINT
Ceann an Chairn
Saltee Islands
An Sailte Mór
An Sailte Beag
Crossfarnoge or Forlorn Point
Rinn Chrois Fhearnóg
Kilmore Quay
Kilmore
An Chill Mhór
Bastardstown
Newtown
Killag
Grange
Park
Duncormick
Dún Chormaic
Bridgetown
Baile an Droichid
Tenacre Cr Roads
Tomhaggard
Teach Moshagard
Tacumshane Windmill
Broadway
Lady's Island
Ballare
Ring
Churchtown
Tagoat
Teach Gót
Kilrane
Cill Ruaí
Twelveacre Cr Roads
Hilltown
Ballycogly
Baile Uí Choigligh
Mayglass
Horetown
Killinick
Cill Fhionnóg
Rathmacknee Castle
Heavenstown
Cleristown
Baile de Cléir
Tullycanna
Knocktown Cr Roads
Disused Railway
Piercetown
Agricultural Museum
Murntown
Baile Mhúráin
Drinagh
Kerloge
Clonard Great
Colestown
Taghmon
Teach Munna
Forth Mountain
Aughfad
Blackhall
Glynn
Killurin
Ballinclay
Galbally
Tinnakilla
Ballyhoge
Baile Uí Cheog
Bree
Oilgate
Maolán na nGabhar
Ballylucas
Baile Uí Mhurúin
Redgate
Screen
Curracloe
Currach Cló
Ballinesker
Crossabeg
Castlebridge
Droichead An Chaisleáin
The Wexford Wildfowl Reserve
Kilmore Quay Marina
N11
N25
R730
R733
R738
R739
R740
R736
R741
R742
R743
53
54
E
F
G
H
1
2
3
4
5

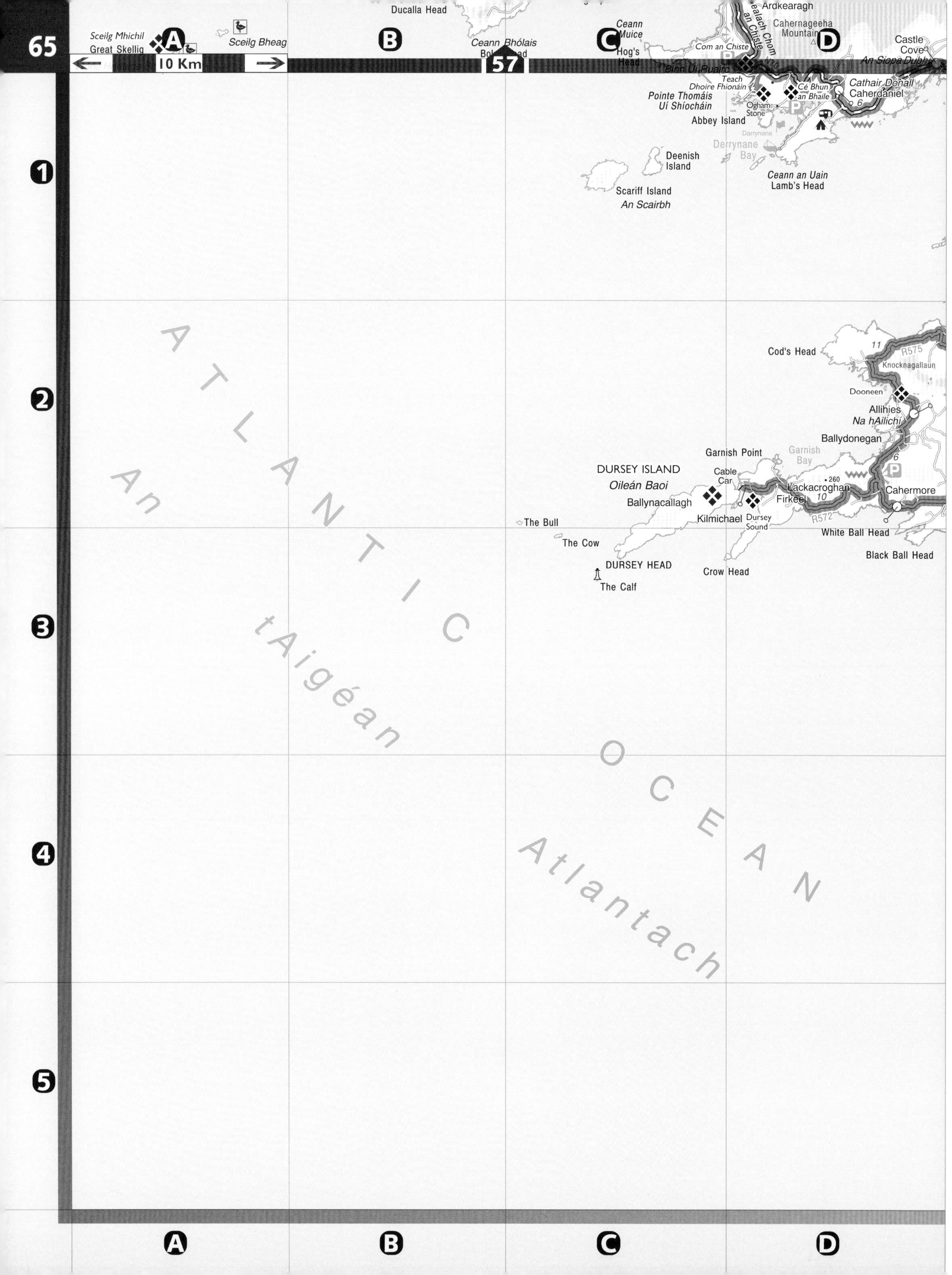
Sceilg Mhichil
Great Skellig
Sceilg Bheag
10 Km
Ducalla Head
Ceann Bhólais
57
Ceann Muice
Hog's Head
Ardkearagh
Cahernageeha Mountain
Castle Cove
An Siopa Dubh
Com an Chiste
Binn Uí Ruairc
Teach Dhoire Fhionáin
Pointe Thomáis Uí Shíocháin
Ogham Stone
Cé Bhun an Bhaile
Cathair Dónall
Caherdaniel
Abbey Island
Derrynane Bay
Deenish Island
Scariff Island
An Scairbh
Ceann an Uain
Lamb's Head
ATLANTIC OCEAN
An tAigéan Atlantach
Cod's Head
R575
Knocknagallaun
Dooneen
Allihies
Na hAilichí
Ballydonegan
Garnish Point
Garnish Bay
DURSEY ISLAND
Oileán Baoi
Cable Car
Ballynacallagh
Lackacroghan
Firkeel
Cahermore
Kilmichael
Dursey Sound
R572
White Ball Head
Black Ball Head
The Bull
The Cow
DURSEY HEAD
The Calf
Crow Head
A
B
C
D
1
2
3
4
5

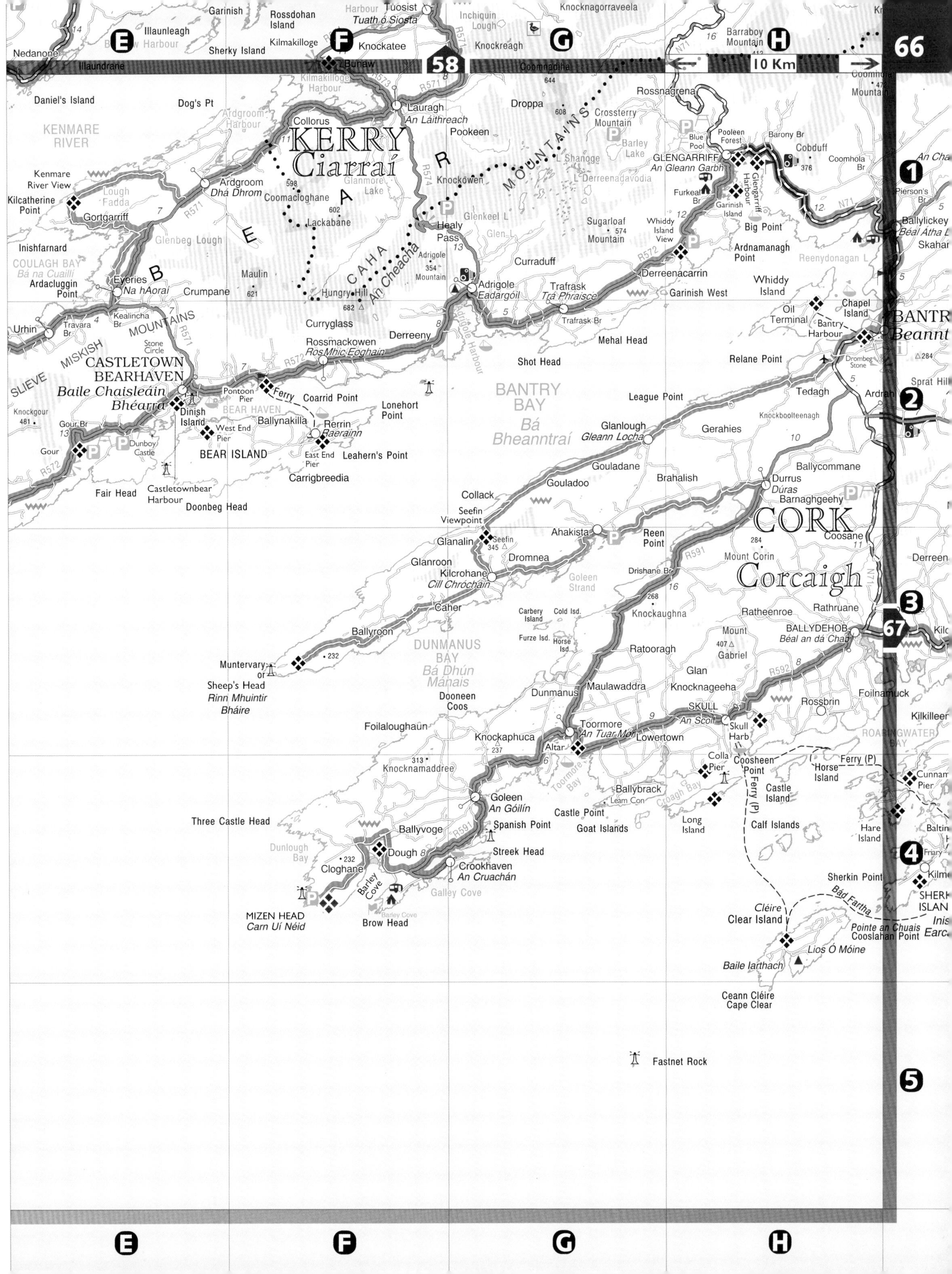

66
KERRY
Ciarraí
CORK
Corcaigh
KENMARE RIVER
COULAGH BAY
Bá na Cuaillí
BANTRY BAY
Bá Bheanntraí
DUNMANUS BAY
Bá Dhún Mánais
BEAR HAVEN
BEAR ISLAND
CAHA MOUNTAINS
An Cheacha
BEARA
SLIEVE MISKISH MOUNTAINS
CASTLETOWN BEARHAVEN
Baile Chaisleáin Bhéarra
GLENGARRIFF
An Gleann Garbh
Lauragh
An Láithreach
Ardgroom
Dhá Drom
Eyeries
Na hAorai
Adrigole
Eadargóil
Trafrask
Trá Phraisce
Rossmackowen
Ros Mhic Eoghain
Glanlough
Gleann Locha
Kilcrohane
Cill Chróchain
Durrus
Dúras
BALLYDEHOB
Béal an dá Chab
SKULL
An Scoil
Toormore
An Tuar Mór
Goleen
An Góilín
Crookhaven
An Cruachán
MIZEN HEAD
Carn Uí Néid
Muntervary or Sheep's Head
Rinn Mhuintir Bháire
Cléire
Clear Island
Ceann Cléire
Cape Clear
Baile Iarthach
Lios Ó Móine
Bád Fartha
Fastnet Rock
Tuosist
Tuath ó Siosta
Ballylickey
Béal Atha Lice
10 Km
58
67
E
F
G
H
1
2
3
4
5

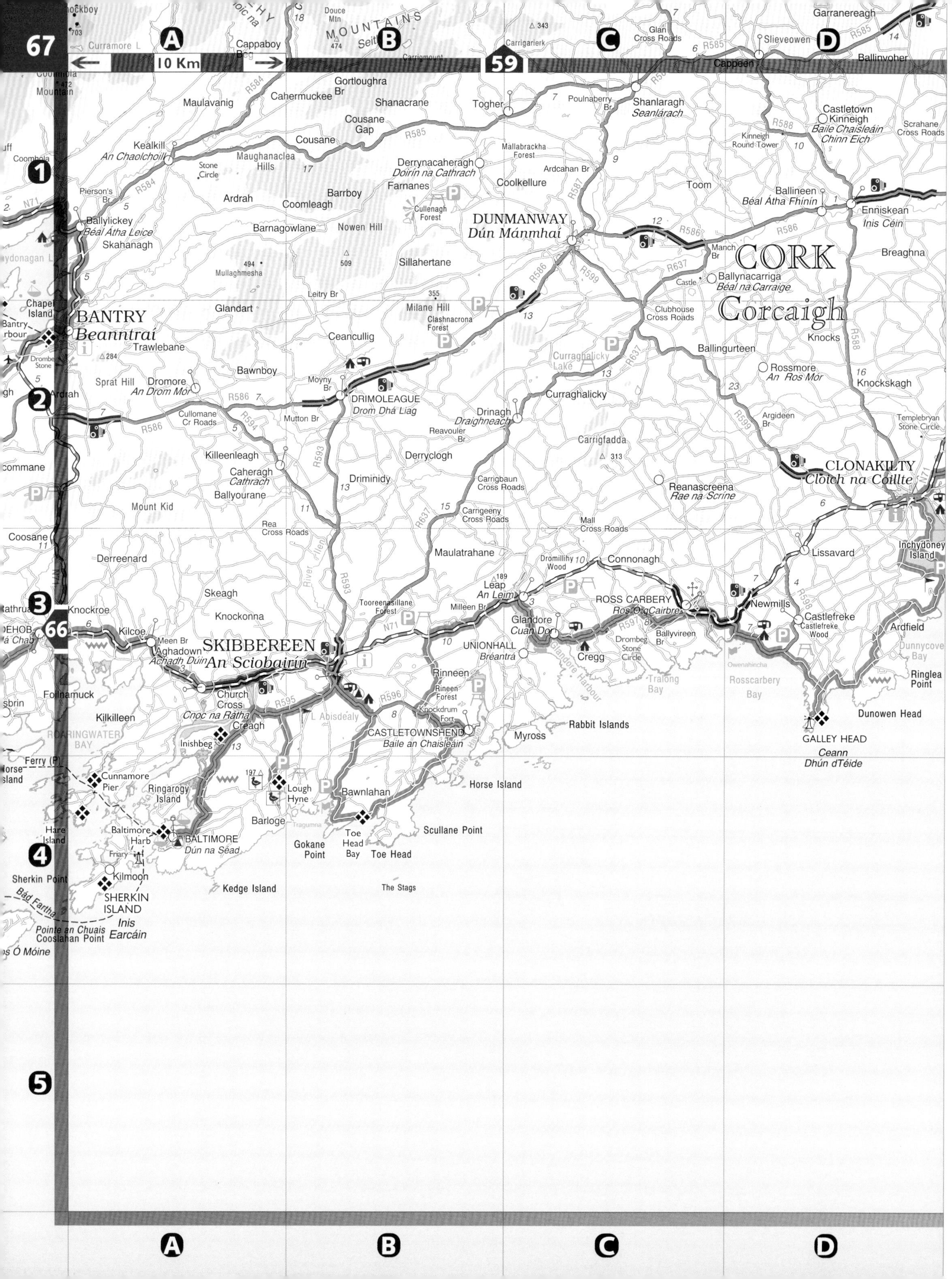
A
B
C
D
10 Km
59
66
1
2
3
4
5
MOUNTAINS
Douce Mtn
Cappaboy Beg
Curramore L
Carrigarierk
Glan Cross Roads
Garranereagh
Slieveowen
Cappeen
Ballinvoher
Gortloughra Br
Cahermuckee
Maulavanig
Shanacrane
Togher
Poulnaberry Br
Shanlaragh
Seanlárach
Castletown Kinneigh
Baile Chaisleáin Chinn Eich
Kinneigh Round Tower
Scrahane Cross Roads
Cousane Gap
Cousane
Kealkill
An Chaolchoill
Stone Circle
Maughanaclea Hills
Derrynacaheragh
Doirín na Cathrach
Mallabrackha Forest
Ardcahan Br
Farnanes
Coolkellure
Toom
Ballineen
Béal Átha Fhínín
Enniskean
Inis Céin
Pierson's Br
Ardrah
Barrboy
Coomleagh
Cullenagh Forest
Ballylickey
Béal Átha Leice
Skahanagh
Barnagowlane
Nowen Hill
DUNMANWAY
Dún Mánmhaí
Manch Br
CORK
Corcaigh
Breaghna
Mullaghmesha
Sillahertane
Ballynacarriga
Béal na Carraige
Castle
Chapel Island
BANTRY
Beanntraí
Glandart
Leitry Br
Milane Hill
Clashnacrona Forest
Clubhouse Cross Roads
Knocks
Trawlebane
Ceancullig
Curraghalicky Lake
Ballingurteen
Rossmore
An Ros Mór
Knockskagh
Drombeg Stone
Sprat Hill
Dromore
An Drom Mór
Bawnboy
Moyny Br
DRIMOLEAGUE
Drom Dhá Liag
Curraghalicky
Argideen Br
Templebryan Stone Circle
Cullomane Cr Roads
Mutton Br
Drinagh
Draighneach
Reavouler Br
Carrigfadda
Killeenleagh
Caheragh
Cathrach
Ballyourane
Derryclogh
Driminidy
Carrigbaun Cross Roads
CLONAKILTY
Cloich na Coillte
Reanascreena
Rae na Scríne
Mount Kid
Carrigeeny Cross Roads
Rea Cross Roads
Mall Cross Roads
Coosane
Derreenard
Maulatrahane
Dromillihy Wood
Connonagh
Lissavard
Inchydoney Island
Skeagh
Leap
An Léim
Knockroe
Knockonna
Tooreenasillane Forest
Milleen Br
ROSS CARBERY
Ros Ó gCairbre
Newmills
Castlefreke
Castlefreke Wood
Ardfield
Kilcoe
Meen Br
Aghadown
Achadh Dúin
SKIBBEREEN
An Sciobairín
Glandore
Cuan Dor
UNIONHALL
Bréantrá
Cregg
Drombeg Stone Circle
Ballyvireen Br
Owenahincha
Dunnycove Bay
Ringlea Point
Glandore Harbour
Tralong Bay
Rosscarbery Bay
Rinneen
Rineen Forest
Knockdrum Fort
Foilnamuck
Church Cross
Cnoc na Rátha
Kilkilleen
L Abisdealy
CASTLETOWNSHEND
Baile an Chaisleáin
Creagh
ROARINGWATER BAY
Inishbeg
Rabbit Islands
Myross
Dunowen Head
GALLEY HEAD
Ceann Dhún dTéide
Ferry (P)
Cunnamore Pier
Ringarogy Island
Lough Hyne
Bawnlahan
Horse Island
Barloge
Hare Island
Baltimore Harb
BALTIMORE
Dún na Séad
Toe Head Bay
Toe Head
Gokane Point
Scullane Point
Friary
Kilmoon
Sherkin Point
SHERKIN ISLAND
Inis Earcáin
Kedge Island
The Stags
Bád Fartha
Pointe an Chuais
Cooslahan Point
R584
R585
R586
R587
R588
R593
R594
R595
R596
R597
R598
R599
R637
N71
River Ilen

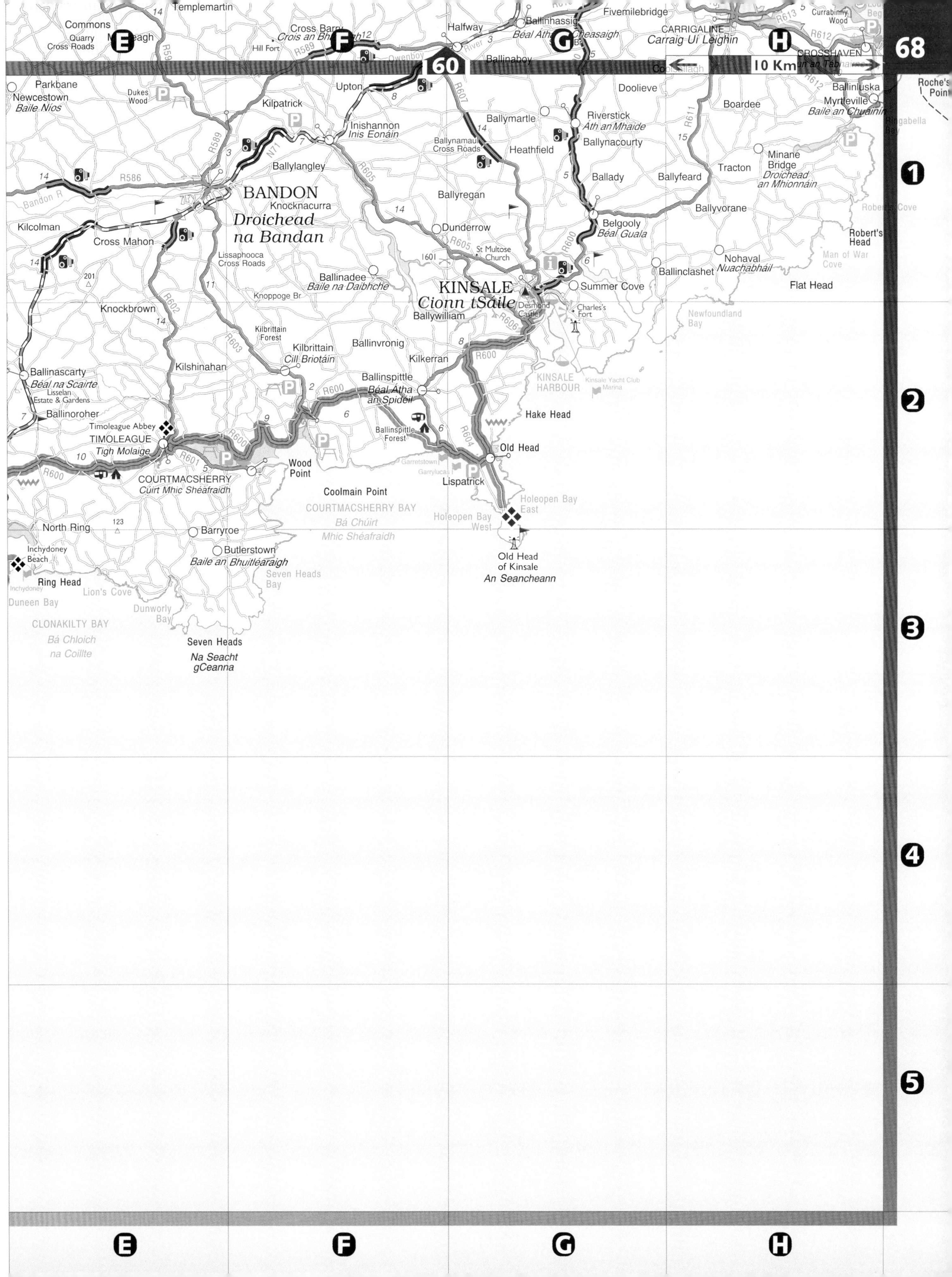
Templemartin
Commons
Quarry Cross Roads
Cross Barry
Crois an Bharraigh
Hill Fort
Halfway
Ballinhassig
Béal Átha an Cheasaigh
Fivemilebridge
CARRIGALINE
Carraig Uí Leighin
Currabinny Wood
CROSSHAVEN
Ballinaboy
10 Km
Parkbane
Newcestown
Baile Nios
Dukes Wood
Upton
Doolieve
Ballinluska
Myrtleville
Baile an Chuainín
Roche's Point
Ringabella Bay
Kilpatrick
Inishannon
Inis Eonáin
Ballymartle
Riverstick
Áth an Mhaide
Ballynacourty
Boardee
Ballynamaul Cross Roads
Heathfield
Ballylangley
Minane Bridge
Droichead an Mhionnáin
Tracton
Ballady
Ballyfeard
BANDON
Knocknacurra
Droichead na Bandan
Bandon R
Ballyregan
Ballyvorane
Robert's Cove
Kilcolman
Cross Mahon
Dunderrow
Belgooly
Béal Guala
Robert's Head
Lissaphooca Cross Roads
St Multose Church
Man of War Cove
Nohaval
Nuachabháil
Ballinclashet
Ballinadee
Baile na Daibhche
KINSALE
Cionn tSáile
Summer Cove
Flat Head
Knoppoge Br
Desmond Castle
Charles's Fort
Knockbrown
Ballywilliam
Newfoundland Bay
Kilbrittain Forest
Kilbrittain
Cill Briotáin
Ballinvronig
Kilkerran
Ballinascarty
Béal na Scairte
Lisselan Estate & Gardens
Kilshinahan
Ballinspittle
Béal Átha an Spidéil
KINSALE HARBOUR
Kinsale Yacht Club Marina
Ballinoroher
Hake Head
Timoleague Abbey
TIMOLEAGUE
Tigh Molaige
Ballinspittle Forest
Old Head
Wood Point
Garretstown
Garrylucas
Lispatrick
COURTMACSHERRY
Cúirt Mhic Shéafraidh
Coolmain Point
COURTMACSHERRY BAY
Bá Chúirt Mhic Shéafraidh
Holeopen Bay East
Holeopen Bay West
North Ring
Barryroe
Butlerstown
Baile an Bhuitléaraigh
Old Head of Kinsale
An Seancheann
Inchydoney Beach
Inchydoney
Ring Head
Seven Heads Bay
Lion's Cove
Duneen Bay
Dunworly Bay
CLONAKILTY BAY
Bá Chloich na Coillte
Seven Heads
Na Seacht gCeanna
N71
R586
R589
R605
R607
R600
R611
R613
R612
R602
R603
R601
R604
R606
60
E
F
G
H
1
2
3
4
5

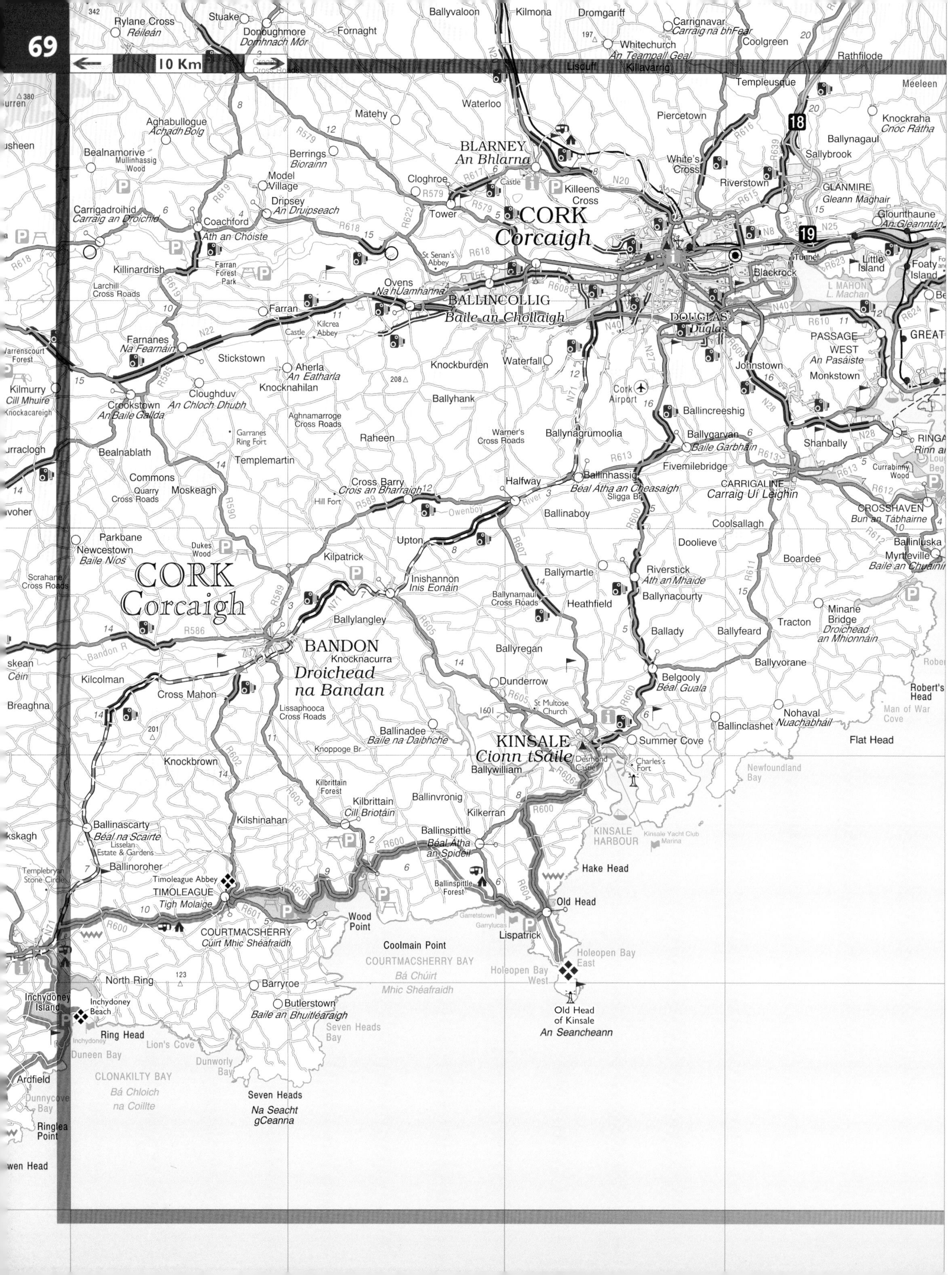
10 Km
Rylane Cross
Réileán
Stuake
Donoughmore
Domhnach Mór
Fornaght
Ballyvaloon
Kilmona
Dromgariff
Carrignavar
Carraig na bhFear
Whitechurch
An Teampall Geal
Coolgreen
Rathfilode
Lisduff
Killavarrig
Templeusque
Meeleen
Waterloo
Matehy
Piercetown
Knockraha
Cnoc Rátha
Aghabullogue
Achadh Bolg
Ballynagaul
Sallybrook
Bealnamorive
Mullinhassig Wood
Berrings
Biorainn
BLARNEY
An Bhlarna
White's Cross
Model Village
Cloghroe
Castle
Killeens Cross
Riverstown
GLANMIRE
Gleann Maghair
Dripsey
An Druipseach
Tower
CORK
Corcaigh
Glounthaune
An Gleanntán
Carrigadroihid
Carraig an Droichid
Coachford
Áth an Chóiste
St Senan's Abbey
Tunnel
Little Island
Foaty Island
Killinardrish
Farran Forest Park
Blackrock
L MAHON
L. Machan
Larchill Cross Roads
Ovens
Na hUamhanna
BALLINCOLLIG
Baile an Chollaigh
Farran
Kilcrea Abbey
Castle
DOUGLAS
Dúglas
PASSAGE WEST
An Pasáiste
GREAT
Farnanes
Na Fearnáin
Warrenscourt Forest
Stickstown
Aherla
An Eatharla
Knockburden
Waterfall
Johnstown
Monkstown
Kilmurry
Cill Mhuire
Crookstown
An Baile Gallda
Cloughduv
An Chloch Dhubh
Knocknahilan
Ballyhank
Cork Airport
Ballincreeshig
Knockacareigh
Aghnamarroge Cross Roads
Garranes Ring Fort
Raheen
Warner's Cross Roads
Ballynagrumoolia
Ballygarvan
Baile Garbháin
Shanbally
RINGA
Rinn an
Bealnablath
Templemartin
Fivemilebridge
Currabinny Wood
Commons
Quarry Cross Roads
Moskeagh
Cross Barry
Crois an Bharraigh
Hill Fort
Owenboy River
Halfway
Ballinhassig
Béal Átha an Cheasaigh
Sligga Br
CARRIGALINE
Carraig Uí Leighin
CROSSHAVEN
Bun an Tábhairne
Ballinaboy
Coolsallagh
Parkbane
Newcestown
Baile Nios
Dukes Wood
Upton
Doolieve
Ballinluska
Myrtleville
Baile an Chuainin
Scrahane Cross Roads
CORK
Corcaigh
Kilpatrick
Riverstick
Áth an Mhaide
Boardee
Ballymartle
Inishannon
Inis Eonáin
Ballynamaul Cross Roads
Heathfield
Ballynacourty
Minane Bridge
Droichead an Mhionnáin
Ballylangley
Tracton
Ballady
Ballyfeard
BANDON
Knocknacurra
Droichead na Bandan
Bandon R
Ballyregan
Ballyvorane
Kilcolman
Belgooly
Béal Guala
Robert's Head
Cross Mahon
Dunderrow
Breaghna
Lissaphooca Cross Roads
St Multose Church
Nohaval
Nuachabháil
Man of War Cove
Ballinadee
Baile na Daibhche
KINSALE
Cionn tSáile
Ballinclashet
Summer Cove
Flat Head
Knockbrown
Knoppoge Br
Desmond Castle
Charles's Fort
Ballywilliam
Newfoundland Bay
Kilbrittain Forest
Kilbrittain
Cill Briotáin
Ballinvronig
Kilkerran
Ballinascarty
Béal na Scairte
Kilshinahan
Ballinspittle
Béal Átha an Spidéil
KINSALE HARBOUR
Kinsale Yacht Club Marina
Lisselan Estate & Gardens
Templebryan Stone Circle
Ballinoroher
Timoleague Abbey
TIMOLEAGUE
Tigh Molaige
Ballinspittle Forest
Hake Head
Old Head
Wood Point
Garretstown
Garrylucas
Lispatrick
COURTMACSHERRY
Cúirt Mhic Shéafraidh
Coolmain Point
COURTMACSHERRY BAY
Bá Chúirt Mhic Shéafraidh
Holeopen Bay East
Holeopen Bay West
North Ring
Barryroe
Butlerstown
Baile an Bhuitléaraigh
Old Head of Kinsale
An Seancheann
Inchydoney Island
Inchydoney Beach
Seven Heads Bay
Ring Head
Lion's Cove
Duneen Bay
Dunworly Bay
Ardfield
CLONAKILTY BAY
Bá Chloich na Coillte
Seven Heads
Na Seacht gCeanna
Dunnycove Bay
Ringlea Point
Galley Head

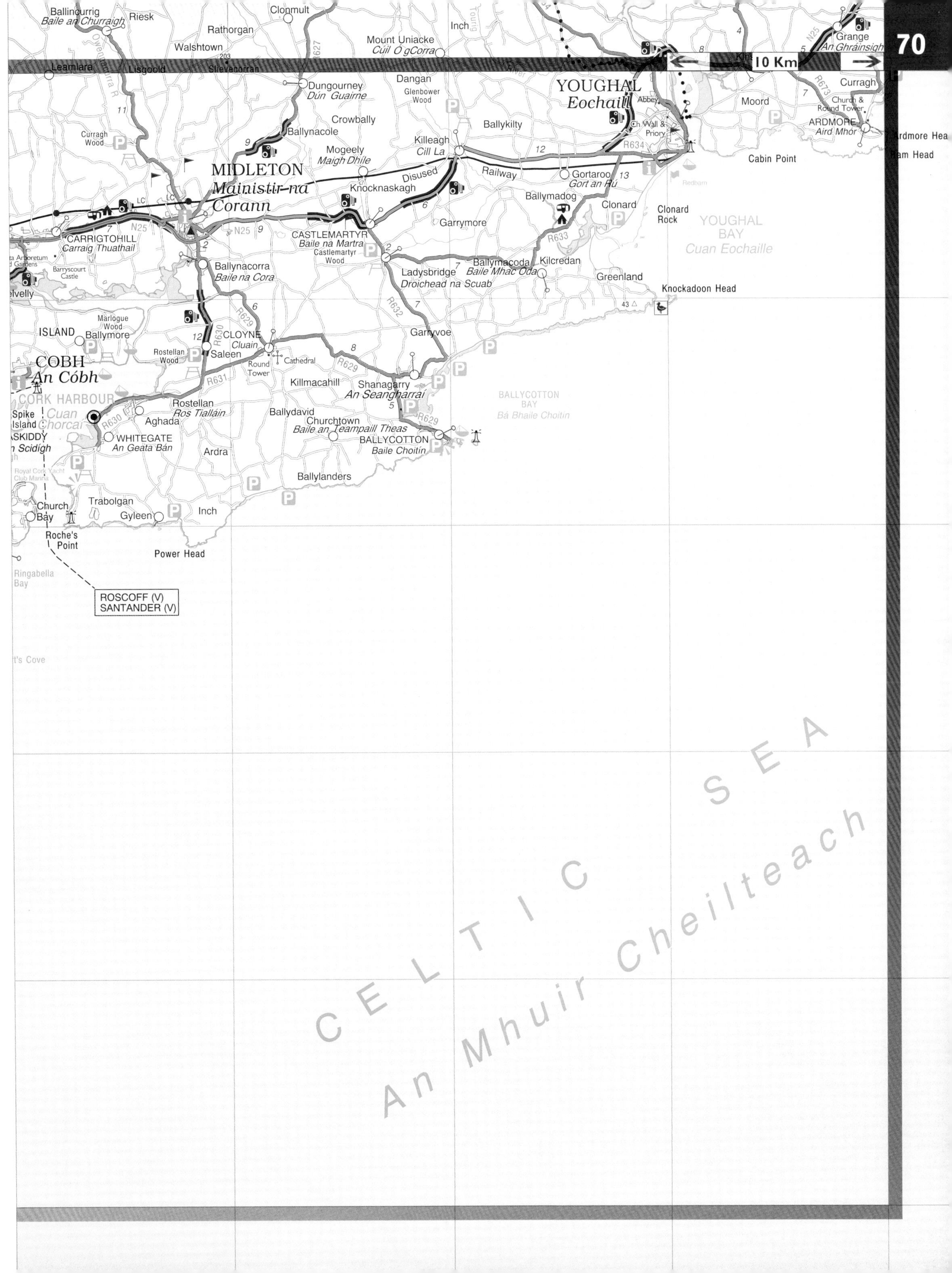

Ballincurrig
Baile an Churraigh
Riesk
Clonmult
Rathorgan
Walshtown
Inch
Mount Uniacke
Cúil Ó gCorra
Grange
An Ghráinsigh
Leamlara
Lisgoold
Slievecorran
10 Km
Dungourney
Dún Guairne
Dangan
Glenbower Wood
YOUGHAL
Eochaill
Moord
Curragh
Church & Round Tower
ARDMORE
Aird Mhór
Abbey
Wall & Priory
Crowbally
Ballykilty
Curragh Wood
Ballynacole
Killeagh
Cill La
Mogeely
Maigh Dhíle
MIDLETON
Mainistir na Corann
Disused Railway
Gortaroo
Gort an Rú
Cabin Point
Knocknaskagh
Ballymadog
Clonard
Clonard Rock
YOUGHAL BAY
Cuan Eochaille
CARRIGTOHILL
Carraig Thuathail
CASTLEMARTYR
Baile na Martra
Castlemartyr Wood
Garrymore
Barryscourt Castle
Ballynacorra
Baile na Cora
Ladysbridge
Droichead na Scuab
Ballymacoda
Baile Mhac Oda
Kilcredan
Greenland
Knockadoon Head
Marlogue Wood
ISLAND
Ballymore
CLOYNE
Cluain
Garryvoe
Rostellan Wood
Saleen
Cathedral
Round Tower
COBH
An Cóbh
Killmacahill
Shanagarry
An Seangharraí
CORK HARBOUR
Cuan Chorcaí
Rostellan
Ros Tialláin
BALLYCOTTON BAY
Bá Bhaile Choitín
Spike Island
Aghada
Ballydavid
Churchtown
Baile an Teampaill Theas
BALLYCOTTON
Baile Choitín
WHITEGATE
An Geata Bán
Ardra
Ballylanders
Trabolgan
Church Bay
Gyleen
Inch
Roche's Point
Power Head
Ringabella Bay
ROSCOFF (V)
SANTANDER (V)
CELTIC SEA
An Mhuir Cheilteach

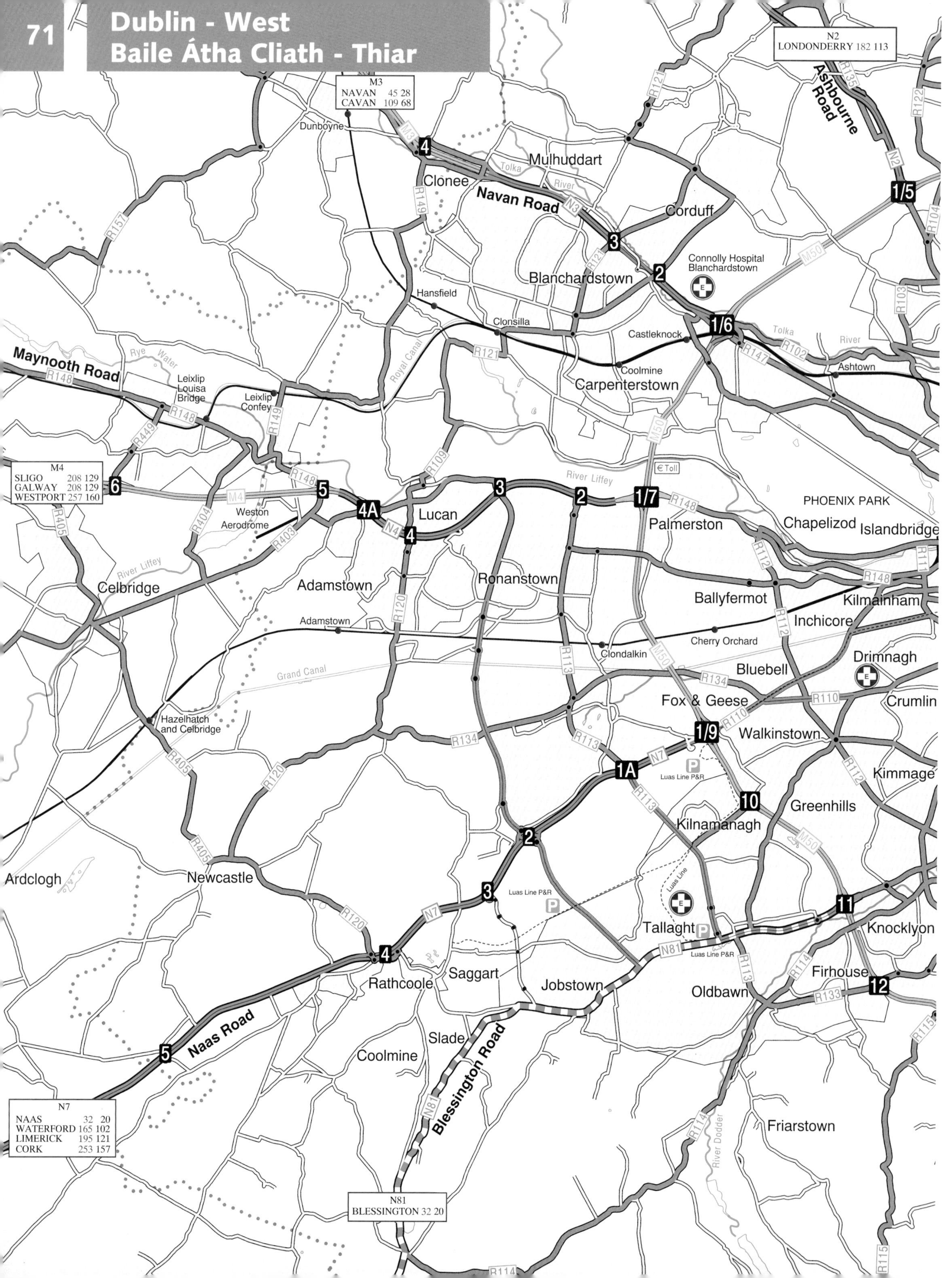
M3
NAVAN 45 28
CAVAN 109 68
N2
LONDONDERRY 182 113
Ashbourne Road
Dunboyne
Clonee
Mulhuddart
Navan Road
Corduff
Blanchardstown
Connolly Hospital Blanchardstown
Hansfield
Clonsilla
Castleknock
Coolmine
Carpenterstown
Ashtown
Maynooth Road
Rye Water
Leixlip Louisa Bridge
Leixlip Confey
Royal Canal
M4
SLIGO 208 129
GALWAY 208 129
WESTPORT 257 160
Weston Aerodrome
Lucan
River Liffey
Palmerston
PHOENIX PARK
Chapelizod
Islandbridge
Celbridge
Adamstown
Ronanstown
Ballyfermot
Kilmainham
Inchicore
Cherry Orchard
Clondalkin
Drimnagh
Grand Canal
Bluebell
Fox & Geese
Crumlin
Walkinstown
Hazelhatch and Celbridge
Kimmage
Luas Line P&R
Greenhills
Kilnamanagh
Ardclogh
Newcastle
Luas Line
Tallaght
Knocklyon
Saggart
Jobstown
Rathcoole
Firhouse
Oldbawn
Slade
Coolmine
Naas Road
Blessington Road
N7
NAAS 32 20
WATERFORD 165 102
LIMERICK 195 121
CORK 253 157
Friarstown
River Dodder
N81
BLESSINGTON 32 20

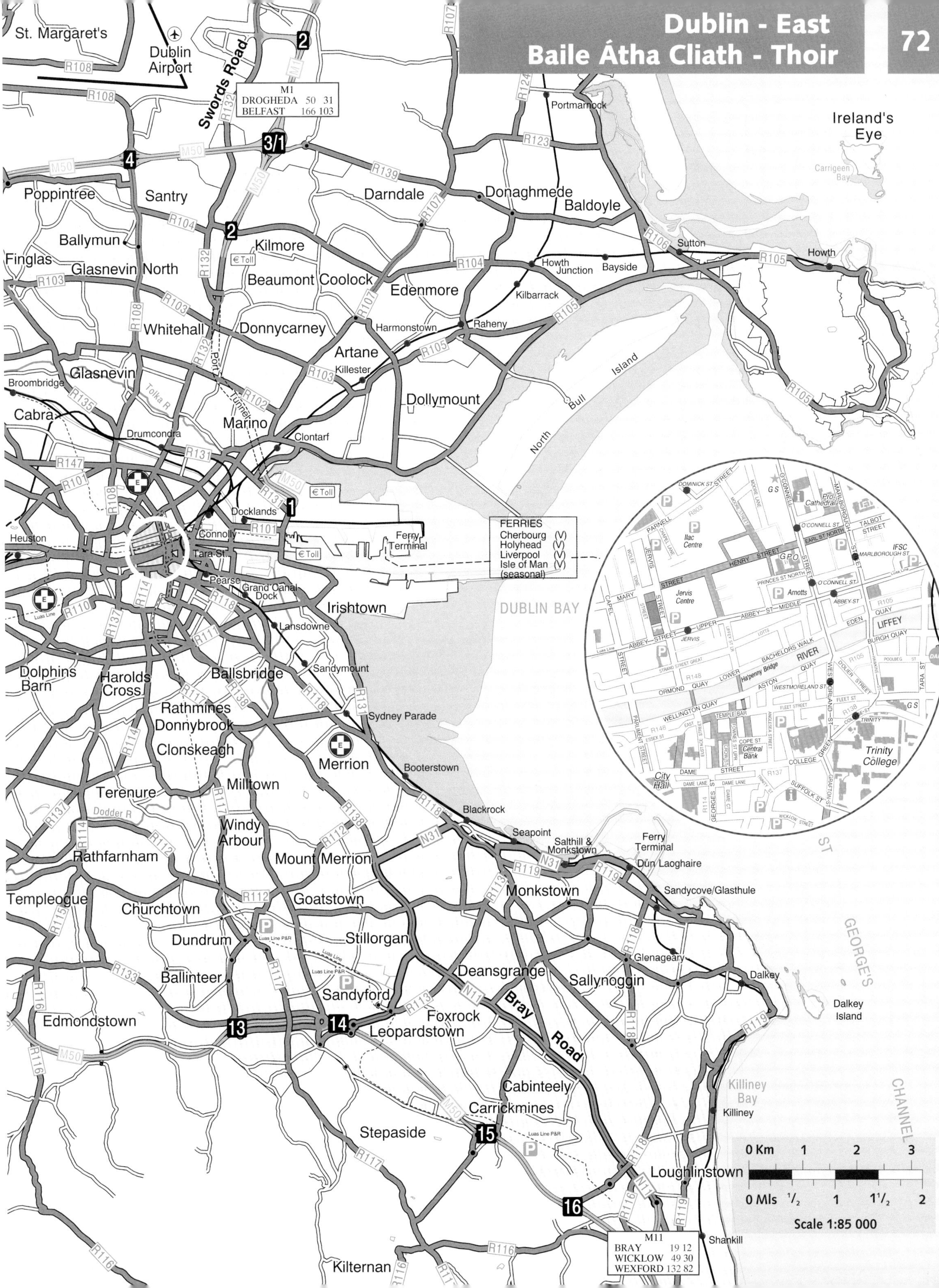

M1		
DROGHEDA	50	31
BELFAST	166	103

FERRIES
Cherbourg (V)
Holyhead (V)
Liverpool (V)
Isle of Man (V)
(seasonal)

M11		
BRAY	19	12
WICKLOW	49	30
WEXFORD	132	82

St. Margaret's
Dublin Airport
Swords Road
Ireland's Eye
Carrigeen Bay
Portmarnock
Poppintree
Santry
Darndale
Donaghmede
Baldoyle
Ballymun
Kilmore
Sutton
Howth
Finglas
Glasnevin North
Beaumont
Coolock
Edenmore
Howth Junction
Bayside
Kilbarrack
Whitehall
Donnycarney
Harmonstown
Raheny
Artane
Killester
Glasnevin
Broombridge
North Bull Island
Dollymount
Cabra
Marino
Port Tunnel
Tolka R
Drumcondra
Clontarf
Docklands
Connolly
Tara St.
Heuston
Ferry Terminal
Pearse
Grand Canal Dock
Irishtown
DUBLIN BAY
Luas Line
Lansdowne
Sandymount
Dolphins Barn
Harolds Cross
Ballsbridge
Rathmines
Donnybrook
Sydney Parade
Clonskeagh
Merrion
Booterstown
Milltown
Terenure
Dodder R
Windy Arbour
Blackrock
Seapoint
Salthill & Monkstown
Ferry Terminal
Dún Laoghaire
Rathfarnham
Mount Merrion
Monkstown
Sandycove/Glasthule
Templeogue
Churchtown
Goatstown
Dundrum
Luas Line P&R
Stillorgan
Glenageary
Ballinteer
Deansgrange
Sallynoggin
Dalkey
Sandyford
Dalkey Island
Edmondstown
Foxrock
Leopardstown
Bray Road
Killiney Bay
Killiney
Cabinteely
Carrickmines
Stepaside
Loughlinstown
Shankill
Kilternan
GEORGE'S CHANNEL

DOMINICK ST
PARNELL ST
Ilac Centre
Pro Cathedral
O'CONNELL ST
EARL ST NORTH
TALBOT STREET
IFSC
MARLBOROUGH ST
HENRY STREET
GPO
PRINCES ST NORTH
Jervis Centre
Arnotts
ABBEY ST
MARY STREET
ABBEY ST MIDDLE
ABBEY ST UPPER
EDEN QUAY
LIFFEY
BURGH QUAY
BACHELORS WALK
RIVER
Ha'penny Bridge
ORMOND QUAY LOWER
ASTON QUAY
WESTMORELAND ST
WELLINGTON QUAY
TEMPLE BAR
FLEET ST
COLLEGE ST
TRINITY
Central Bank
Trinity College
COLLEGE GREEN
DAME STREET
City Hall
DAME LANE
SUFFOLK ST
GRAFTON ST
CAPEL STREET
PARLIAMENT STREET
GEORGES ST
TARA ST

0 Km 1 2 3
0 Mls ½ 1 1½ 2
Scale 1:85 000

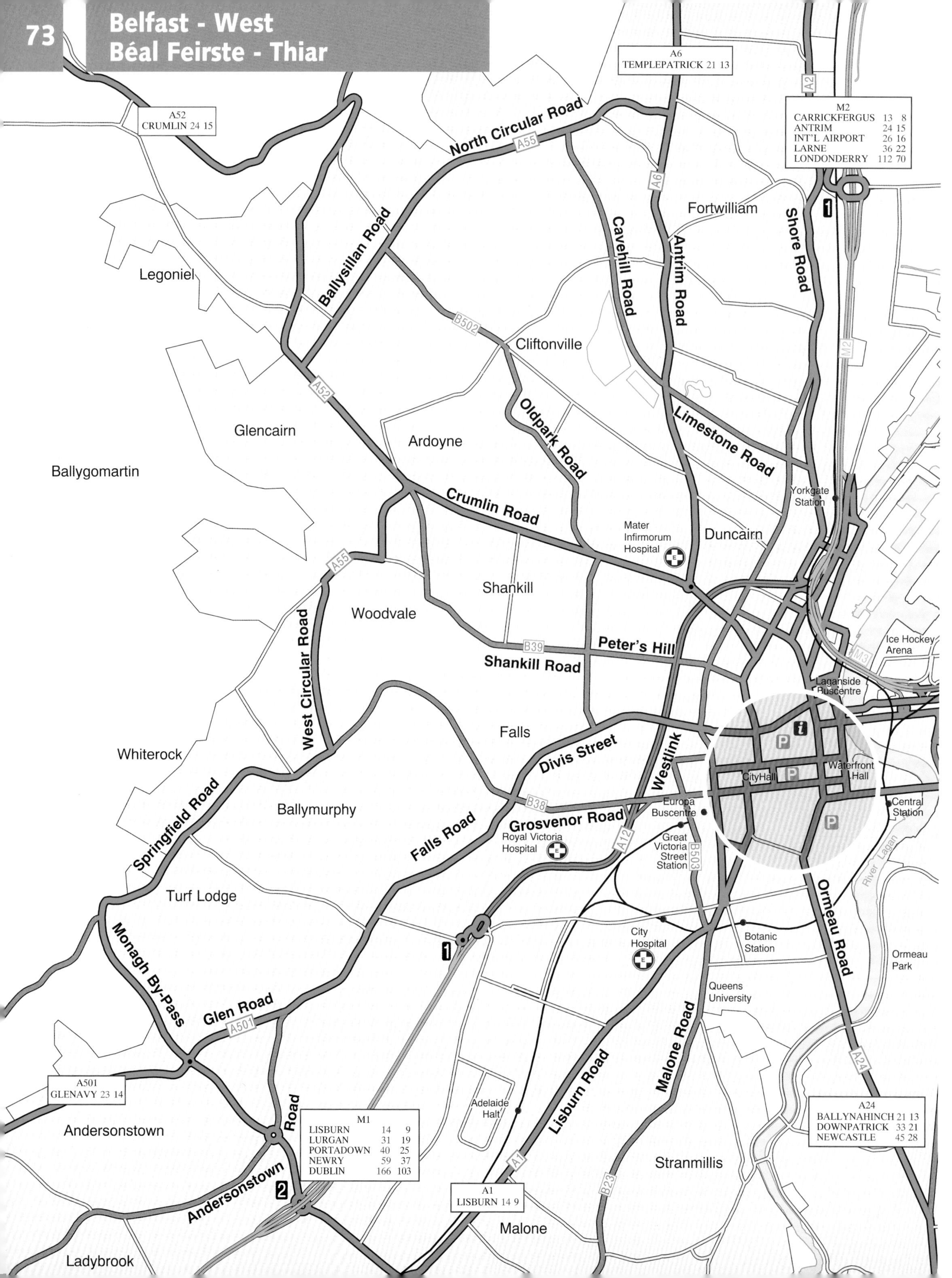
A6
TEMPLEPATRICK 21 13
A52
CRUMLIN 24 15
M2
CARRICKFERGUS 13 8
ANTRIM 24 15
INT'L AIRPORT 26 16
LARNE 36 22
LONDONDERRY 112 70
North Circular Road
Ballysillan Road
Cavehill Road
Antrim Road
Shore Road
Fortwilliam
Legoniel
Cliftonville
Glencairn
Ardoyne
Oldpark Road
Limestone Road
Ballygomartin
Crumlin Road
Yorkgate Station
Mater Infirmorum Hospital
Duncairn
Shankill
Woodvale
West Circular Road
Peter's Hill
Shankill Road
Ice Hockey Arena
Laganside Buscentre
Falls
Divis Street
Westlink
Whiterock
CityHall
Waterfront Hall
Springfield Road
Ballymurphy
Europa Buscentre
Central Station
Grosvenor Road
Royal Victoria Hospital
Falls Road
Great Victoria Street Station
Turf Lodge
Ormeau Road
City Hospital
Botanic Station
Ormeau Park
Monagh By-Pass
Queens University
Glen Road
Malone Road
Lisburn Road
A501
GLENAVY 23 14
Road
Adelaide Halt
Andersonstown
M1
LISBURN 14 9
LURGAN 31 19
PORTADOWN 40 25
NEWRY 59 37
DUBLIN 166 103
A24
BALLYNAHINCH 21 13
DOWNPATRICK 33 21
NEWCASTLE 45 28
Stranmillis
Andersonstown
A1
LISBURN 14 9
Malone
Ladybrook

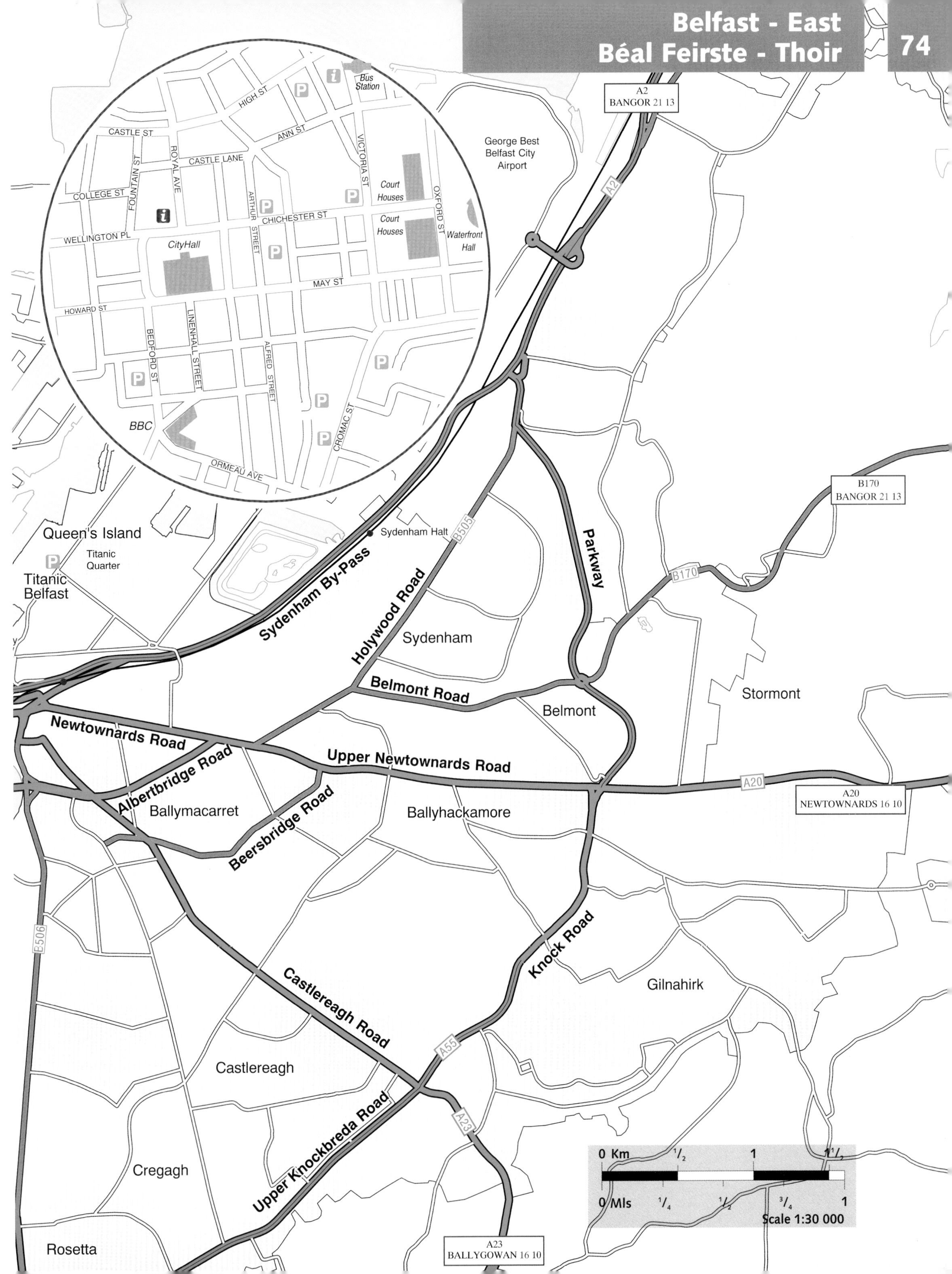
HIGH ST
Bus Station
CASTLE ST
ANN ST
CASTLE LANE
ROYAL AVE
FOUNTAIN ST
VICTORIA ST
COLLEGE ST
Court Houses
ARTHUR STREET
CHICHESTER ST
OXFORD ST
WELLINGTON PL
CityHall
Waterfront Hall
MAY ST
HOWARD ST
BEDFORD ST
LINENHALL STREET
ALFRED STREET
CROMAC ST
BBC
ORMEAU AVE
A2
BANGOR 21 13
George Best Belfast City Airport
Queen's Island
Titanic Quarter
Titanic Belfast
Sydenham Halt
Sydenham By-Pass
B505
Holywood Road
Parkway
Sydenham
B170
BANGOR 21 13
Belmont Road
Belmont
Stormont
Newtownards Road
Albertbridge Road
Upper Newtownards Road
A20
NEWTOWNARDS 16 10
Ballymacarret
Beersbridge Road
Ballyhackamore
B506
Knock Road
Gilnahirk
Castlereagh Road
A55
Castlereagh
A23
Upper Knockbreda Road
Cregagh
Rosetta
A23
BALLYGOWAN 16 10
0 Km
1
0 Mls
1
Scale 1:30 000

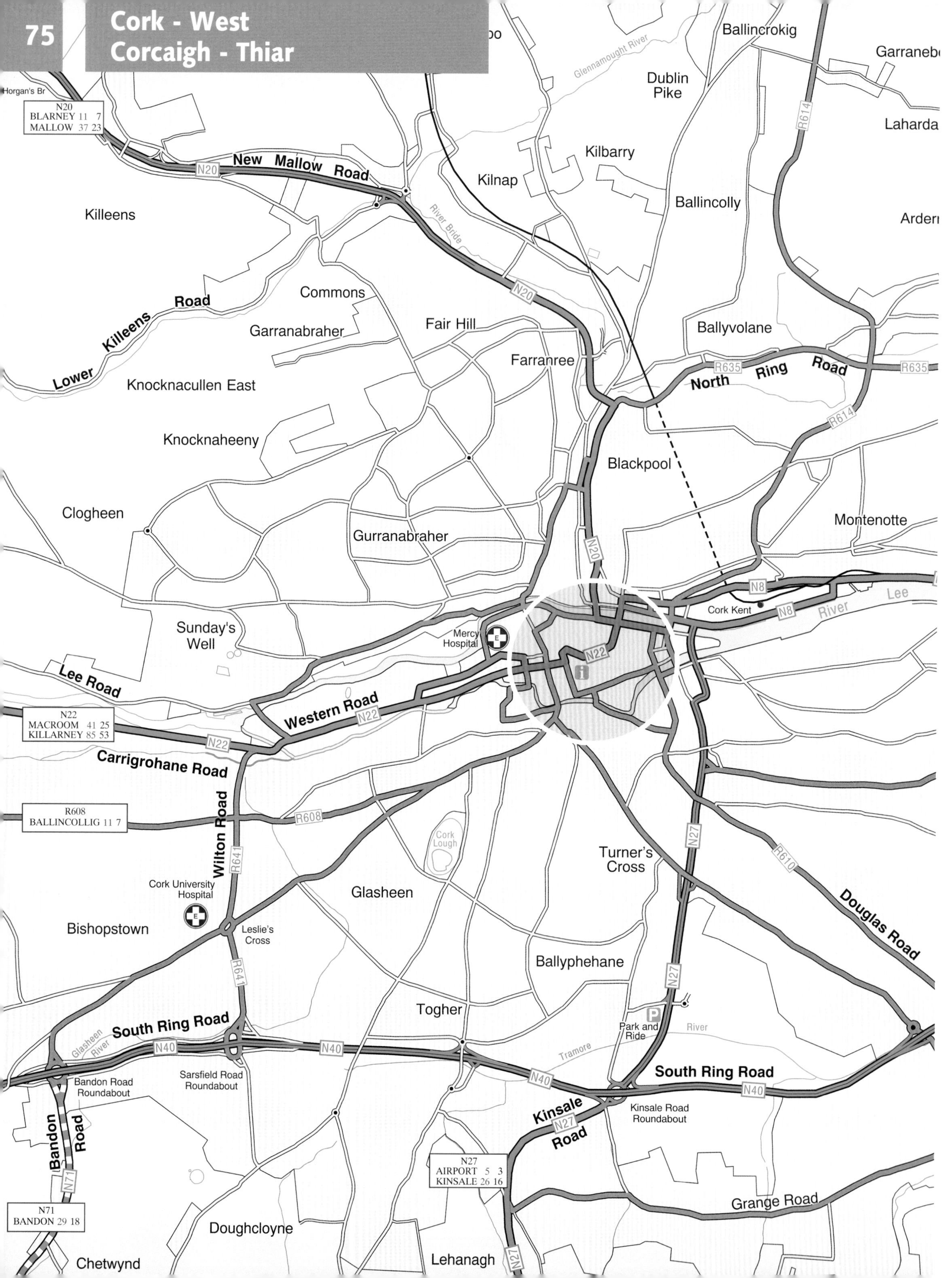
Horgan's Br
N20
BLARNEY 11 7
MALLOW 37 23
New Mallow Road
N20
Killeens
Lower Killeens Road
Commons
Garranabraher
Fair Hill
Farranree
Knocknacullen East
Knocknaheeny
Clogheen
Gurranabraher
Sunday's Well
Lee Road
Mercy Hospital
Western Road
N22
MACROOM 41 25
KILLARNEY 85 53
Carrigrohane Road
R608
BALLINCOLLIG 11 7
Wilton Road
R641
Cork University Hospital
Bishopstown
Leslie's Cross
Glasheen
Cork Lough
Turner's Cross
Ballyphehane
Togher
South Ring Road
Glasheen River
N40
Bandon Road Roundabout
Sarsfield Road Roundabout
Bandon Road
N71
N71
BANDON 29 18
Chetwynd
Doughcloyne
Lehanagh
N27
AIRPORT 5 3
KINSALE 26 16
Kinsale Road
Kinsale Road Roundabout
Park and Ride
Tramore River
South Ring Road
Grange Road
Douglas Road
R610
N27
Glennamought River
River Bride
Kilnap
Kilbarry
Dublin Pike
Ballincrokig
Ballincolly
Ballyvolane
North Ring Road
R635
R614
Blackpool
Montenotte
Garraneb
Laharda
Arden
Cork Kent
N8
River Lee
N20

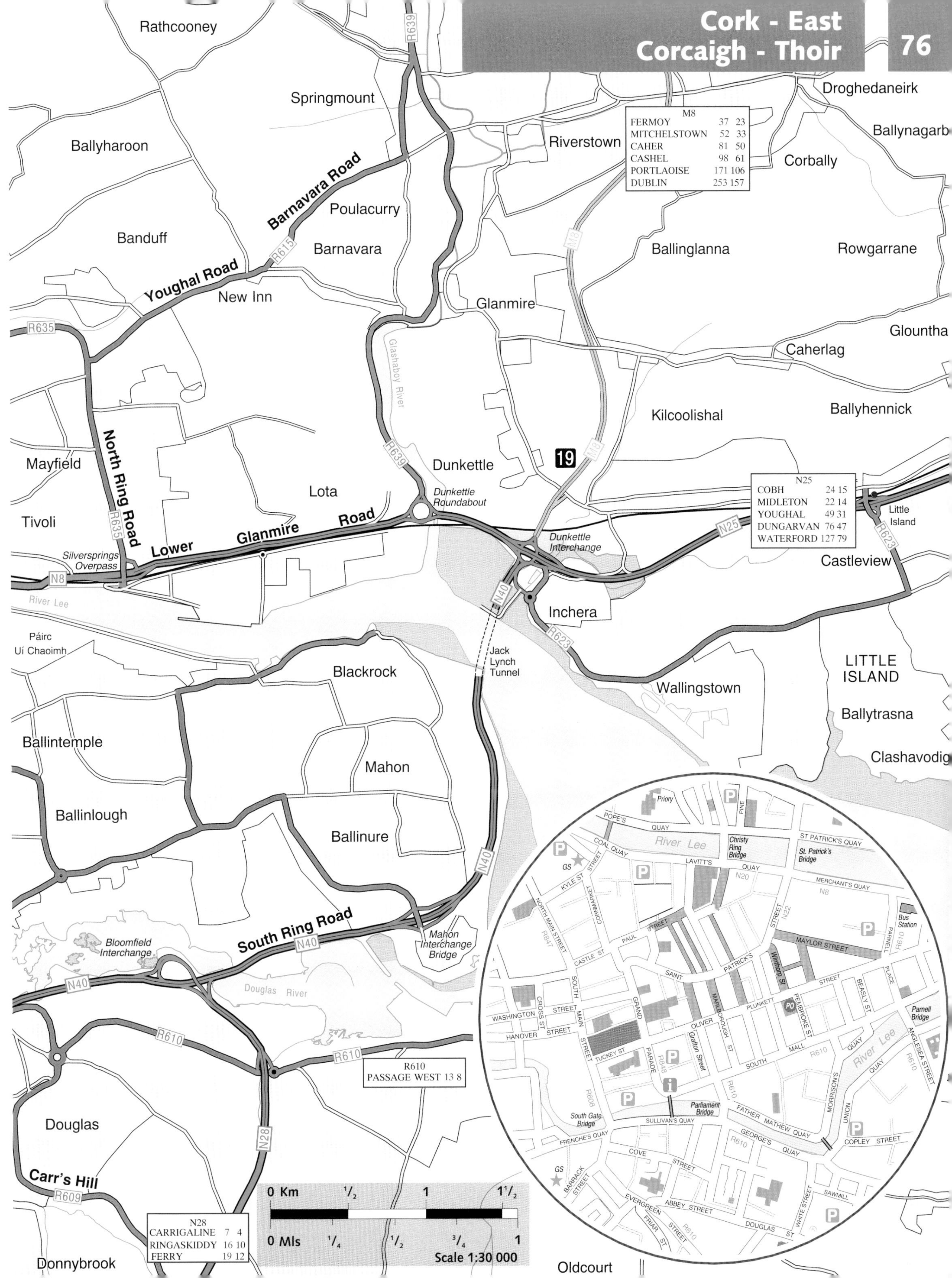
Rathcooney
Springmount
Ballyharoon
Barnavara Road
Poulacurry
Banduff
Barnavara
R615
Youghal Road
New Inn
R635
R639
Riverstown
Droghedaneirk
Ballynagarb
Corbally
M8
FERMOY 37 23
MITCHELSTOWN 52 33
CAHER 81 50
CASHEL 98 61
PORTLAOISE 171 106
DUBLIN 253 157
Ballinglanna
Rowgarrane
Glanmire
Gantha
Caherlag
Glashaboy River
Kilcoolishal
Ballyhennick
North Ring Road
Mayfield
Dunkettle
19
Lota
Dunkettle Roundabout
N25
COBH 24 15
MIDLETON 22 14
YOUGHAL 49 31
DUNGARVAN 76 47
WATERFORD 127 79
Little Island
R623
Tivoli
Lower Glanmire Road
Silversprings Overpass
Dunkettle Interchange
Castleview
N8
N40
Inchera
River Lee
Páirc Uí Chaoimh
Jack Lynch Tunnel
Blackrock
LITTLE ISLAND
Wallingstown
Ballytrasna
Ballintemple
Clashavodig
Mahon
Ballinlough
Ballinure
South Ring Road
Mahon Interchange Bridge
Bloomfield Interchange
Douglas River
R610
R610
PASSAGE WEST 13 8
Douglas
N28
Carr's Hill
R609
N28
CARRIGALINE 7 4
RINGASKIDDY 16 10
FERRY 19 12
Donnybrook
0 Km 1/2 1 1 1/2
0 Mls 1/4 1/2 3/4 1
Scale 1:30 000
Oldcourt
Priory
POPE'S QUAY
River Lee
Christy Ring Bridge
ST PATRICK'S QUAY
St. Patrick's Bridge
COAL QUAY
LAVITT'S QUAY
N20
MERCHANT'S QUAY
N8
GS
KYLE ST
NORTH MAIN STREET
CORNMARKET STREET
PAUL STREET
N22
Bus Station
PARNELL PLACE
MAYLOR STREET
Winthrop St
CASTLE ST
SAINT PATRICK'S STREET
BEASLY ST
WASHINGTON STREET
CROSS ST
SOUTH MAIN STREET
GRAND PARADE
PEMBROKE ST
PO
Parnell Bridge
HANOVER STREET
OLIVER PLUNKETT STREET
MARLBOROUGH ST
Grafton Street
TUCKEY ST
R848
SOUTH MALL
R610
River Lee
ANGLESEA STREET
R608
Parliament Bridge
South Gate Bridge
SULLIVAN'S QUAY
FATHER MATHEW QUAY
MORRISON'S QUAY
UNION QUAY
FRENCHE'S QUAY
GEORGE'S QUAY
COPLEY STREET
COVE STREET
BARRACK STREET
EVERGREEN STREET
ABBEY STREET
FRIAR ST
WHITE STREET
SAWMILL
DOUGLAS ST

Derry / Londonderry Doire

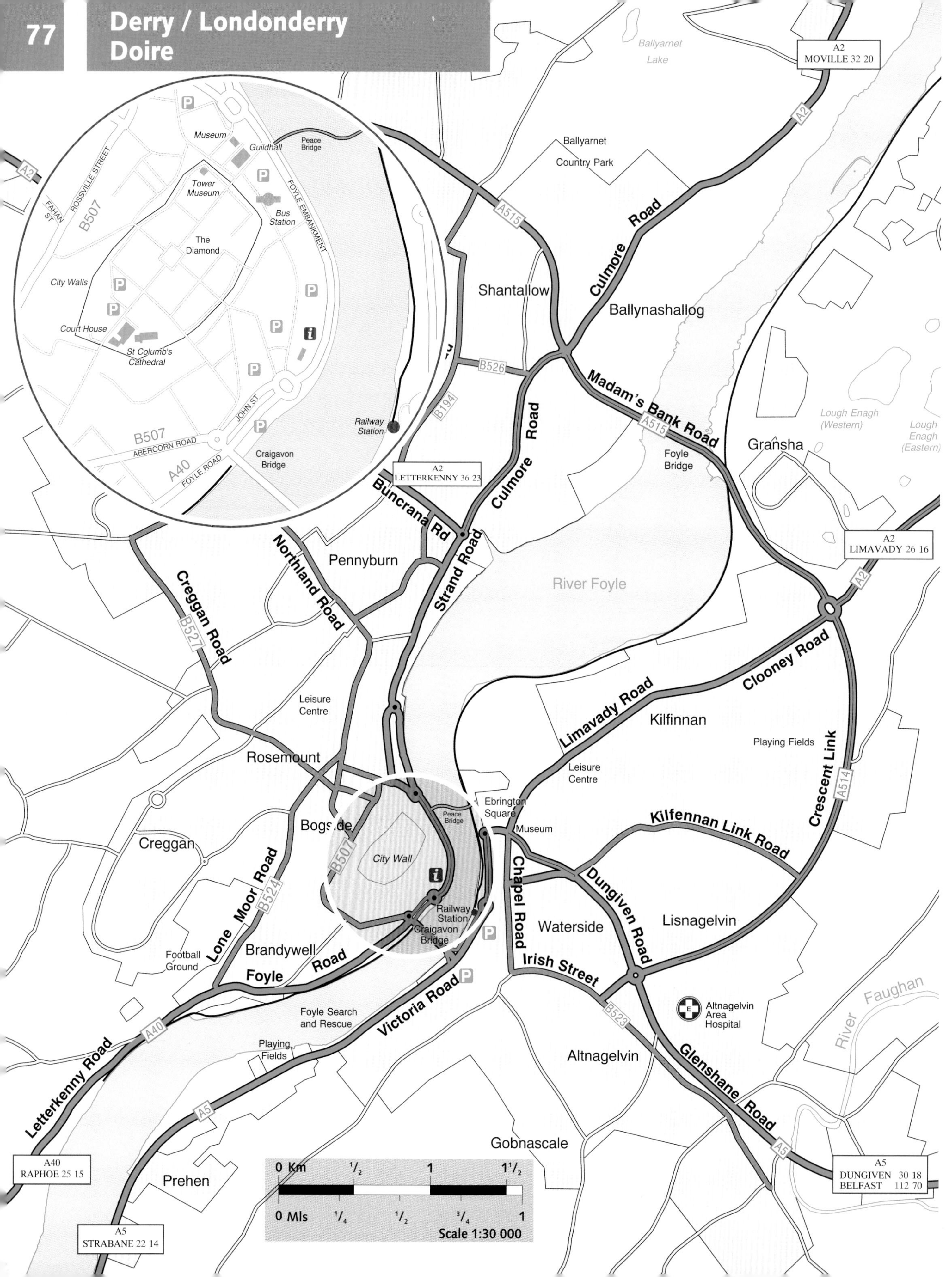

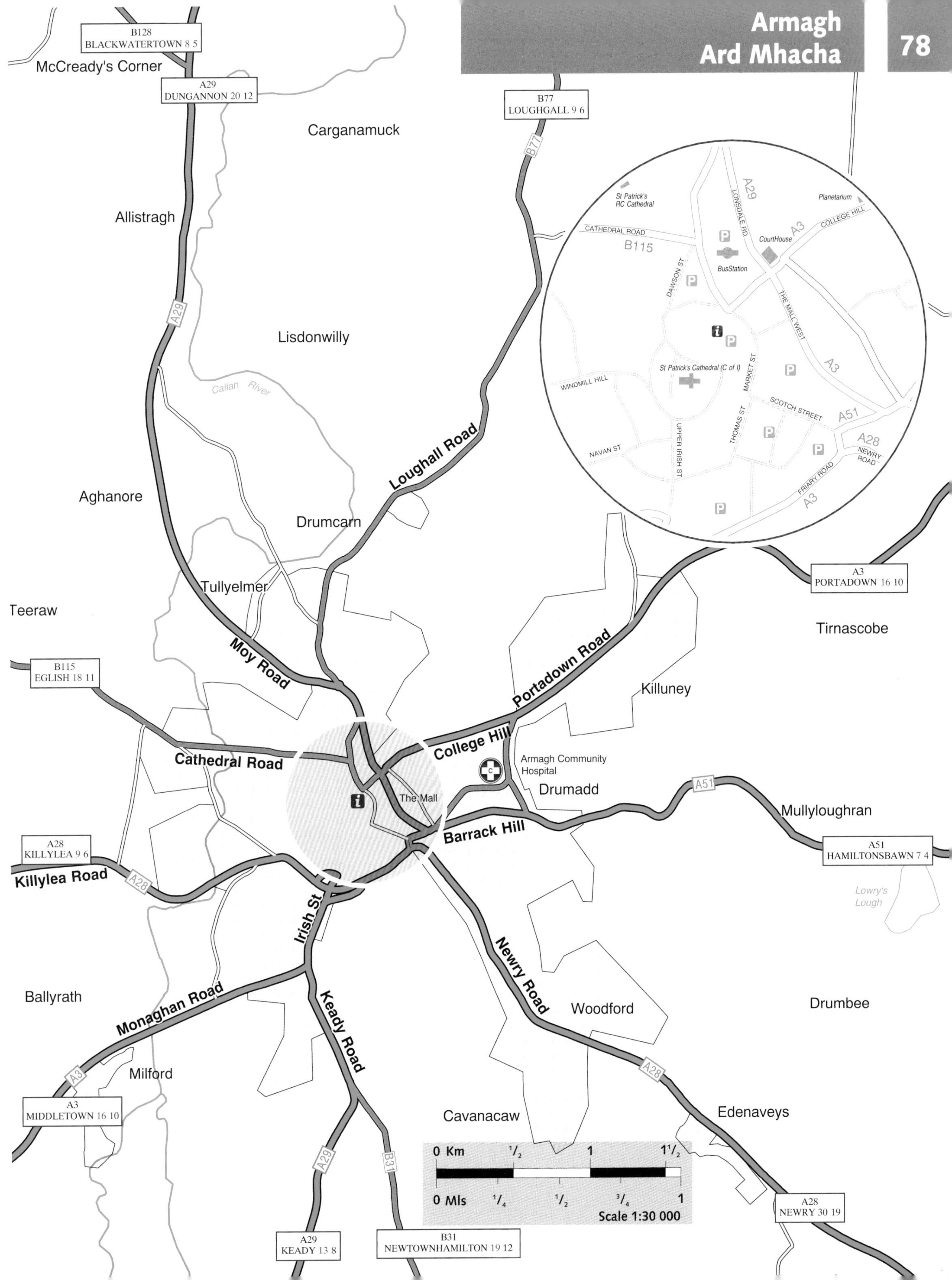
B128
BLACKWATERTOWN 8 5
McCready's Corner
A29
DUNGANNON 20 12
B77
LOUGHGALL 9 6
Carganamuck
Allistragh
Lisdonwilly
Callan River
Aghanore
Loughall Road
Drumcarn
Tullyelmer
Teeraw
Moy Road
B115
EGLISH 18 11
Cathedral Road
College Hill
Portadown Road
Killuney
A3
PORTADOWN 16 10
Tirnascobe
Armagh Community Hospital
Drumadd
The Mall
Barrack Hill
Mullyloughran
A51
HAMILTONSBAWN 7 4
Lowry's Lough
A28
KILLYLEA 9 6
Killylea Road
Irish St
Newry Road
Monaghan Road
Keady Road
Ballyrath
Woodford
Drumbee
Milford
A3
MIDDLETOWN 16 10
Cavanacaw
Edenaveys
A28
NEWRY 30 19
A29
KEADY 13 8
B31
NEWTONHAMILTON 19 12
0 Km
1/2
1
1 1/2
0 Mls
1/4
1/2
3/4
1
Scale 1:30 000
St Patrick's RC Cathedral
Planetarium
CATHEDRAL ROAD
B115
LONSDALE RD
COLLEGE HILL
CourtHouse
BusStation
DAWSON ST
THE MALL WEST
St Patrick's Cathedral (C of I)
WINDMILL HILL
MARKET ST
SCOTCH STREET
THOMAS ST
UPPER IRISH ST
NAVAN ST
NEWRY ROAD
FRIARY ROAD

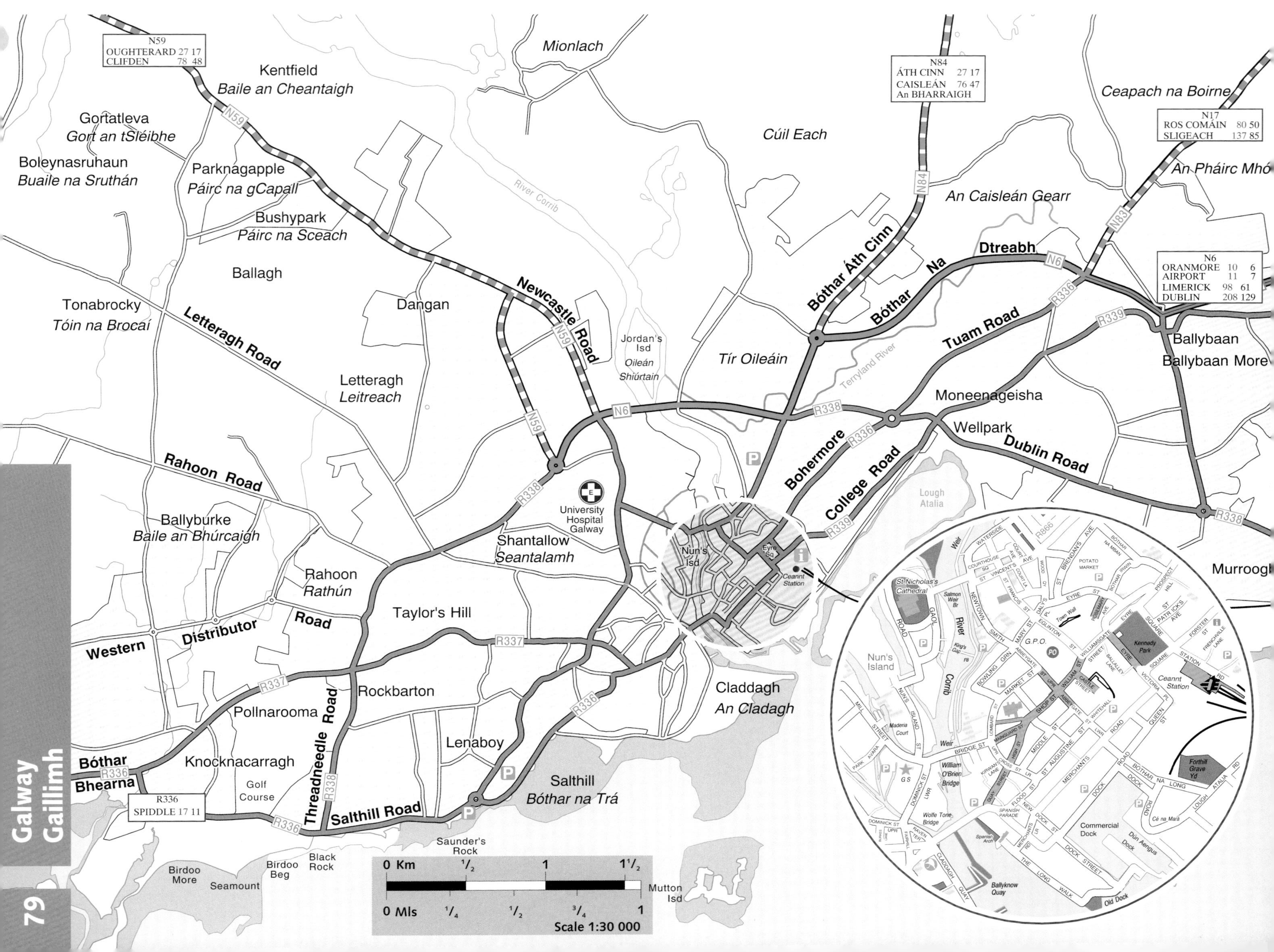

N59
OUGHTERARD 27 17
CLIFDEN 78 48
Mionlach
Kentfield
Baile an Cheantaigh
Gortatleva
Gort an tSléibhe
Boleynasruhaun
Buaile na Sruthán
Parknagapple
Páirc na gCapall
Bushypark
Páirc na Sceach
Ballagh
Tonabrocky
Tóin na Brocaí
Letteragh Road
River Corrib
Dangan
Letteragh
Leitreach
Newcastle Road
Jordan's Isd
Oileán Shiúrtáin
N84
ÁTH CINN 27 17
CAISLEÁN 76 47
An BHARRAIGH
Cúil Each
Ceapach na Boirne
N17
ROS COMÁIN 80 50
SLIGEACH 137 85
An Caisleán Gearr
Bóthar Áth Cinn
Bóthar Na Dtreabh
N6
ORANMORE 10 6
AIRPORT 11 7
LIMERICK 98 61
DUBLIN 208 129
Tír Oileáin
Terryland River
Tuam Road
Ballybaan
Ballybaan More
Moneenageisha
Wellpark
Dublin Road
Bohermore
College Road
Lough Atalia
Rahoon Road
University Hospital Galway
Ballyburke
Baile an Bhúrcaigh
Shantallow
Seantalamh
Nun's Isd
Eyre Sq
Ceannt Station
Rahoon
Rathún
Western Distributor Road
Taylor's Hill
Rockbarton
Pollnarooma
Claddagh
An Cladagh
Bóthar Bhearna
Knocknacarragh
Golf Course
Threadneedle Road
Lenaboy
Salthill
Bóthar na Trá
R336
SPIDDLE 17 11
Salthill Road
Saunder's Rock
Birdoo More
Seamount
Birdoo Beg
Black Rock
Mutton Isd
0 Km
1/2
1
1 1/2
0 Mls
1/4
1/2
3/4
1
Scale 1:30 000
St Nicholas's Cathedral
Nun's Island
Salmon Weir Br
River Corrib
Weir
Gaol Road
Newtown Smith
Courthouse Sq
Waterside
St Vincent's Ave
Court Ave
St Francis St
St Brendan's Ave
Potato Market
Bóthar Na mBan
Bóthar Irwin
Prospect Hill
Eglinton St
Mary St
G.P.O.
Town Wall
Eyre St
Rosemary Ave
Kennedy Park
Eyre Square
St Patrick's Ave
Forster St
Frenchville Lane
Station Rd
Ceannt Station
Victoria Pl
Queen St
Williamsgate Street
Ballalley Lane
William St
Castle Street
Abbeygate St
Shop St
Bowling Grn
Market St
Whitehall
Nun's Island St
Madeira Court
Mill St
Park Avara
G S
Dominick St
Lombard St
Bridge St
Weir
William O'Brien Bridge
Wolfe Tone Bridge
Quay Street
High St
Middle St
St Augustine St
Merchants Road
Dock Road
Bóthar Na Long
Lough Atalia Rd
Forthill Grave Yd
Cé na Mará
Flood St
Spanish Parade
Spanish Arch
Merchants Rd
Dock St
Commercial Dock
Dun Aengus Dock
Dock Street
The Long Walk
Claddagh Quay
Ballyknow Quay
Old Dock

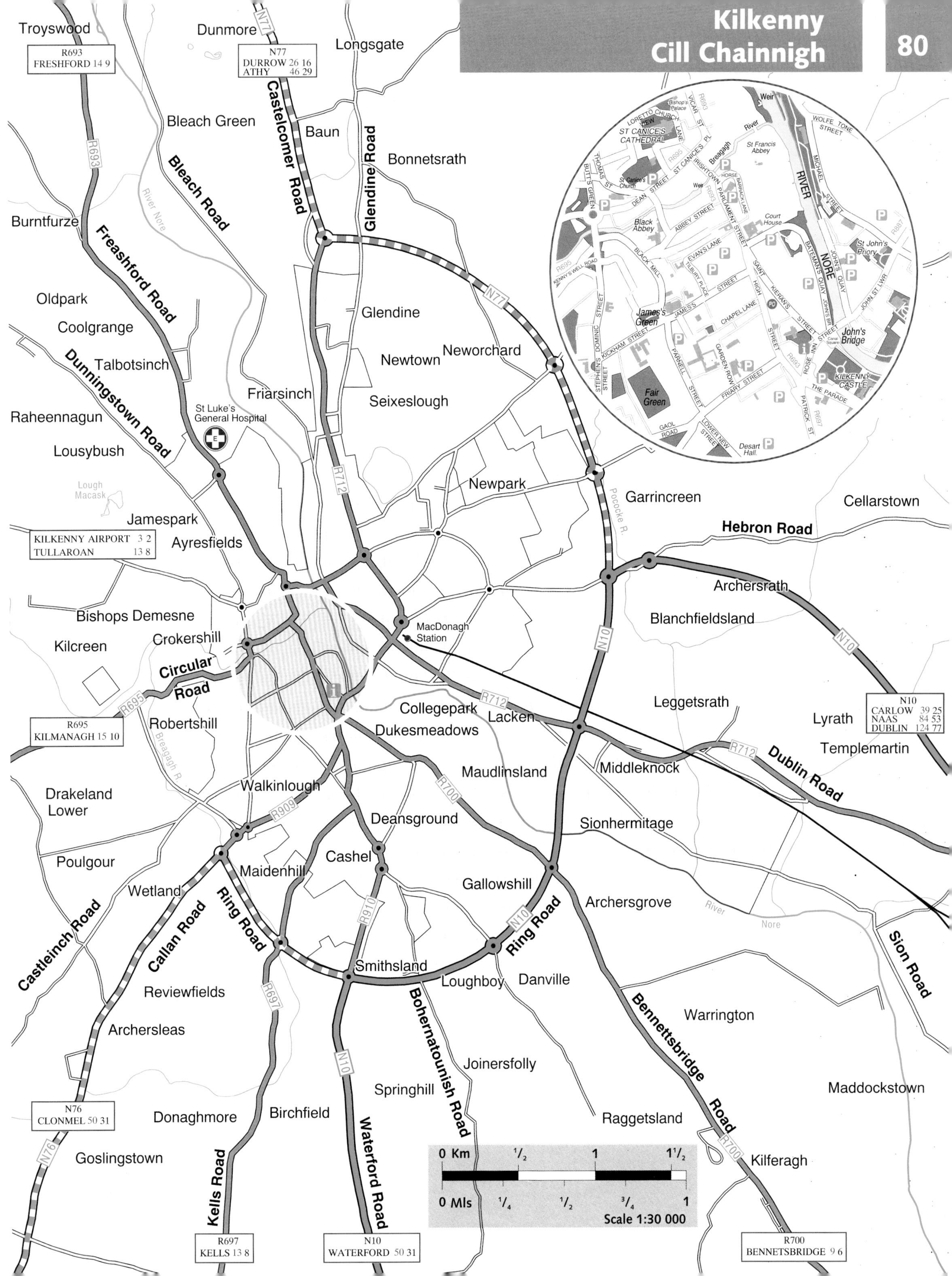
Troyswood
Dunmore
Longsgate
R693
FRESHFORD 14 9
N77
DURROW 26 16
ATHY 46 29
Bleach Green
Baun
Castlecomer Road
Glendine Road
Bonnetsrath
Bleach Road
Burntfurze
Freashford Road
River Nore
Oldpark
Coolgrange
Glendine
Dunningstown Road
Talbotsinch
Newtown
Neworchard
Friarsinch
Seixeslough
Raheennagun
St Luke's General Hospital
Lousybush
Lough Macask
Newpark
Garrincreen
Cellarstown
Pococke R.
Jamespark
KILKENNY AIRPORT 3 2
TULLAROAN 13 8
Ayresfields
Hebron Road
Archersrath
Bishops Demesne
Blanchfieldsland
MacDonagh Station
Kilcreen
Crokershill
Circular Road
R695
KILMANAGH 15 10
Robertshill
Breagagh R.
Collegepark
Lacken
Dukesmeadows
Leggetsrath
Lyrath
N10
CARLOW 39 25
NAAS 84 53
DUBLIN 124 77
Templemartin
R712
Dublin Road
Middleknock
Maudlinsland
Drakeland Lower
Walkinlough
R909
R700
Deansground
Sionhermitage
Poulgour
Cashel
Maidenhill
Gallowshill
Archersgrove
Wetland
River Nore
Castleinch Road
Callan Road
Ring Road
R910
Ring Road
Sion Road
Smithsland
Loughboy
Danville
Reviewfields
R697
Bohernatounish Road
Bennettsbridge Road
Warrington
Archersleas
Joinersfolly
Maddockstown
Springhill
N76
CLONMEL 50 31
Donaghmore
Birchfield
Raggetsland
Goslingstown
Waterford Road
Kilferagh
0 Km 1/2 1 1 1/2
0 Mls 1/4 1/2 3/4 1
Scale 1:30 000
Kells Road
R697
KELLS 13 8
N10
WATERFORD 50 31
R700
BENNETSBRIDGE 9 6
Weir
WOLFE TONE STREET
Bishop's Palace
LORETTO CHURCH
VIEW
ST CANICE'S CATHEDRAL
VICAR ST
River
St Francis Abbey
RIVER NORE
Breagagh
IRISHTOWN
ST CANICE'S PL
DEAN STREET
St Canice's Church
THOMAS ST
BUTT'S GREEN
Black Abbey
ABBEY STREET
PARLIAMENT STREET
Court House
BATEMAN'S QUAY
JOHN'S QUAY
St John's Priory
BLACK MILL
KENNY'S WELL ROAD
EVAN'S LANE
TILBURY PLACE
SAINT KIERAN'S STREET
HIGH STREET
JOHN ST LWR
James's Green
JAMES'S
CHAPEL LANE
John's Bridge
DOMINIC STREET
KICKHAM STREET
PARNELL STREET
GARDEN ROW
ROSE INN STREET
KILKENNY CASTLE
STEPHEN'S STREET
Fair Green
FRIARY STREET
THE PARADE
GAOL ROAD
LOWER NEW STREET
PATRICK ST
Desart Hall

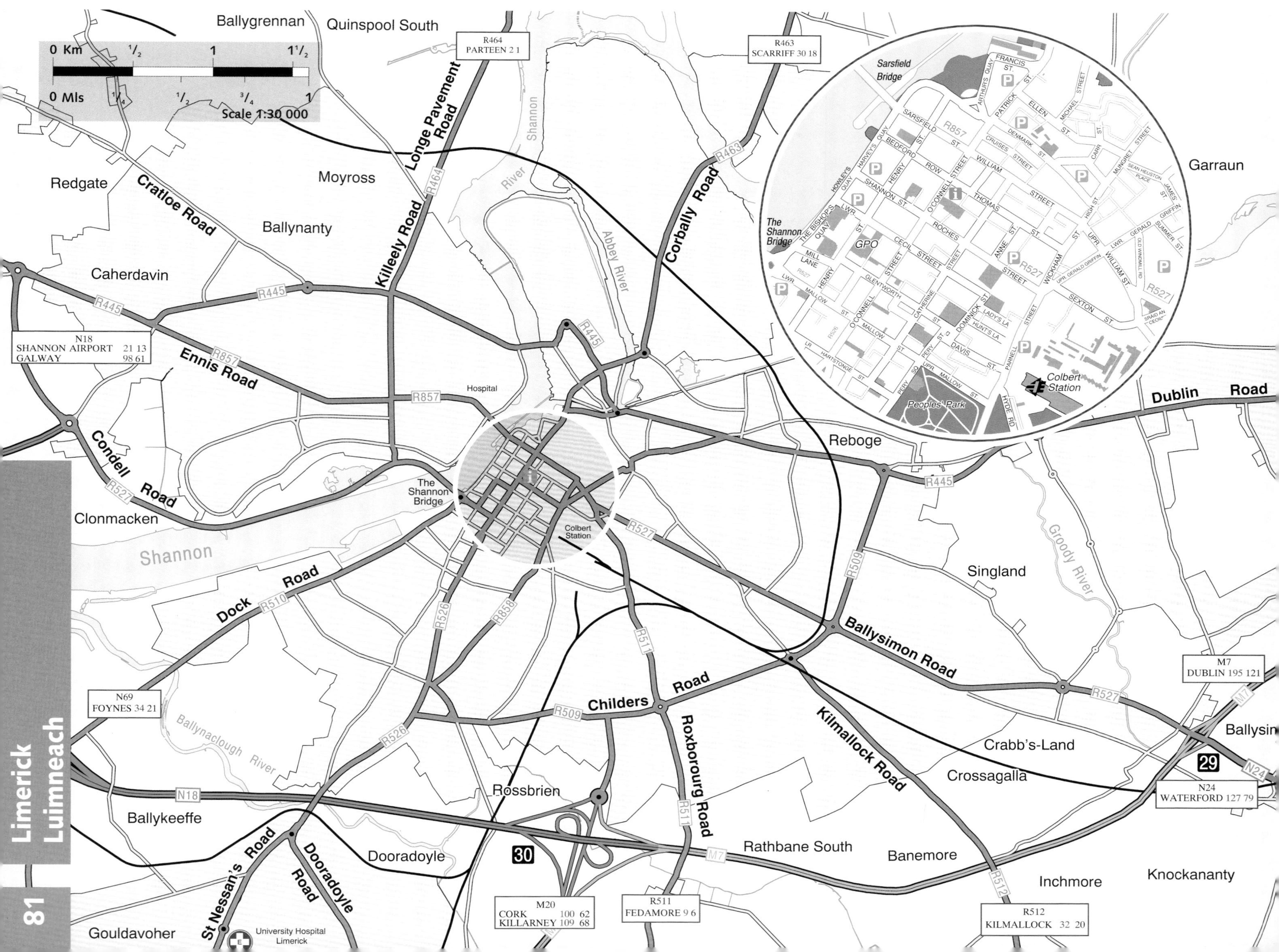

0 Km
1/2
1
1 1/2
0 Mls
1/4
1/2
3/4
1
Scale 1:30 000
Ballygrennan
Quinspool South
R464
PARTEEN 2 1
R463
SCARRIFF 30 18
Redgate
Cratloe Road
Moyross
Longe Pavement Road
Ballynanty
Killeely Road
Corbally Road
Caherdavin
N18
SHANNON AIRPORT 21 13
GALWAY 98 61
Ennis Road
Hospital
Condell Road
Clonmacken
The Shannon Bridge
Colbert Station
Shannon
River Shannon
Abbey River
Dock Road
Reboge
Dublin Road
Garraun
Singland
Groody River
Ballysimon Road
Childers Road
Roxborourg Road
Kilmallock Road
N69
FOYNES 34 21
Ballynaclough River
Rossbrien
Ballykeeffe
Dooradoyle
Dooradoyle Road
St Nessan's Road
University Hospital Limerick
Gouldavoher
30
M20
CORK 100 62
KILLARNEY 109 68
R511
FEDAMORE 9 6
Rathbane South
Banemore
Crabb's-Land
Crossagalla
Inchmore
Knockananty
R512
KILMALLOCK 32 20
M7
DUBLIN 195 121
N24
WATERFORD 127 79
29
Ballysin
R445
R857
R527
R510
R526
R858
R509
R511
R512
R463
R464
N18
M7
N24
Sarsfield Bridge
FRANCIS ST.
ARTHUR'S QUAY
PATRICK ST.
ELLEN ST.
MICHAEL STREET
SARSFIELD ST
DENMARK ST.
CARR ST.
MUNGRET STREET
SEAN HEUSTON PLACE
JAMES ST.
HARVEY'S QUAY
BEDFORD ROW
CRUISES STREET
WILLIAM STREET
HOWLEY'S QUAY
HENRY ST.
SHANNON ST.
O'CONNELL STREET
THOMAS STREET
The Shannon Bridge
THE BISHOP'S QUAY
LWR.
ROCHES STREET
HIGH ST.
UPR. WILLIAM ST.
LWR. GERALD GRIFFIN ST.
SUMMER ST.
OLD WINDMILL RD
GPO
CECIL STREET
ANNE ST.
MILL LANE
GLENTWORTH STREET
WICKHAM ST.
UPR. GERALD GRIFFIN
LWR. MALLOW ST.
CATHERINE ST.
DOMINICK ST.
LADY'S LA
HUNT'S LA
SEXTON ST.
SRAID AN CEOIL
O'CONNELL ST.
MALLOW ST.
PERY ST.
DAVIS ST.
PARNELL STREET
LR. HARTSTONGE ST.
PERY SQ.
UPR. MALLOW ST.
HYDE RD
Colbert Station
Peoples' Park

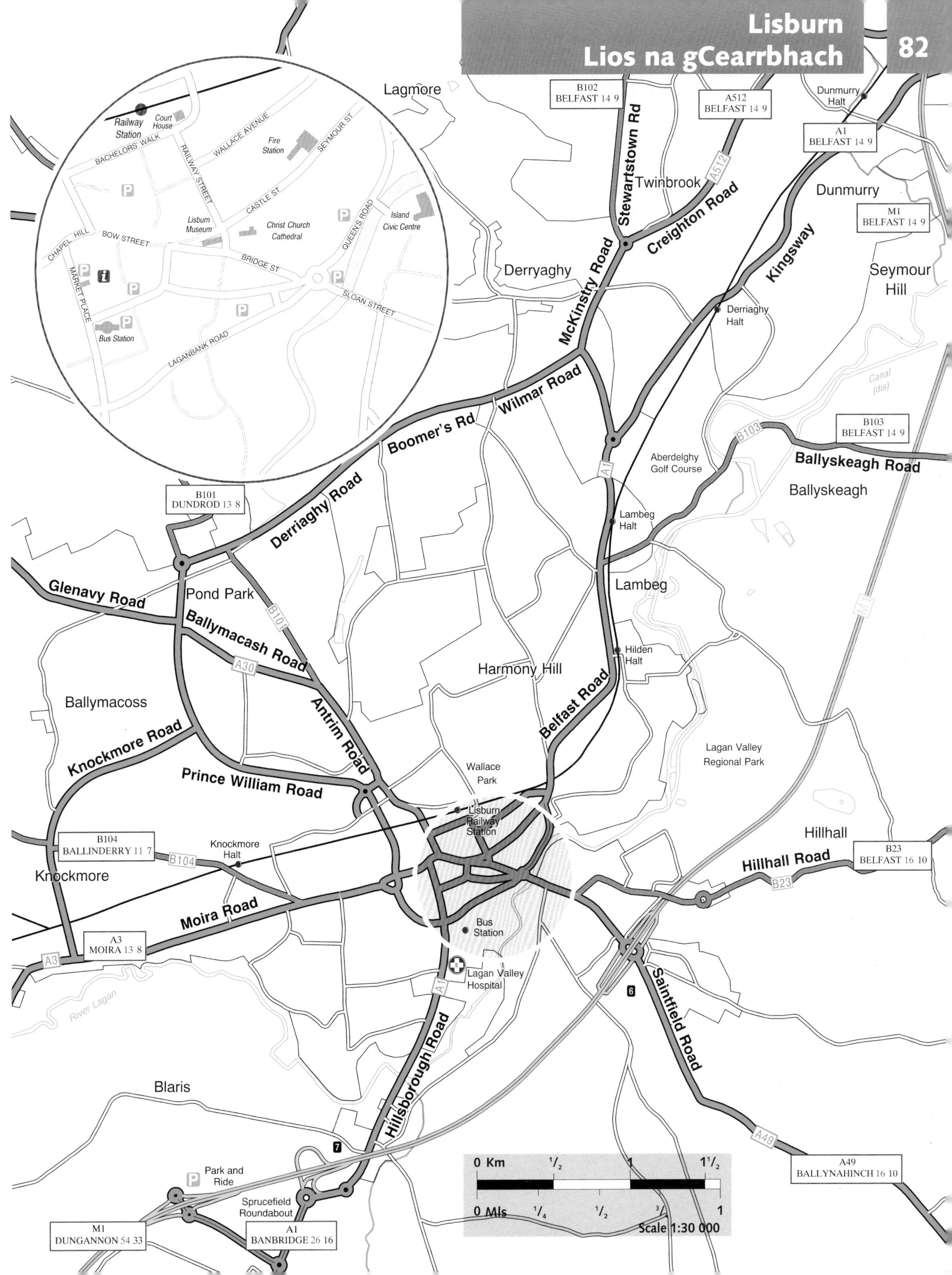
Railway Station
Court House
Bachelors' Walk
Railway Street
Wallace Avenue
Fire Station
Seymour St
Castle St
Lisburn Museum
Christ Church Cathedral
Queen's Road
Island Civic Centre
Chapel Hill
Bow Street
Bridge St
Market Place
Sloan Street
Bus Station
Laganbank Road
Lagmore
B102 BELFAST 14 9
A512 BELFAST 14 9
Dunmurry Halt
A1 BELFAST 14 9
Stewartstown Rd
Twinbrook
Creighton Road
Dunmurry
M1 BELFAST 14 9
Derryaghy
McKinstry Road
Kingsway
Seymour Hill
Derriaghy Halt
Wilmar Road
Boomer's Rd
Canal (dis)
B103 BELFAST 14 9
Ballyskeagh Road
Aberdelghy Golf Course
Ballyskeagh
B101 DUNDROD 13 8
Derriaghy Road
Lambeg Halt
Glenavy Road
Pond Park
Lambeg
Ballymacash Road
A30
B101
Hilden Halt
Harmony Hill
Ballymacoss
Antrim Road
Belfast Road
Knockmore Road
Lagan Valley Regional Park
Wallace Park
Prince William Road
Lisburn Railway Station
B104 BALLINDERRY 11 7
Knockmore Halt
B104
Hillhall
Hillhall Road
B23 BELFAST 16 10
B23
Knockmore
Moira Road
Bus Station
A3 MOIRA 13 8
A3
Lagan Valley Hospital
A1
River Lagan
Saintfield Road
Hillsborough Road
Blaris
A49
A49 BALLYNAHINCH 16 10
0 Km 1/2 1 1 1/2
0 Mls 1/4 1/2 3/4 1
Scale 1:30 000
Park and Ride
Sprucefield Roundabout
M1 DUNGANNON 54 33
A1 BANBRIDGE 26 16

Newry
An tIúr

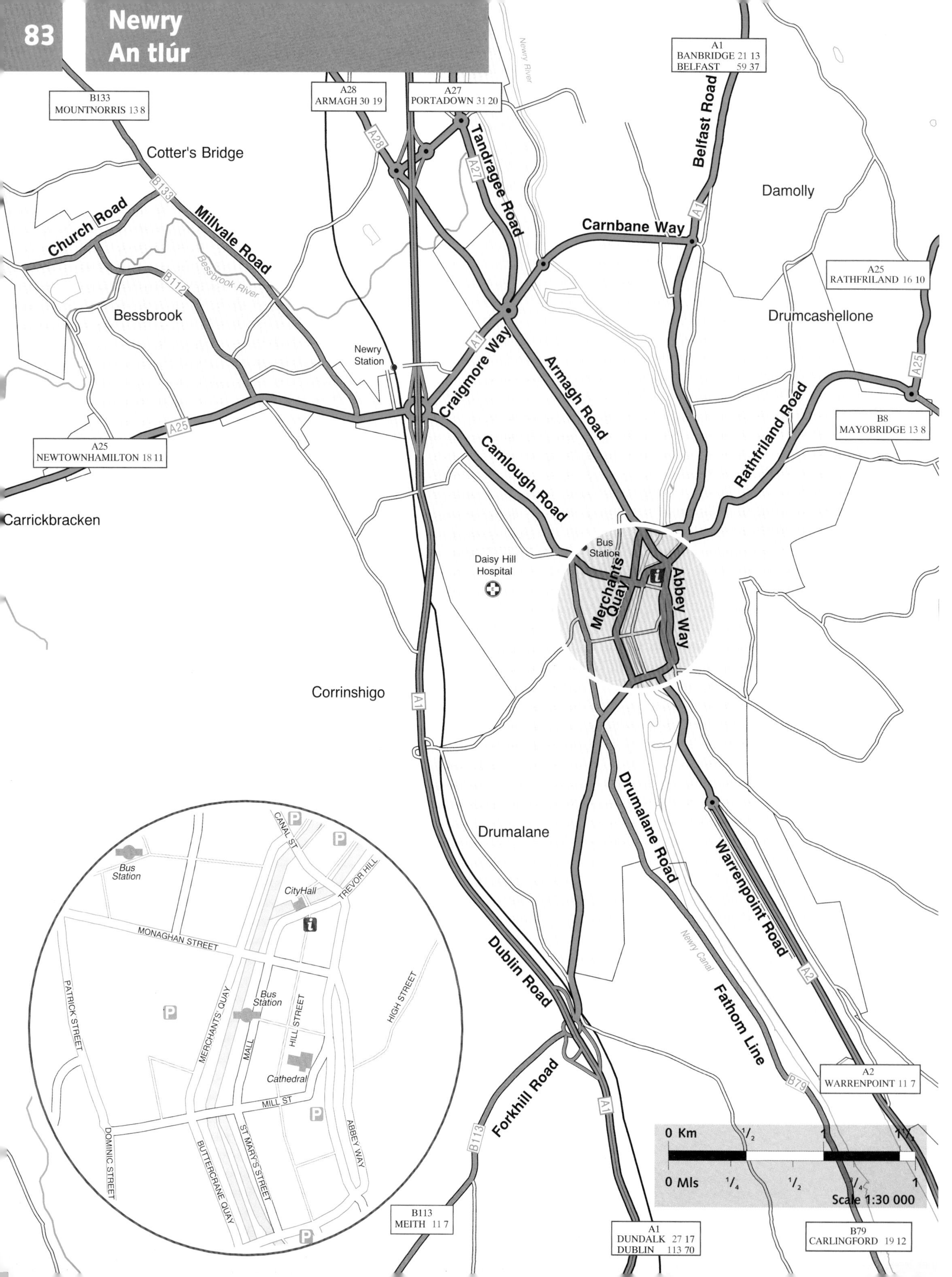

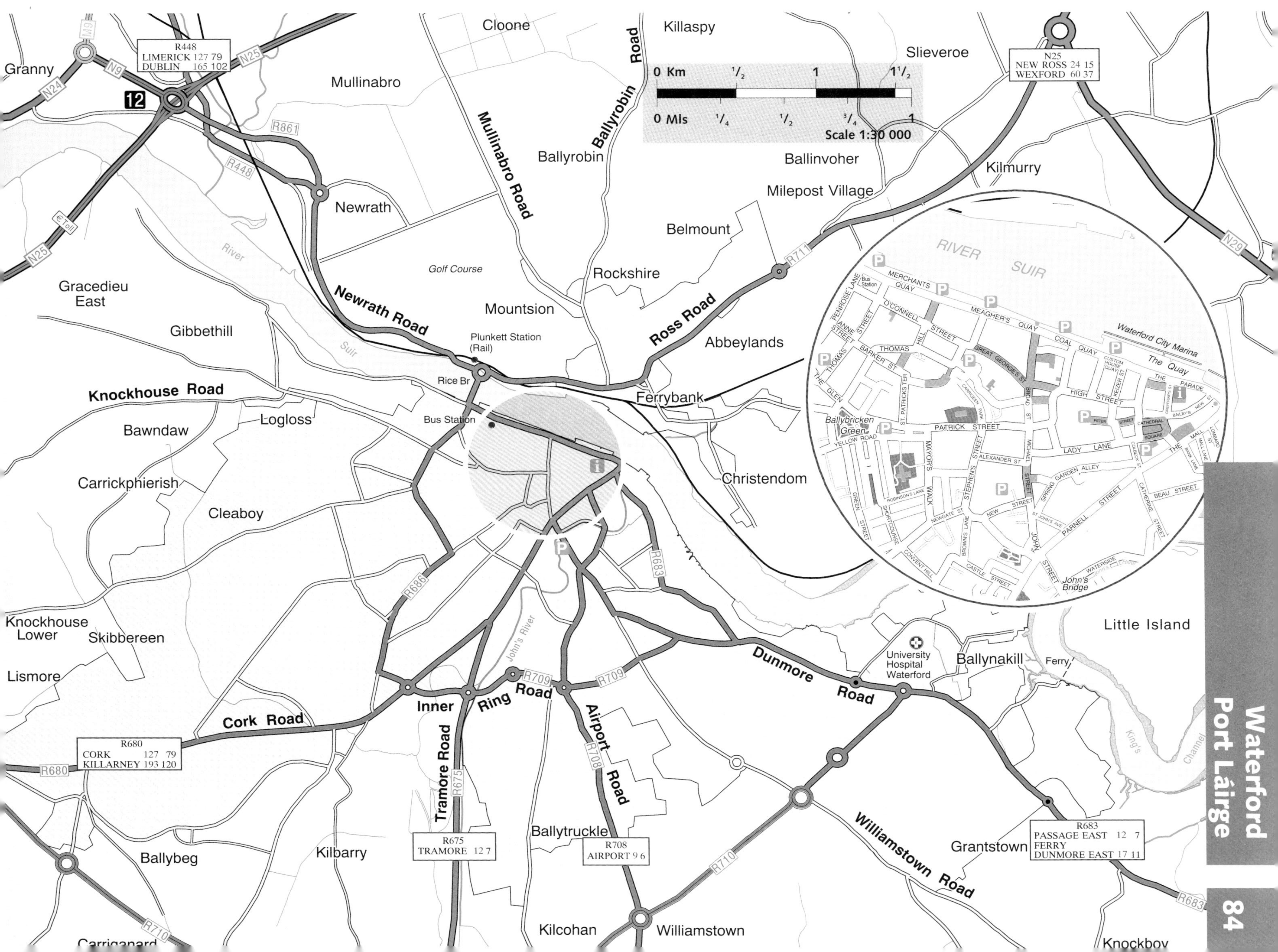
Granny
R448 LIMERICK 127 79 DUBLIN 165 102
M9
N9
N24
N25
12
R861
R448
€Toll
Mullinabro
Cloone
Killaspy
Slieveroe
N25 NEW ROSS 24 15 WEXFORD 60 37
0 Km
0 Mls
Scale 1:30 000
Mullinabro Road
Ballyrobin Road
Ballyrobin
Ballinvoher
Kilmurry
Milepost Village
Newrath
Belmount
N29
River
Golf Course
Rockshire
R711
Gracedieu East
Newrath Road
Mountsion
Ross Road
Gibbethill
Suir
Plunkett Station (Rail)
Abbeylands
Rice Br
Knockhouse Road
Ferrybank
Logloss
Bus Station
Bawndaw
Christendom
Carrickphierish
Cleaboy
R686
R683
RIVER SUIR
MERCHANTS QUAY
Bus Station
PENROSE LANE
ANNE STREET
O'CONNELL STREET
MEAGHER'S QUAY
COAL QUAY
Waterford City Marina
The Quay
THOMAS
BARKER ST
THOMAS HILL
GREAT GEORGE'S ST
CUSTOM HOUSE QUAY
THE PARADE
THE GLEN
ST PATRICKS TER
CARRIGEEN PARK
BROAD ST
HIGH STREET
KEIZER ST
GREYFRIARS ST
BAILEY'S
NEW ST
Ballybricken Green
YELLOW ROAD
PATRICK STREET
PETER STREET
CATHEDRAL SQUARE
THE MALL
MALL LANE
BANK LANE
LOMBARD ST
MAYOR'S WALK
ALEXANDER ST
MICHAEL STREET
LADY LANE
COLBECK ST
GARDEN ALLEY
SPRING
STEPHEN'S STREET
ROBINSON'S LANE
GREEN STREET
SHORTCOURSE
NEWGATE ST
NEW STREET
ST JOHN'S AVE
PARNELL STREET
CATHERINE STREET
BEAU STREET
CONVENT HILL
BROWN'S LANE
CASTLE STREET
JOHN STREET
WATERSIDE
John's Bridge
Knockhouse Lower
Skibbereen
Lismore
John's River
Little Island
University Hospital Waterford
Ballynakill
Ferry
Dunmore Road
R709
Inner Ring Road
Cork Road
R680 CORK 127 79 KILLARNEY 193 120
R680
Tramore Road
R675
Airport Road
R708
King's Channel
Williamstown Road
R710
Ballytruckle
R675 TRAMORE 12 7
R708 AIRPORT 9 6
Grantstown
R683 PASSAGE EAST 12 7 FERRY DUNMORE EAST 17 11
Ballybeg
Kilbarry
Kilcohan
Williamstown
Knockboy
Carriganard

It's never just one life
CRASHED LIVES

Never ever drink and drive.

#ForCiaran

You Tube

STOP.
HAVE A COFFEE.
TAKE A NAP.

If you feel tired whilst driving, don't ignore the signs.

STOP

RSA

#stopsipsleep

STOP. SIP. SLEEP.

An Garda Síochána

Ireland`s National Police Service

FATIGUE

Research indicates that driver fatigue could be a factor in 1 in 5 of driver deaths in Ireland.

The following are particularly at risk of suffering from fatigue :
Shift Workers (particularly night workers)
Lorry Drivers and Company Car Drivers

Whether it be "looking but not seeing" or the worst case scenario of actually falling asleep at the wheel, it is very easy to see the potential for carnage.

A "micro sleep", even for 4 seconds, means your vehicle has travelled 110 metres uncontrolled at 100kph.

Signs of Fatigue :
Drifting between traffic lanes, restlessness, yawning, feeling uncomfortable can all be tell tale signs of fatigue.

Reasons for Fatigue:
Are you on medication (prescribed or over the counter cures for flu etc) ?
Are you working shifts at times when you would normally be asleep ?
Are you getting less sleep than normal ?

Dealing with Fatigue :
Be well rested before a long journey, take regular breaks, have coffee or other drink containing caffeine, share the driving. These are the easiest way to avoid a fatigue related incident. If you are fatigued find a safe place to stop and take a short nap – no more than 15-20 mins. Resist the temptation when close to home to keep going – stop and take a break if you feel tired.

SPEED DETECTION

Speed checks are carried out across the road network – they may be static or mobile.
Penalties include fines and penalty points.

Take Heed – Don't Speed !

120 km/h

120 kph zones
These are only found on Motorways.This is the **MAXIMUM** speed permitted of any road in Ireland.

100 kph zones
These limits are found on National Roads, both Primary and Secondary. They may be single or multi lane carriageways.

80kph zones
Found on Local and Regional roads either single or multi-lane carriageways. This is the **MAXIMUM** permitted speed of ANY vehicle towing a trailer on any road

Outer approach roads to the city or towns or approaching a lower speed limit.

General built up areas

High risk to Vulnerable Road Users

Know your Speed Limits-Know your Speed!

Excessive or inappropriate speed is a major factor in fatal and serious collisions in Ireland.
Speed limits are simply the maximum speed a motorist can drive at legally at any location. The maximum speed would be appropriate in ideal conditions and should be reduced to take account of :

Traffic volumes – heavy congestion
Poor weather or road conditions
Inexperience on the part of the driver

DON'T IGNORE FATIGUE – THE CONSEQUENCES COULD PROVE FATAL !
SPEED LIMITS ARE NOT TARGETS !

A driver is obliged to drive their vehicle at a speed which will enable them to stop in the distance they can see ahead of them to be clear. Article 7 Road Traffic (Traffic and Parking) Regs 1997.

www.garda.ie/traffic

PEDESTRIANS

Never ever walk on a Motorway.

Wear bright clothing when walking during the hours of darkness and carry a torch.

Always use pedestrian crossing to cross the road when available.

When there is no footpath walk facing oncoming traffic (on the right).

Never cross the road in close proximity to a heavy goods vehicle.

Don't stand close to the edge of the footpath where HGV's are turning.

Stop look and listen before crossing the road .

CYCLISTS

See and be seen.
Wear bright clothing and/or a fluorescent bib, belt or jacket

Always wear a helmet

You must show a white light to the front and a red light to the rear as well as a red reflector to the rear during the hours of darkness.

Never cycle close to a HGV especially approaching a junction.

Obey the Rules of the Road – especially red lights and stop signs.

You must use cycle lanes where provided.

MOTORCYCLISTS / PILLIONS

Motorcycles account for about 1.5% of vehicles in Ireland but account for about 12% of fatalities.

Motorcyclists / pillions MUST wear an approved helmet.

Motorcyclists / pillions should make themselves visible wear bright reflective or high viz clothing and drive with dipped headlight on at all times.

Motorcyclists / pillions should wear protective clothing for their own safety.

Motorcyclists should be aware of their vulnerability and drive accordingly.

Motorcyclists should check their bikes regularly especially brakes, tyre tread depth and pressure , lights and horn.

Gazetteer

This Gazetteer lists cities, towns, villages and selected townlands in alphabetical order. The figure in bold red type immediately following the name is the number of the page on which the place appears and the alphanumeric reference indicates the appropriate grid square.
Example: Allenwood/Fiodh Alúine **35** B4 indicates that Allenwood will be found on page **35**, square B4.

A

Abbey/*An Mhainistir* **32** F2
Abbey/*An Mhainistir* **42** H1
Abbeydorney/*Mainistir Ó dTorna* **48** G4
Abbeyfeale/*Mainistir na Féile* **49** B4
Abbeylara/*Mainistir Leatghratha* **26** F4
Abbeyleix/*Mainistir Laoise* **44** G3
Abbeyshrule/*Mainistir Shruthla* **34** E1
Abington **50** H1
Achadh Dúin **13** B3
Achonry/*Achadh Conaire* **15** C5
Aclare/*Áth An Chláir* **24** E1
Acton **19** B2
Adamstown/*Maigh Arnai* **53** C4
Adare/*Áth Dara* **50** E2
Addergoole Co Mayo **23** D3
Adrigole/*Eadargóil* **66** G1
Aghaboe/*Achadh Bhó* **44** F3
Aghaboy **25** D3
Aghabullogue/*Achadh Bolg* **60** E4
Aghacashel **16** H5
Aghada **61** A5
Aghadiffin **24** F2
Aghadowey/*Achadh Dubhtaigh* **4** F4
Aghadown **67** A3
Aghagallon/*Achadh Gallan* **11** C5
Aghagower/*Achadh Ghobhair* **22** G3
Aghalee/*Achadh Lí* **11** C5
Aghamore/*Achadh Mór* Co Leitrim/*Liatroim* **25** C2
Aghamore/*Achadh Mór* Co Mayo/*Maigh Eo* **24** E3
Aghavas/*Achadh an Mheasa* **25** D1
Aghern **61** A2
Aghnacliff/*Achadh na Cloiche* **26** E3
Aghnamullen/*Achadh na Muileann* **18** F5
Agivey **4** F4
Aglish/*An Eaglais* Co Tipperary/*Tiobraid Árann* **43** B2
Aglish/*An Eaglais* Co Waterford/*Port Láirge* **61** D2
Ahafona **48** G2
Ahakista **66** G3
Ahascragh/*Áth Eascrach* **32** H3
Aherla/*An Eatharla* **60** F5
Ahoghill/*Achadh Eochaille* **11** B1
Ailladie **40** F1
Ailt an Chorráin/Burtonport **1** C5
Aldergrove/*An Garrán Fearnóige* **11** C4
Allen **35** B4
Allenwood/*Fiodh Alúine* **35** B4
Allihies/*Na hAitchi* **65** D2
Allistragh/*An tAilastrach* **18** H2
Alloon Lower **32** G3
Altnapaste **8** H2
An Baile Breac Ciarraí **57** D5
An Baile Dubh Ciarraí **57** D1
An Baile Iarthach **66** H4
An Baile Íochtarach **57** B1
An Baile Thíos/Ballyhees **40** E1
An Bun Beag/Bunbeg **1** D4
An Caiseal/Cashel/*Gaillimh*/Galway **30** E2
An Caiseal/Cashel Glebe **2** G2
An Chaothach **30** H4
An Charraig/Carrick **7** C4
An Cheathrú Rua/Carraroe **30** F4
An Chloch Bhreac/Cloghbrack *Gaillimh*/Galway **30** G1
An Chloich Mhóir/Cloghmore **21** C2
An Chorrchloch/Corclogh **13** B3
An Cionn Garbh **8** G1
An Clochán/Cloghane/*Ciarraí*/Kerry **47** D5
An Clochán/Cloghane *Dún na nGall*/Co Donegal **8** H2
An Clochán Liath/Dunglow **1** C5
An Clochar/Clogher/*Maigh Eo*/Mayo **13** B4
An Coimín/Commeen **8** H2
An Com Dubh **57** D1
An Corrán/Corraun **21** D2
An Doirín **21** D2
An Drom **47** D5
An Dúchoraidh/Doocharry **8** F1
An Dún Meánach **57** D2
An Eachléim/Aghleam **13** B4
An Eaglais **57** D2
An Fál Carrach/Falcarragh **2** E3
An Fhairche/Clonbur **30** G1
An Fheothanach/Feoghanagh **57** B1
An Fód Dubh/Blacksod **13** B5
An Geata Mór/Geata Mór **13** B4
An Ghlaise Bheag/Glashabeg **57** B1
An Goirtín **62** E3
An Gort Mór/Gortmore **13** B3
An Leadhb Gharbh/Leabagarrow **1** B5
An Lochán Beag/Loughaunbeg **30** G4
An Mám/Maum **30** F1
An Mhulríoch/Murreagh **57** B1
An Rinn/Ringville **62** E3
An Spidéal/Spiddle **30** H4
An Tearmann/Termon **2** G4
An Tír **47** D5
An Trian **22** G5
An tSraith **13** C4
An tSraith/Srah **22** H4
*Anagaire*Annagary **1** C5
Anascaul/*Abhainn an Scáil* **57** D1
Anglesborough **51** A4
Anlore **18** E4
Annacarriga **42** G4
Annacarty/*Áth na Cairte* **51** B2
Annaclone/*Eanach Cluana* **19** C2
Annacloy/*Áth na Cloiche* **20** F2
Annacotty **50** G1
Annacurragh **46** E4
Annagassan/*Áth na gCasán* **28** E2
Annagh Co Limerick **50** G1
Annagh Co Roscommon **24** G4
Annagh Neal **42** F3
Annaghmore **19** A1
Annaghmore/*Eanach Mór* **25** C5
Annahilt **20** E1
Annahugh **19** A1
Annalong/*Áth na Long* **20** E5
Annamoe/*Áth na mBó* **46** F2
Annaville **43** C2
Annayalla/*Eanaigh Gheala* **18** G4
Annestown/*Bun Abha* **62** H2
Annfield **43** C5
Annsborough/*Baile Anna* **20** E3
Antrim/*Aontroim* **11** C3
Araglin/*Airglinn* **61** B1
Archerstown/*Baile an Airsirigh* **26** H5
Ard Caorach **57** D5
Ard na Caithne/Smerwick **57** B1
Ardagh/*Ardach* Co Limerick/*Luimneach* **49** C3
Ardagh/*Ardach* Co Longford/*An Longfort* **26** E5
Ardagh/*Ardach* Co Meath/*An Mhí* **27** C2
Ardan **34** F4
Ardanew **35** B2
Ardara/*Ard an Rátha* **8** E2
Ardattin/*Ard Aitinn* **45** C5
Ardbane **8** F3
Ardboe **11** A4
Ardcath **28** E5
Ardconnell **48** F4
Ardcrony/*Ard Cróine* **43** A3
Ardee/*Baile Átha Fhirdhia* **27** D2
Ardfert/*Ard Fhearta* **48** F4
Ardfield/*Ard Ó bhFicheallaigh* **67** D3
Ardfinnan/*Ard Fhionáin* **51** C5
Ardglass/*Ard Ghlais* Co Down/*An Dún* **20** G3
Ardgroom/*Dhá Dhrom* **66** E1
Ardkeen/*Ard Caoin* **20** H1
Ardkill **23** C5
Ardlea **44** G2
Ardlougher/*Ard Luachra* **17** B5
Ardmore/*Aird Mhór* **61** D4
Ardmorney **34** F3
Ardnacrusha **42** F5
Ardnagunna **61** D1
Ardnasodan **32** E3
Ardpatrick/*Ard Pádraig* **50** G4
Ardra **61** A5
Ardrah Co Cork **67** A1
Ardrahan/*Ard Raithin* **32** E5
Ardress **19** A1
Ardscull **45** B2
Ardstraw/*Ard Sratha* **9** C3
Ardtrea/*Ard Tré* **10** H4
Arigna/*An Airgnigh* **16** G5
Arklow/*An tInbhear Mór* **46** G4
Arless **45** A3
Armagh/*Ard Mhacha* **18** H2
Armoy/*Oirthear Maí* **4** H3
Arney **17** B3
Arranagh **49** C4
Arthurstown/*Colmán* **53** B5
Articlave/*Ard an Chléibh* **4** E3
Artigarvan/*Ard Tí Garbháin* **9** C1
Artikelly **3** D4

Arvagh/*Ármhach* 26 E2
Ashbourne/*Cill Dhéagláin* 36 E1
Ashford 49 C4
Ashford/*Áth na Fuinseoige* 46 G2
Ashhill 51 D2
Askamore/*An Easca Mhór* 54 E1
Askanagap 46 E3
Askeaton/*Eas Géitine* 49 D1
Astee/*Eas Daoi* 48 H2
Athavallie 23 C3
Athboy/*Baile Átha Buí* 27 A5
Athea/*Áth an tSléibhe* 49 B3
Athenry/*Baile Átha an Rí* 32 F4
Athgarvan/*Áth Garbháin* 35 C5
Athlacca/*An tÁth Leacach* 50 F3
Athleague/*Áth Liag* 33 A1
Athlone/*Baile Átha Luain* 33 C2
Athnid 43 D5
Athy/*Baile Átha Í* 45 A2
Attanagh/*Áth Tanaí* 44 G4
Attical/*Áth Tí Chathail* 19 D5
Atticoffey 33 A4
Attiregan 32 H3
Attymass/*Áit Tí an Mheasaigh* 14 H5
Attymon/*Áth Tiomáin* 32 F3
Auburn 33 C1
Aucloggeen 31 D3
Aughacasla 48 E5
Augher/*Eochair* 18 E1
Aughfad 53 D5
Aughils 58 F1
Aughinish/*Eadargúil* 31 C5
Aughnacleagh 11 A1
Aughnacloy/*Achadh na Cloiche* 18 F1
Aughnasheelan 16 H5
Aughrim Co Clare 41 D2
Aughrim/*Eachroim*
Co Galway/*Gaillimh* 32 H4
Aughrim/*Eachroim*
Co Wicklow/*Cill Mhantáin* 46 F4
Avoca 46 G4
Avoca/*Abhóca* 46 G3

B

Baconstown 35 C2
Bagenalstown/*Mhuine Bheag* 45 B5
Baile an Éanaigh 57 B1
Baile an Fhairtéaraigh/Ballyferriter 57 B1
Baile an Bhúlaeraigh 57 C1
Baile an Lochaigh 57 C1
Baile an Mhuilinn 57 C1
Baile an Sceilg/Ballinskelligs 57 C5
Baile an Teampaill/Ballintemple 40 E1
Baile Bhuirne/Ballyvourney 59 B4
Baile Chláir/Claregalway 31 D3
Baile Ghib 27 C4
Baile Mhic Íre/Ballymakeery 59 C4
Baile na Finne/Fintown 8 G1
Baile na hAbhann Gaillimh 30 F4
Baile na nÁith 57 C1
Baile na Gall/Ballynagaul
Port Láirge/Waterford 62 E3
Baile na nGall/Ballydavid
Ciarraí/Co Kerry 57 B1
Baile Órthaí/Oristown 27 B4
Baile Reo 47 C5
Baile Thiar/West Town 1 D2
Baile Thoir/East Town 1 D2
Baile Uí Dhuinn 47 D5
Baileysmill/*Muileann Bhaile* 20 E1
Bailieborough/*Coill an Chollaigh* 27 A2
Balbriggan/*Baile Brigín* 28 G5
Balla 23 C3
Ballaba 42 E1
Ballady 68 G1
Ballagh Co Roscommon 25 B4
Ballagh Co Roscommon 33 B1
Ballagh Co Tipperary 51 B2
Ballagh Co Wexford 53 C4
Ballagh/*An Bealach*
Co Limerick/*Luimneach* 49 C4
Ballaghaderreen/*Bealach an Doirín* 24 F2
Ballaghbehy 49 B4
Ballaghboy 51 D2
Ballaghkeen/*An Bealach* 54 E3
Ballaghmore 44 E2
Ballaghnatrillick 16 E1
Ballard 34 F4
Ballardiggan 42 F1
Ballare 64 G3
Balleen 44 F5
Ballickmoyler/*Baile Mhic Mhaoilir* 45 A3
Ballilogue 53 A3
Balliea Co Westmeath 34 F1
Ballina Co Tipperary 42 H4
Ballina/*Béal an Átha*
Co Mayo/*Maigh Eo* 14 H5
Ballinaboy Co Cork 60 G5
Ballinaboy Co Galway 29 C2
Ballinabrackey/*Buaile na*
Bréachmhaí 34 H2
Ballinabranagh 45 A4
Ballinaclash/*An Chlais* 46 F3
Ballinadee/*Baile na Daibhche* 68 F1
Ballinafad/*Béal an Átha Fada* 24 H1
Ballinagar/*Béal na Glarr* 34 G4
Ballinagleragh/*Baile na gCléireach* 16 G4
Ballinakill/*Baile na Coille* 44 G3
Ballinalack/*Béal Átha na Leac* 26 F5
Ballinalee/*Béal Átha na Lao* 26 E3
Ballinamallard/*Béal Átha na Mallacht* 17 B1
Ballinameen/*Béal an Átha Mín* 24 H2
Ballinamore/*Béal an Átha Móir* 17 A5
Ballinascarty/*Béal na Scairte* 68 E2
Ballinasloe/*Béal Átha na Sluaighe* 33 A3
Ballinaspick 61 C2
Ballinclashet 68 H1
Ballinclay 53 D4
Ballincollig/*Baile an Chollaigh* 60 F4
Ballincor 43 B1
Ballincrea 53 A5
Ballincreeshig 60 G5
Ballincurrig/*Baile an Churraigh* 61 A3
Ballindaggan/*Baile an Daingin* 53 C2
Ballindangan 60 H1
Ballinderreen/*Baile an Doirín* 31 D5
Ballinderry Co Tipperary 43 A2
Ballinderry Lower/*Baile an Doire*
Co Antrim/*Aontroim* 11 C5
Ballinderry Upper/*Baile an Doire*
Co Antrim/*Aontroim* 11 C5
Ballinderry/*Baile an Doire*
Co Tipperary/*Tiobraid Árann* 43 A2
Ballindine/*Baile an Daighin* 23 D5
Ballindoon 16 E5
Ballindrait/*Baile an Droichid* 9 C2
Ballineen/*Béal Átha Fhínín* 67 D1
Ballinfull 15 D2
Ballingarrane 49 D2
Ballingarry/*Baile an Gharrai*
Co Limerick/*Luimneach* 50 E3
Ballingarry/*Baile an Gharraí*
Co Tipperary/*Tiobraid Árann* 43 B2
Ballingarry/*Baile an Gharraí*
Co Tipperary/*Tiobraid Árann* 52 F2
Ballinglen Co Wicklow 46 E4
Ballinglen/*Baile an Gleanna* 14 F3
Ballingurteen 67 C2
Ballinhassig/*Béal Átha an Cheasaigh* 60 G5
Ballinillaun 32 E4
Ballinkillin 53 B1
Ballinleeny 50 E3
Ballinlough/*Baile an Locha*
Co Meath/*An Mhí* 27 A4
Ballinlough/*Baile an Locha*
Co Roscommon/*Ros Comáin* 24 F4
Ballinluska 68 H1
Ballinmuck 25 D2
Ballinoroher 68 E2
Ballinphonta 40 F3
Ballinran 20 E5
Ballinree 43 B3
Ballinrobe/*Baile an Róba* 23 C5
Ballinruan/*Baile an Ruáin* 42 E3
Ballinspittle/*Béal Átha an Spidéil* 68 F2
Ballintober/*Baile an Tobair*
Co Mayo/*Maigh Eo* 22 H4
Ballintober/*Baile an Tobair*
Co Roscommon/*Ros Comáin* 24 H4
Ballintogher/*Bailean Tóchair* 16 E4
Ballintoy/*Baile an Tuaighe* 4 H2
Ballintra/*Baile an tSratha* 8 G5
Ballintubbert 45 A2
Ballinunty/*Baile an Fhantaigh* 52 E2
Ballinure/*Baile an Iúir* 51 D2
Ballinurra 52 F4
Ballinvarry 53 A3
Ballinveny 43 C4
Ballinvoher Co Cork 59 D5
Ballinvoher Co Cork 61 A1
Ballinvronig 68 F2
Ballitore/*Béal Átha an Tuair* 45 B2
Ballivor/*Baile Íomhair* 35 A1
Ballon/*Balana* 45 C5
Balloo 12 F5
Ballsmill/*Baile an gCléireach* 19 A5
Ballure 8 F5
Ballyagran/*Béal Átha Grean* 50 E4
Ballyallinan 49 D3
Ballybaun 53 B2
Ballybay/*Béal Átha Beithe* 18 G5
Ballybeg Co Tipperary 43 C4
Ballybeg/*An Baile Beag*
Co Tipperary/*Tiobraid Árann* 51 D5
Ballyboden 36 F4
Ballybofey/*An Eachléim* 9 A2
Ballyboggan 35 A2
Ballyboghil/*Baile Bachaille* 36 F1
Ballybogy/*Baile an Bhogaigh* 4 G3
Ballybornia 33 D2
Ballyboy 34 E5
Ballybrack Co Kildare 35 C3
Ballybrack Co Waterford 61 C3
Ballybristy 43 C5
Ballybrittas/*Baile Briotais* 44 H1
Ballybrood 50 H2

Ballybrophy/*Baile Uí Bhróithe* 44 E3
Ballybroughan 42 E5
Ballybryan 34 H3
Ballybunnion/*Baile an Bhuinneánaigh* 48 G2
Ballyburn 45 B3
Ballycahane 42 H5
Ballycahill/*Bealach Achaille* 51 C1
Ballycallan 52 G1
Ballycanew/*Baile Uí Chonnmhaí* 54 F1
Ballycar 42 F5
Ballycarney/*Baile Uí Chearnaigh* 53 D2
Ballycarry/*Baile Cora* 12 F2
Ballycashin 62 H1
Ballycastle/*Baile an Chaisil*
Co Mayo/*Maigh Eo* 14 G3
Ballycastle/*Baile an Chaistil*
Co Antrim/*An Aontroim* 4 H2
Ballyclare/*Bealach Cláir* 11 D2
Ballyclerahen 51 D4
Ballyclogh/*Baile Cloch* 60 E1
Ballycogly 54 E5
Ballycolla/*Baile Cholla* 44 F3
Ballycolman 61 B3
Ballycommon/*Baile Uí Chomáin* 43 A3
Ballycomy 44 H4
Ballyconneely/*Baile Conaola* 29 C2
Ballyconnell/*Béal Átha Conaill* 17 B5
Ballycotton/*Baile Choitín* 61 B5
Ballycrossaun/*Baile Crosáin* 33 A5
Ballycroy/*Baile Chruaich* 13 D5
Ballycullane Co Waterford 62 E2
Ballycullane/*Baile Uí Choileáin*
Co Wexford/*Loch Garman* 53 B5
Ballycullen 46 G2
Ballyculter 20 G2
Ballycumber/*Béal Átha Chomair* 34 E3
Ballydague 60 G2
Ballydaly 59 C2
Ballydangan/*Baile Daighean* 33 B3
Ballydavid 61 B5
Ballydavis 44 H1
Ballydehob/*Béal an Dá Chab* 66 H3
Ballydeloughy 60 H1
Ballydesmond/*Baile Deasumhan* 59 B1
Ballydonegan 65 D2
Ballydoogan 32 G5
Ballydoyle 60 G1
Ballydrenid 15 D3
Ballyduff /*An Baile Dubh*
Co Wexford/*Loch Garman* 54 E1
Ballyduff/*An Baile Dubh*
Co Kerry/*Ciarraí* 48 G3
Ballyduff/*An Baile Dubh*
Co Waterford/*Port Láirge* 62 G1
Ballyduff/*An Baile Dubh*
Co Waterford/*Post Láirge* 61 B2
Ballydugennan 11 B3
Ballyea 50 E2
Ballyeafy 61 B1
Ballyeaston/*Baile Uistín* 11 D2
Ballyeighan 43 C2
Ballyeighter 32 H4
Ballyfarnagh/*Bealach Fearna* 23 D3
Ballyfarnon 16 F5
Ballyfasy 53 A4
Ballyfeard/*Baile Feá Aird* 68 H1
Ballyfin/*An Baile Fionn*
Co Laois/*Laois* 44 F1
Ballyfin/*An Baile Fionn*
Co Wexford/*Loch Garman* 54 F1
Ballyforan/*Béal Átha Feorainne* 33 A2
Ballyfore 34 H3
Ballyfoyle 44 H5
Ballygally/*Baile Geithligh* 12 E1
Ballygar/*Béal Átha Ghártha* 32 H1
Ballygarran Co Waterford 62 F2
Ballygarrett/*Baile Ghearóid* 54 F2
Ballygarries 23 C4
Ballygarvan/*Baile Garbháin* 60 G5
Ballygawley/*Baile Uí Dhálaigh*
Co Sligo/*Sligeach* 16 E4
Ballygawley/*Baile Uí Dhálaigh*
Co Tyrone/*Tír Eoghain* 18 F1
Ballygeana 51 A4
Ballygelly 11 D1
Ballyglass West 24 G3
Ballyglass/*An Baile Glas*
Co Mayo/*Maigh Eo* 14 G3
Ballyglass/*An Baile Glas*
Co Mayo/*Maigh Eo* 23 C4
Ballyglass/*An Baile Glas*
Co Mayo/*Maigh Eo* 24 F2
Ballygorey 52 H5
Ballygorman 3 B1
Ballygortin 54 F2
Ballygowan/*Baile Mhic Gabhann* 12 F5
Ballygrady 60 E1
Ballygriffin 51 C2
Ballygub 53 A3
Ballygubba 50 F3
Ballyguyroe North 50 G5
Ballyhack 53 B5
Ballyhaght 50 F5
Ballyhahill/*Baile Dhá Thuile* 49 B2
Ballyhaise/*Béal Átha hÉis* 17 D5
Ballyhalbert/*Baile Thalbóid* 12 H5
Ballyhale/*Baile Héil*
Co Kilkenny/*Cill Chainnigh* 52 H3
Ballyhank 60 F5
Ballyhar/*Baile Uí Aichir* 58 H2
Ballyhaunis/*Béal Átha hAmhnais* 24 F3
Ballyhean/*Béal Átha hÉin* 22 H3
Ballyhear 31 D1
Ballyheelan/*Bealach an Chaoláin* 26 G3
Ballyheige/*Baile Uí Thaidhg* 48 F4
Ballyhenry 31 C1
Ballyhickey 42 E4
Ballyhoge/*Baile Uí Cheog* 53 D3
Ballyhomuck 52 H4
Ballyhoolahan 59 D1
Ballyhooly/*Baile Átha hUlla* 60 H2
Ballyhornan/*Baile Uí Chornáin* 20 G2
Ballyhugh Co Cavan 17 B5
Ballyjamesduff/*Baile Shéamais Dhuibh* 26 H2
Ballykean 34 G4
Ballykeel/*An Baile Caol* 19 D1
Ballykeeran/*Bealach Caorthainn* 33 C2
Ballykelly/*Baile Uí Cheallaigh* 3 D4
Ballykilleen 34 H4
Ballykilty 61 C4
Ballykinler 20 F3
Ballykinsella 63 B3
Ballyknockan 46 E1
Ballylanders/*Baile an Londraigh*
Co Cork/*Corcaigh* 61 B5
Ballylanders/*Baile an Londraigh*
Co Limerick/*Luimneach* 50 H4
Ballylaneen 62 G1
Ballylangley 68 F1
Ballyleen 62 G1
Ballyleny 19 A2
Ballylesson/*Baile na Leasán* 12 E5
Ballylickey 67 A1
Ballyliffin/*Baile Lifin* 3 A2
Ballyline 52 F2
Ballylinnen 44 H4
Ballylintagh 4 F4
Ballylongford/*Baile Átha Longfoirt* 49 A2
Ballylooby/*Beala Átha Lúbaigh*
Co Tipperary/*Tiobraid Árann* 50 H3
Ballylooby/*Beala Átha Lúbaigh*
Co Tipperary/*Tiobraid Árann* 51 C5
Ballylucas 54 E3
Ballylumford 12 F1
Ballylynan/*Baile Uí Laigheanáin* 45 A3
Ballymacarbry/*Baile Mhac Cairbre* 51 D5
Ballymacaw/*Baile Mhac Dháith* 63 B4
Ballymacelligot 48 H5
Ballymachugh 26 G3
Ballymackey/*Baile Uí Mhacaí* 43 B3
Ballymackilroy 18 F1
Ballymacmague 62 E2
Ballymacoda/*Baile Mhac Óda* 61 C4
Ballymacurly/*Baile Mhic Thorlaigh* 25 A4
Ballymacward/*Baile Mhic an Bhaird* 32 G3
Ballymagan 3 A3
Ballymagaraghy 3 C2
Ballymagorry/*Baile Mhic Gofraidh* 9 C1
Ballymahon/*Baile Uí Mhatháin* 33 D1
Ballymakenny 28 E3
Ballymanagh 32 F5
Ballymanus 26 G4
Ballymaquiff 42 E1
Ballymartin/*Baile Mhic Grolla Mhártain* 20 E5
Ballymartle 68 G1
Ballymena/*An Baile Meánach* 11 C1
Ballymoe/*Béal Átha Mó* 24 G4
Ballymoney Cross Roads 46 G5
Ballymoney/*Baile Monaidh* 4 G4
Ballymore Co Cork 61 A5
Ballymore Eustace/*An Baile Mór* 35 D5
Ballymore/An Baile Mór
Co Donegal/*Dún na nGall* 2 F3
Ballymore/*An Baile Mór*
Co Westmeath/*An Iarmhí* 34 E2
Ballymorris 62 H1
Ballymote/*Baile an Mhóta* 15 D5
Ballymount 45 C1
Ballymurn 54 E3
Ballymurphy/*Baile Uí Mhurchú* 53 B2
Ballymurragh 49 C4
Ballymurray/*Baile Uí Mhuirigh* 25 B5
Ballynabola 53 B4
Ballynabucky 32 E5
Ballynacally/*Baile na Caillí* 40 H5
Ballynacarriga/*Béal na Carraige* 67 C1
Ballynacarrigy/*Baile na Carraige* 34 F1
Ballynacarrow/*Baile na Cora* 15 D4
Ballynaclogh 43 B4
Ballynacole 61 B4
Ballynacorra 61 A4
Ballynacourty Co Cork 68 G1
Ballynacourty Co Waterford 62 F2

Ballynacree 26 H4
Ballynafid 26 G5
Ballynagaul Co Cork 60 H4
Ballynagore/*Béal Átha na nGabhar* 34 F3
Ballynagree 59 D3
Ballynagrumoolia 60 G5
Ballynaguilkee 61 D1
Ballynahinch/*Baile na hInse*
Co Down/*An Dún* 20 E1
Ballynahinch/*Baile na hInse*
Co Tipperary/*Tiobraid Árann* 42 H5
Ballynahowan Co Clare 40 F1
Ballynahown/*Buaile na hAbhann*
Co Westmeath/*An Iarmhí* 33 C3
Ballynahulla 59 B1
Ballynakill Co Carlow 53 B1
Ballynakill Co Offaly 34 H4
Ballynakill Co Westmeath 33 C2
Ballynakilla 66 F2
Ballynakilly 10 H5
Ballynamallaght 9 D2
Ballynamona Co Galway 33 A3
Ballynamona Co Wexford 53 C5
Ballynamona/*Baile an Móna*
Co Cork/*Corcaigh* 60 F2
Ballynamuddagh 60 H2
Ballynamult 61 D1
Ballynarry 26 G3
Ballynaskreena 48 G3
Ballynastangford/*Baile na Stanfard* 23 D4
Ballyneaner 10 E1
Ballyneety/*Baile an Fhaoitigh* 50 G1
Ballyneill/*Baile Uí Néill* 52 F4
Ballynennan 52 F2
Ballynoe Co Galway 32 H4
Ballynoe/*An Baile Nua*
Co Cork/*Corcaigh* 61 B3
Ballynure/*Baile an Iuir* 12 E2
Ballyorgan/*Baile Uí Argáin* 50 G5
Ballyoughter 54 F1
Ballyourane 67 A2
Ballypatrick/*Baile Phádraig* 52 E4
Ballyporeen/*Béal Átha Póirín* 51 B5
Ballyquin 52 G5
Ballyragget/*Béal Átha Ragad* 44 G4
Ballyrashane 4 F3
Ballyre 61 B3
Ballyreagh 18 G1
Ballyregan 68 G1
Ballyroan/*Baile Átha an Róine* 44 G3
Ballyrobert 12 F3
Ballyroddy 25 A3
Ballyroebuck 53 D1
Ballyronan/*Baile Uí Rónáin* 11 A3
Ballyroney/*Baile Uí Ruanaí* 19 D3
Ballyroon 66 F3
Ballyryan 45 B5
Ballysadare/*Baile Easa Dara* 15 D4
Ballyscullion 3 D3
Ballyshannon/*Béal Átha Seanaidh* 8 F5
Ballysheen 48 G4
Ballyshoneen 63 B3
Ballyshrule 42 H1
Ballysloe 52 E1
Ballysorrell 43 D4
Ballysteen 49 D1
Ballystrudder 12 F2
Ballyvaghan/*Baile Uí Bheacháin* 40 H1
Ballyvaldon 54 F3
Ballyvalode 51 A2
Ballyvaloon 60 F3
Ballyveal 45 B5
Ballyveera 51 C5
Ballyvisteen 50 H5
Ballyvoge/*Baile Uí Bhuaigh* 66 F4
Ballyvoneen 32 H2
Ballyvonnavaun 41 D4
Ballyvorane 68 H1
Ballyvoy 5 D2
Ballywalter/*Baile Bháltair* 12 H5
Ballyward 19 D3
Ballywildrick 4 E3
Ballywilliam Co Wexford 53 B3
Ballywilliam/*Baile Liam* 68 F2
Balnamore 4 G4
Balrath/*Baile na Ratha* 28 E5
Balrothery 28 G5
Balscaddan 28 F5
Baltimore/*Dún na Séad* 67 A4
Baltinglass/*Bealach Conglais* 45 C3
Baltovin 48 G4
Baltray/*Baile Trá* 28 F4
Banada 15 B5
Banada 24 E1
Banagher/*Beannchar* 33 B5
Banbridge/*Droichead na Banna* 19 C2
Bandon/*Droichead na Bandan* 68 F1
Banemore 48 H4
Bangor/*Baingear*
Co Mayo/*Maigh Eo* 13 D4
Bangor/*Beannchar*
Co Down/*An Dún* 12 G3
Banna 48 F4
Bannfoot 11 A5
Bansha Co Clare 40 H4
Bansha/*An Bháinseach*
Co Tipperary/*Tiobraid Árann* 51 B3
Banteer 59 D2
Bantry 67 A2
Baranailt 3 D5
Barefield/*Gort Lomán* 41 D3
Barloge 67 A4
Barna Co Limerick 50 H2
Barna Co Offaly 43 C3
Barnacahoge 24 E2
Barnacawley 24 G3
Barnaderg/*Beara Dhearg* 32 F2
Barnagowlane 67 A1
Barnalisheen 43 D5
Barnalyra 24 E2
Barnesmore/*An Gort Mór* 8 H3
Barnycarroll/*Bearna Chearuill* 23 D4
Barr na Trá/Barnatra 13 C3
Barrack Village 44 G5
Barraduff 59 A2
Barratoor 42 G1
Barrettstown 52 H3
Barrigone 49 C1
Barringtonsbridge 50 G1
Barrow 48 F5
Barry/Barraigh 25 D5
Barryroe 68 E3
Bartlemy 61 A3
Bastardstown 64 E3
Batterstown/*Baile an Bhóthair* 35 D2
Baughna 34 G2
Baulbrack/*Baile na nGall* 59 C5
Baunskeha 52 H3
Bauntlieve 40 G3
Bawnaneel 59 C1
Bawnboy Co Cork 67 A2
Bawnboy/*An Bábhún Buí*
Co Cavan/*An Cabhán* 17 B5
Bawnfune 51 D5
Bawnlahan 67 B4
Beagh 32 E1
Beal 48 G2
Béal an Átha Móir/Bellanamore 8 G1
Béal an Daingin/Bealadangan 30 F3
Béal an Mhuirthead/Belmullet 13 C3
Béal Átha an Ghaorthaidh/Ballingeary 59 B5
Béal Deirg/Belderg 14 E3
Bealaclugga/*Béal an Chloga* 40 H1
Bealaha 40 E5
Bealin/*Béal Linne* 33 D2
Beallanamullia/*Béal Átha na Muille* 33 B2
Bealnablath 60 E5
Bealnamorive 60 E4
Bearna/Barna 31 C4
Beaufort/*Lios an Phúca* 58 G2
Bective 35 C1
Behernagh 60 H3
Bekan/*Béacán* 24 E4
Belcarra/*Baile na Cora* 22 H3
Belclare/*Béal Chláir* 31 D2
Belcoo/*Béal Cú* 16 H3
Belfast/*Béal Feirste* 12 F4
Belgooly/*Béal Guala* 68 G1
Bellacorick/*Béal Átha Chomhraic* 14 E5
Bellagarvaun 22 E1
Bellaghy/*Baile Eachaidh* 11 A2
Bellahy 24 E1
Bellanacargy 17 D5
Bellanagare/*Béal Átha na gCarr* 24 H3
Bellanaleck/*Bealach na Leice* 17 B3
Bellananagh/*Béal Átha na nEach* 26 F2
Bellaneeny 33 B3
Bellanode/*Béal Átha an Fhóid* 18 F3
Bellavary/*Béal Átha Bhearaigh* 23 C2
Belleek/*Béal Leice*
Co Armagh/*Ard Mhacha* 19 A4
Belleek/*Béal Leice*
Co Fermanagh/*Fear Manach* 16 G1
Bellewstown/*Baile an Bheileogaigh* 28 E5
Bellmount 33 C4
Beltoy 12 F2
Beltra Co Mayo 22 G1
Beltra/*Béal Trá*
Co Sligo/*Sligeach* 15 C3
Belturbet/*Béal Tairbirt* 17 C5
Belvelly 60 H4
Benburb/*An Bhinn Bhorb* 18 H1
Bendooragh/*Bun Déurai* 4 G4
Bennekerry 45 B4
Bennettsbridge/*Droichead Binéid* 52 H2
Beragh/*Bearach* 10 E5
Berrings/*Biorainn* 60 F4
Bessbrook/*An Sruthán* 19 B4
Bettystown/*Baile an Bhiataigh* 28 F4
Bilboa/*Biolbó* 45 A4
Binn an Choma 57 B2
Birdhill/*Cnocán an Éin Fhinn* 42 H5
Birr/*Biorra* 43 C1
Bishoppshall 52 H5

Bishops Court 20 G2
Black 61 B1
Black Bull 36 E2
Black Lion 34 E5
Blackcastle/*An Caisleán Dubh* 51 D3
Blackhall 53 D4
Blacklion/*An Blaic* 16 H3
Blackpool/*An Linn Dubh* 50 G4
Blackrock/*An Charraig Dhubh*
Co Dublin/*Baile Átha Cliath* 36 G3
Blackrock/*An Dúcharraig*
Co Cork/*Corcaigh* 60 H4
Blackrock/*Na Creagacha Dubha*
Co Louth/*Lú* 28 E1
Blackwater Bridge 58 F5
Blackwater/*An Abhainn Dubh* 54 F3
Blackwatertown/*An Port Mór* 18 H1
Blackwood/*Coill Dubh* 35 B4
Blagh 4 F3
Blanchardstown/*Baile Bhlainséir* 36 E3
Blarney/*An Bhlarna* 60 G4
Bleary 19 B1
Blennerville/*Cathair Uí Mhóráin* 48 G5
Blessington/*Baile Coimín* 35 D5
Blue Ball/*An Phailís* 34 E5
Blueford 59 C1
Boardee 68 H1
Boardmills/*An Muileann Adhmaid* 20 E1
Bodyke/*Lúbán Díge* 42 G3
Bofeenaun 22 H1
Bog of the Ring 36 F1
Boggaun 43 D4
Boharboy 28 G1
Boher 50 G1
Boheraphuca 43 D2
Boherboy/*An Bóthar Buí*
Co Cork/*Corcaigh* 59 C1
Bohereen 50 G1
Boherlahan/*An Bóthar Leathan* 51 C2
Bohermeen/*An Bóthar Mín* 27 B5
Bohernarnane 51 B4
Boherquill 26 F4
Boherroe 50 H2
Boho/*Botha* 17 A2
Bohola/*Both Chomhla* 23 D2
Bolea/*Both Liath* 4 E4
Boleran 4 F4
Boley Co Laois 45 A3
Boley Co Wicklow 45 D4
Boleyvogue 54 E2
Bonnanaboigh 3 D5
Boolakennedy 51 B4
Borris in Ossory/*Buiríos Mór Osraí* 44 E3
Borris/*An Bhuiríos* 53 B1
Borrisokane/*Buiríos Uí Chéin* 43 B2
Borrisoleigh/*Buiríos Ó Luigheach* 43 C5
Boston 41 D2
Bóthar na Trá/Salthill 31 C4
Bottomstown 50 G3
Bottomy 26 F5
Bouladuff/*An Bhuaile Dhubh* 43 C5
Bovedy 4 F5
Bovevagh/*Boith Mhéabha* 3 D5
Boyle/*Mainistir na Búille* 24 H1
Boyounagh 24 F5
Brackagh 34 H4
Brackloon 24 H3
Bracklyn 34 H1
Bracknagh Co Roscommon 25 B5
Bracknagh/*Breacánach*
Co Offaly/*Uíbh Fhailí* 35 A5
Brackny 33 D5
Brackwanshagh 14 G5
Brahalish 66 G2
Brandrum 18 F3
Brannockstown/*Baile na mBreatnach* 45 C1
Bray/*Bré* 36 G5
Bready/*An Bhreadaigh* 9 C1
Breaghna 67 D1
Breaghva 48 G1
Bree/*Brí* 53 D3
Breeda 61 C3
Brickeens/*Na Broicíní* 24 E4
Brideswell/*Tobar Bríde* 33 B2
Bridge End/*Ceann an Droichid* 3 A4
Bridgeland 46 E4
Bridgetown Co Donegal 8 G4
Bridgetown/*Baile an Droichid*
Co Clare/*An Clár* 42 G5
Bridgetown/*Baile an Droichid*
Co Wexford/*Loch Garman* 64 E2
Brigh 10 H4
Briska 62 F1
Brittas/*An Briotás* 36 E4
Broadford Co Kildare 35 A2
Broadford/*Áth Leathan* 42 F4
Broadford/*Áth Leathan*
Co Limerick/*Luimneach* 49 D4
Broadway/*Gráinseach Iúir* 64 F3
Brockagh Co Londonderry 4 E5
Brockagh Co Wicklow 46 F2
Brockaghboy 4 F5
Brookeborough/*Achadh Lon* 17 C2
Brookville 51 A3
Broomfield/*Achadh an Bhrúim* 18 H5
Brosna/*An Bhrosnach*
Co Offaly/*Uíbh Fhailí* 43 C2
Brosna/*An Bhrosnach*/Co Kerry/*Ciarraí* 49 B5
Broughal 33 D5
Broughshane/*Bruach Sheáin* 11 C1
Brownstown Co Kildare 35 B5
Brownstown Co Meath 27 D5
Brownstown Co Waterford 63 B4
Bruckana 44 E5
Bruckless 8 E4
Bruff/*An Brú* 50 G3
Bruree/*Brú Rí* 50 F3
Bryansford/*Áth Bhriain* 20 E3
Buaile an Ghleanna 21 D2
Buckna 11 D1
Buckode 16 F1
Bulgaden/*Builgidin* 50 G4
Bullaun 32 G4
Bun an Churraigh/Bunacurry 21 C1
Bun na hAbhna/Bunnahowen 13 C4
Bun na Leaca/Brinlack 1 D3
Bunane 58 H5
Bunaw 58 F5
Bunbrosna/*Bun Brosnaí* 26 F5
Bunclody/*Bun Clóidí* 53 D1
Buncrana/*Bun Cranncha* 3 A3
Bundoran/*Bun Dobhráin* 16 F1
Bunglasha 58 E3
Bunlahy 26 E3
Bunmahon/*Bun Machan* 62 G2
Bunnafollistran 31 C1
Bunnaglass 42 F1
Bunnanaddan/*Bun an Fheadáin* 15 D5
Bunnyconnellan/*Muine Chonalláin* 15 A5
Bunratty 42 E5
Burnchurch 52 G2
Burncourt/*An Chúirt Dóite* 51 B5
Burnfoot/*Bun na hAbhann* 3 A4
Burnfort/*Ráth an Tóiteáin* 60 F2
Burnside 11 D2
Burren Bridge 20 E3
Burren/*Boirinn*/Co Clare/*An Clár* 31 C5
Burren/*Boirinn*/Co Clare/*An Clár* 40 H5
Burren/*Boirinn*/Co Down/*An Dún* 19 C4
Burrenfadda 40 G5
Burt 3 A4
Bushmills/*Muileann na Buaise* 4 G2
Butler's Bridge 17 C5
Butlerstown/*Baile an Bhuitléaraigh* 68 E3
Buttevant/*Cill na Mallach* 60 F1
Bweeng 60 F3

C

Cabragh/*An Chabrach* 10 G5
Cadamstown/*Baile Mhic Ádaim*
Co Kildare/*Cill Dara* 35 A3
Cadamstown/*Baile Mhic Ádaim*
Co Offaly/*Uíbh Fhailí* 44 E1
Caddy 11 B2
Caheny 4 F5
Caher Co Cork 66 F3
Caher/*An Chathair*/Co Clare/An Clár 42 F2
Caher/*An Chathair*
Co Tipperary/*Tiobraid Árann* 51 C4
Caheracruttera 58 E1
Caheradrine 32 E4
Caheragh 67 A2
Caherakillen 32 G4
Caherconlish/*Cathair Chinn Lis* 50 G2
Caherconnell 40 H2
Caherea 40 H5
Caherlistrane/*Cathair Loistréain* 31 D2
Cahermore Co Galway 42 E1
Cahermore/*Cathair Mhór*
Co Cork/*Corcaigh* 65 D2
Cahermuckee 67 A1
Cahermurphy 40 F5
Caherogan 40 F4
Caherphuca 32 E2
Cahersiveen/*Cathair Saidhbhín* 57 C4
Caim 53 C2
Cairncastle 12 E1
Caledon/*Cionn Aird* 18 G2
Callan/*Callain* 52 G2
Callow Co Roscommon 24 H2
Callow/*An Caladh*
Co Mayo/*Maigh Eo* 23 D1
Calry 16 E3
Caltra/*An Cheatrach* 32 H2
Caltraghlea 32 H3
Calverstown/*Baile an Chalbhaigh* 45 C1
Camas/Camus 30 F3
Camira 43 B3
Camlough/*Camloch* 19 B4
Camolin/*Cam Eolaing* 54 E1
Camp/*An Com* 58 E1
Campile/*Ceann Poill* 53 B5
Camross/*Camros* 44 E2
Canningstown/*Baile Chainín* 27 A1
Caolmhagh Beag 59 B5

Caorán an Bhiorla **30** G4
Cape Castle **4** H3
Cappagh Co Cork **60** H2
Cappagh Co Limerick **50** E2
Cappagh White/*An Cheapach* **51** A2
Cappagh/*An Chapóg*
Co Tyrone/*Tír Eoghain* **10** F5
Cappaghmore **41** D1
Cappagowlan **34** E5
Cappalinnan **44** E4
Cappamore/*An Cheapach Mhór* **50** H1
Cappataggle/*Ceapaigh an tSeagail* **32** H4
Cappeen **59** D5
Cappoquin/*Ceapach Choinn* **61** D2
Caran **24** H4
Carbury/*Cairbre* **35** A3
Cargan **5** D5
Carker **59** A1
Carland/*Domnach Carr* **10** G5
Carlanstown/*Droichead Chearbhalláin* **27** B4
Carlingford/*Cairlinn* **19** C5
Carlow/*Ceatharlach* **45** B4
Carn Co Londonderry **10** G1
Carn Co Westmeath **34** E2
Carna/Carna **29** D3
Carnagh/*Carranach* **18** H4
Carnalbanagh **11** D1
Carnalbanagh Sheddings **11** D1
Carnanreagh **10** E1
Carnaross/*Carn na Ros* **27** A4
Carndonagh/*Carn Domhnach* **3** B2
Carnew/*Carn an Bhua* **46** E5
Carney/*Carnaigh*
Co Tipperary/*Tiobraid Árann* **43** A2
Carney/*Fearann Uí Chearnaigh*
Co Sligo/*Sligeach* **15** D2
Carnlough/*Carnlach* **6** E5
Carnmoney/*Carn Monaidh* **12** E3
Carnteel/*Carn tSiail* **18** G1
Carracastle/*Ceathrú an Chaisil* **24** F1
Carragh/*Céarach* **35** C4
Carraghs **24** F4
Carraholly/*Ceathrú Chalaidh* **22** F3
Carraig Airt/Carrickart **2** G3
Carran Co Kilkenny **52** H1
Carran/*An Carn*/Co Clare/*An Clár* **40** H2
Carrick/*An Charraig* **53** C5
Carrickaboy/*Carraigigh Bhuí* **26** G2
Carrickashedoge **27** C2
Carrickboy/*An Charraig Bhuí* **26** E5
Carrickfergus/*Carraig Fhearghais* **12** F3
Carrickmacross/*Carraig Mhachaire* **27** C1
Carrickmines/*Carraig Mhaighin* **36** G4
Carrickmore or Termon Rock/
An Charraig Mhór **10** F4
Carrick-on-Shannon/*Cora Droma Rúisc* **25** B1
Carrick-on-Suir/*Carraig na Siúire* **52** F4
Carrickroe **18** F2
Carrig **43** C1
Carrigaday **48** E5
Carrigadrohid **60** E4
Carrigagulla **59** D3
Carrigaholt/*Carraig an Chnabhaltaigh* **48** G1
Carrigahorig/*Carraig an Chomhraic* **43** B1
Carrigaline/*Carraig Uí Leighin* **60** H5
Carrigallen/*Carraig Álainn* **26** E1
Carrigan/*An Carraigín* **26** F2
Carriganimmy/*Carraig an Ime* **59** C3
Carriganroe **51** B5
Carrigans/*An Carraigin* **3** A5
Carrigatogher/*Carraig an Tóchair* **42** H4
Carriggower **46** G1
Carrigkerry **49** C3
Carrignavar/*Carraig na bhFear* **60** G3
Carrigtohill/*Carraig Thuathail* **61** A4
Carrow **51** B2
Carrowclare **3** D4
Carrowdore/*Ceathrú Dobhair* **12** G4
Carrowduff Co Clare **40** F2
Carrowduff Co Roscommon **24** H4
Carroweden **15** C4
Carrowkeel **3** B3
Carrowkeel Co Galway **32** G5
Carrowkeel Co Mayo **22** H5
Carrowkeel/*An Cheathrú Chaol*
Co Donegal/*Dún na nGall* **2** H3
Carrowkeelanahglass **24** F5
Carrowkennedy **22** F4
Carrowkennedy **22** F4
Carrowmenagh **3** C2
Carrowmore Co Galway **31** D5
Carrowmore Co Mayo **23** D5
Carrowmore Co Sligo **15** C5
Carrowmore/*Ceathrú Mhór Leacan*
Co Mayo/*Maigh Eo* **14** G3
Carrowmoreknock/ *CeathrúMhór*
an Chnoic **31** C2
Carrownacon **23** C4
Carrowpadeen **15** A3
Carrowreagh **33** A3
Carrowrory **33** C1
Carryduff/*Ceathrú Aodha Duibh* **12** E5
Cashel Co Carlow **53** B1
Cashel Co Laois **44** G2
Cashel Co. Galway **24** F5
Cashel Glebe **2** G2
Cashel/*Caiseal*
Co Tipperary/*Tiobraid Árann* **51** C2
Cashelgarran/*Caiseal an Ghearráin* **15** D2
Cashla **32** E3
Casla/Costelloe **30** F4
Cassagh **53** B4
Castlebaldwin/*Béal Átha*
an gCarraigíní **16** E5
Castlebar/*Caisleán an Bharraigh* **22** H2
Castlebellingham/*Baile*
an Ghearlánaigh **28** E2
Castleblakeney/*Gallach* **32** G2
Castleblayney/*Baile na Lorgan* **18** G5
Castlebridge/*Droichead an Chaisleáin* **54** E4
Castlecat/*Caiseal Cait* **4** G3
Castlecaulfield/*Baile Uí Dhonnaile* **10** G5
Castlecomer/*Caisleán an Chomair* **44** H4
Castleconnell/*Caisleán Uí Chonaill* **42** G5
Castleconor **14** H4
Castlecoote **24** H5
Castlecor/*Caisleán na Cora* **60** E1
Castlecove/*An Siopa Dubh* **57** D5
Castlecuffe **34** E5
Castledawson/*An Seanmhullach* **11** A2
Castlederg/*Caisleán na Deirge* **9** B3
Castledermot/*Diseart Diarmada* **45** B3
Castledockrell **53** D2
Castleellis **54** E3
Castlefinn/*Caisleán na Finne* **9** B2
Castlefreke **67** D3
Castlegal **16** E1
Castlegregory/*Caisleán Ghriaire* **48** E5
Castlehill Co Mayo **14** G5
Castlehill/*Caorthannán*
Co Mayo/*Maigh Eo* **22** E1
Castleisland/*Oilean Ciarraí* **59** A1
Castlejordan/*Caisleán Shuirdáin* **34** H3
Castleknock/*Caisleán Cnucha* **36** E3
Castleleiny/*Caisleán Laighnigh* **43** D4
Castlemaine/*Caisleán na Mainge* **58** G1
Castlemartyr/*Baile na Martra* **61** B4
Castleplunket/*Lois Lachna* **24** H4
Castlepollard/*Baile na gCros* **26** G4
Castlequin **57** C3
Castlerahan **26** H3
Castlerea/*An Caisleán Riabhach* **24** G3
Castlereagh **12** E4
Castlerock/*Carraig Ceasail* **4** E3
Castleroe **4** F4
Castleshane/*Caisleán an tSiáin* **18** G3
Castletown Bearhaven/*Baile*
Chaisleáin Bhéarra **66** E2
Castletown Co Clare **40** H2
Castletown Geoghegan **34** F2
Castletown/*Baile an Chaisleáin*
Co Laois/*Laois* **44** F2
Castletown/*Baile an Chaisleáin*
Co Limerick/*Luimneach* **50** E3
Castletown/*Baile an Chaisleáin*
Co Meath/*An Mhí* **27** C3
Castletown/*Baile an Chaisleáin*
Co Westmeath/*An Iarmhí* **26** G4
Castletown/*Baile an Chaisleáin*
Co Wexford/*Loch Garman* **46** G5
Castletown/*Baile Chaisleáin*
Chinn Eich/Co Cork/*Corcaigh* **67** D1
Castletownroche/*Baile Chaisleáin*
an Róistigh **60** G1
Castletownshend/*Baile an Chaisleáin* **67** B3
Castleville **23** D5
Castlewarren/*Caisleán an Bhairinnigh* **45** A5
Castlewellan/*Caisleán Uidhilín* **20** E3
Cathair Dónall/Caherdaniel **65** D1
Causeway/*An Tóchar* **48** G3
Cavan/*An Cabhán* **26** G1
Cavangarden **8** F5
Caves **51** B5
Cé Bhréanainn/Brandon **47** D5
Ceancullig **67** B2
Ceann Trá/Ventry **57** B1
Ceathrú an Chaisleáin/Castlequarter **31** D3
Ceathrú Thaidhg/Carrowteig **13** D2
Cecilstown/*Baile an Bhriotaigh* **60** E1
Celbridge/*Cill Droichid* **35** D3
Chaffpool **15** C5
Chanonrock **27** D1
Chapel **53** C3
Chapel Street **15** C4
Chapeltown/*An Caol*
Co Kerry/*Ciarraí* **57** B4
Chapeltown/*Baile an tSéipéil*
Co Down/*An Dún* **20** G3
Charlemont **18** H1
Charlestown/*Baile Chathail* **24** E1
Charleville/*An Ráth* **50** F4
Cheekpoint/*Pointe na Síge* **53** A5

Cherryville 35 A5
Chesney's Corner 11 B2
Church Bay 61 A5
Church Cross/*Cnoc na Rátha* 67 A3
Church Hill/*An Droim Meánach* Co Tyrone/*Tír Eoghain* 9 A4
Church Hill/*Mín an Lábain* 48 F5
Church Hill/*Mín an Lábáin* Co Donegal/*Dún na nGall* 2 F5
Church Town/*Tulaigh an Iúir* 3 A5
Churchboro Cross 33 B1
Churchstreet 24 H2
Churchtown 10 H3
Churchtown Co Wexford 63 C4
Churchtown Co Wexford 64 G3
Churchtown/*Baile an Teampaill* Co Cork/*Corcaigh* 50 F5
Churchtown/*Baile an Teampaill Theas* Co Cork/*Corcaigh* 61 B5
Cill Bhreacáin 30 F3
Cill Bhríde/Kilbride 27 B5
Cill Charthaigh/Kilcar 7 D4
Cill Chiaráin/Kilkieran 30 E3
Cill Cholmáin 62 E3
Cill Chuáin 57 B1
Cill Chuimín Ciarraí 47 D5
Cill Éinne/Kileany 39 D1
Cill Mhuirbhigh/Kilmurvy 30 E5
Cill na Martra 59 C4
Cill Rónáin/Kilronan 39 D1
Cill Urlaí 57 C5
Cinn Mhara/Kinvarra 30 F3
Cionn Caslagh/Kincaslough 1 C5
Clabby/Clabaigh 17 D1
Claddaghduff/*An Cladach Dubh* 29 B1
Clady Co Londonderry 11 A1
Clady/*Clódigh* Co Tyrone/*Tír Eoghain* 9 B2
Cladymilltown/*Baile an Mhuillinn* 19 A3
Claggan 22 E1
Clane/*Claonadh* 35 C4
Clara/*Clóirtheach* 34 E3
Clarahill 34 F5
Clare/*An Clár* 19 B2
Clarecastle/*Droichead an Chláir* 41 D4
Clareen/An Cláirín 43 D1
Claremorris/*Clár Chlainne Mhuiris* 23 D4
Clarina/*Clár Aidhne* 50 E1
Clarinbridge/*Droichead an Chláirín* 32 E4
Clash 43 B3
Clash North 49 B3
Clash South 49 B3
Clashdrumsmith 51 A3
Clashmore/*Clais Mhór* 61 D3
Clashroe 52 G5
Claudy/*Clóidigh* 10 E1
Clawinch 25 B5
Cleggan/*An Cloigeann* 29 C1
Clenagh 41 D5
Cleristown 53 D5
Clerragh 24 G3
Clifden/*An Clochán* 29 C1
Clifferna/*An Chliaifearna* 26 H1
Cliffony/*Cliafuine* 16 E1
Clogga Co Kilkenny 52 H5
Clogga Co Wicklow 46 G5
Clogh Co Laois 44 F3
Clogh Co Limerick 49 D2
Clogh Co Wexford 54 F1
Clogh/*An Chloch* Co Antrim/*Aontriom* 4 H5
Clogh/*An Chloch* Co Kilkenny/*Cill Chainnigh* 44 H4
Cloghan Co Westmeath 34 H1
Cloghan/*An Clochán* Co Offaly/*Uíbh Fhailí* 33 C5
Cloghane Co Cork 66 F4
Cloghans Hill 23 D5
Clogharinka Co Kilkenny 44 H5
Clogharinka Co Offaly 35 A3
Cloghaun Co Clare 40 F5
Cloghaun Co Galway 31 D3
Cloghboley/*Clochbhuile* 15 D2
Cloghbrack Co Meath 35 A1
Cloghcor 9 C1
Clogheen/*An Chloichín* Co Tipperary/*Tiobraid Árann* 51 D5
Clogheen/*An Chloichín* Co Waterford/*Port Láirge* 51 C5
Clogher 22 G3
Clogher Co Mayo 22 H4
Clogher Co Roscommon 25 B2
Clogher/*Clochar* Co Tyrone/*Tír Eoghain* 18 E1
Cloghera 42 F5
Clogherhead/*Ceann Chlochair* 28 F3
Cloghey/*Clochaigh* 20 H1
Cloghfin 10 F5
Cloghjordan/*Cloch Shiurdáin* 43 B3
Cloghpook 44 H5
Cloghran/*Clochrán* 36 F2
Cloghvoula 49 B5
Clohamon/*Cloch Amainn* 53 D1
Clohernagh 63 B3
Clologe 54 E1
Clomantagh 44 F5
Clonakenny/*Cluain Uí Chionaoith* 43 C3
Clonakilty/*Cloich na Coillte* 67 D2
Clonalea 43 B4
Clonalvy/*Cluain Ailbhe* 28 E5
Clonard Co Cork 61 C4
Clonard/*Cluain Ioraird* Co Meath/*An Mhí* 35 A2
Clonard Great 54 E5
Clonascra 33 C3
Clonaslee/*Cluain na Slí* 34 F5
Clonavoe 34 H4
Clonbern/*Cluain Bheirn* 32 F1
Clonbulloge/*Cluain Bolg* 35 A4
Cloncagh/*Cluain Cath* 49 D3
Cloncrave 34 H2
Cloncreen 34 H4
Cloncullen 34 E1
Cloncully 44 E2
Clondalkin/*Cluain Dolcáin* 36 E3
Clondrohid 59 C4
Clondulane 61 A2
Clonea/*Cluain Fhia* 52 F5
Clonee/*Cluain Aodha* 36 E2
Cloneen Co Offaly 34 G3
Cloneen/*An Cluainín* Co Tipperary/*Tiobraid Árann* 52 E3
Clonegall/*Cluain na nGall* 45 D5
Clonelly 9 A5
Clones/*Cluain Eois* 18 E4
Clonfert/*Cluain Fearta* 33 B4
Clongeen 53 C5
Clonincurragh 44 F2
Clonkeen 44 G2
Clonkeen Co Kerry 59 A3
Clonkeenkerrill 32 F3
Clonlost/*Cluain Loiste* 34 H1
Clonmacnoise/*Cluain Mhic Nóis* 33 C3
Clonmany/*Cluain Maine* 3 A2
Clonmeen 44 E4
Clonmel/*Cluain Meala* 52 E4
Clonmellon/*Ráistín* 27 A5
Clonmore Co Louth 28 E3
Clonmore Co Tipperary 43 D4
Clonmore/*Cluain Mhór* Co Carlow/*Ceatharlach* 45 D4
Clonmult 61 B3
Clonoe 10 H5
Clonony 33 C4
Clonoulty 51 C1
Clonroche/*Cluain an Róistigh* 53 C3
Clonsilla/*Cluain Saileach* 36 E3
Clontarf/*Cluain Tarbh* 36 F3
Clontibret/*Cluain Tiobrad* 18 G4
Clontubbrid 44 F5
Clonvaraghan 20 E2
Clonycavan 35 A1
Clonygowan/*Cluain na nGamham* 34 G5
Clonyquin 34 G5
Cloonacauneen 31 D4
Cloonacool/*Cluain na Cúile* 15 B5
Cloonagh 26 F3
Cloonbrennaun 24 G5
Clooncah 25 B5
Cloondaff 22 G1
Cloondara/*Cluain Dá Ráth* 25 C4
Cloone Grange 25 D2
Cloone/*An Chluain* 25 D1
Clooneagh 25 C3
Clooneen 26 F3
Clooney 8 E2
Cloonfad Co Roscommon 24 F4
Cloonfad/*Cluain Fada* Co Roscommon/*Ros Comáin* 33 B4
Cloonfallagh/*Cluain Falach* 24 E3
Cloonfeagh 40 H4
Cloonfinish 24 E1
Cloonfower 24 F3
Cloonkeelaun 15 A4
Cloonkeen Co Galway 24 G4
Cloonkeen Co Mayo 22 H3
Cloonkeen Co Roscommon 24 G5
Cloonkeevy/*Cluain Ciabhaigh* 15 D5
Cloonlara/*Cluain Lára* 42 G5
Cloonlee 23 D3
Cloonloogh/*Cluain Lua* 24 H1
Cloonlusk 51 A2
Cloonmurray 25 A4
Cloonnacat 24 F5
Cloonsheever 24 G3
Cloontia/*Na Cluainte* 24 F1
Cloontuskert 25 B4
Cloonusker 42 G3
Cloonycarney 15 A3
Cloonymorris 32 H4
Cloonyogan 25 A4
Cloonyquin/*Cluain Uí Choinn* 25 A3
Closh 44 E2
Clough/*An Cloch* 20 F2
Cloughduv 60 E5

Cloughmills/*Muileann na Cloiche* **4** H1
Cloverhill **17** D5
Cloyne/*Cluain* **61** B5
Cnoc an Bhróigín **57** C1
Cnoc an tSionnaigh **22** G5
Cnoc na Lobhar **13** D3
Cnocán na Líne/Knocknalina **13** C3
Co Antrim/*An Aontroim* **4** H2
Coachford/*Áth an Chóiste* **60** E4
Coagh/*An Cuach* **10** H4
Coalbrook/*Glaise an Ghuail* **52** E1
Coalisland/*Oileán an Ghuail* **10** H5
Coan/*An Cuan* **44** H4
Cobh/*An Cóbh* **61** A5
Coill an tSiáin/Killateeaun **22** G5
Coill Uachtair **31** C3
Colbinstown/*Baile Choilbín* **45** C2
Colehill/*Cnoc na Góla* **26** E5
Coleraine/*Cúil Raithin* **4** F3
Colestown **53** D4
Collinstown/*Baile na gCailleach* **26** H5
Collon **27** D3
Collooney/*Cúil Mhuine* **15** D4
Colman **51** D3
Colmanstown/*Baile Uí Chlúmháin* **32** F3
Colp **28** F4
Comber/*An Comar* **12** F5
Commaun **43** B5
Commons Co Cork **60** E5
Commons/*Na Coimíní*
Co Tipperary/*Tiobraid Árann* **52** F1
Cong/*Conga* **30** H1
Conlig/*An Choinleic* **12** G4
Conna/*Conaithe* **61** B2
Connemara **29** C2
Connolly/*Fioch Rua* **40** G4
Connonagh **67** C3
Connor/*Coinnire* **11** C2
Convoy/*Conmhaigh* **9** B1
Cookstown/*An Chorr Chríochach* **10** H4
Cool **61** C1
Coolagary **34** H4
Coolaney/*Cúil Áine* **15** C4
Coolanheen **61** D2
Coolattin **46** E5
Coolbaun/*An Cúl Bán* **44** H4
Coolbaun/*An Cúl Bán*
Co Tipperary/*Tiobraid Árann* **43** A2
Coolboy/*An Cúl Buí*
Co Donegal/*Dún na nGall* **2** G5
Coolboy Co Tipperary **51** A5
Coolboy/*An Cúl Buí*
Co Wicklow/*Cill Mhantáin* **46** E5
Coolderry/*Cúl Doire* **43** D2
Coole Abbey **61** A2
Coole/*An Chuil* **26** G4
Coolea **60** H2
Coolgrange **52** H1
Coolgreany/*Cúil Ghréine* **46** F5
Coolgreen **60** H3
Coolinny **60** H2
Coollegreane **16** G4
Coolmeen/*Cúil Mhín* **49** B1
Coolmore **8** F5
Coolnafarna **24** F4
Coolnagun **26** F4
Coolock **36** F3
Coolrain/*Cúil Ruáin* **44** E2
Coolroe **54** F2
Coolross **43** B1
Coolsallagh **60** H5
Coolshaghtena **25** B5
Coomleagh **67** B1
Coonagh **50** F1
Cooneen/*An Cúinnín* **17** D2
Cooraclare/*Cuar an Chláir* **40** F5
Coorleagh **45** A5
Coosane **66** H3
Cootehall/*Uachtar Thíre* **25** A1
Cootehill/*Muinchille* **18** E5
Coralstown/*Baile Mhic Cearúill* **34** H2
Corbally Co Clare **40** E5
Corbally/*An Corrbhaile*
Co Sligo/*Sligeach* **15** A4
Corbet **19** C2
Corcreeghagh **27** D1
Corcullin **14** E5
Cordal/*Cordal* **59** A1
Cordarragh **22** F4
Corduff/*An Chorr Dubh* **35** B4
Cork/*Corcaigh* **60** G4
Corkey/*Corcaigh* **4** H4
Corlea **25** C5
Corlee **23** D1
Corlough **17** A5
Cornafulla/*Corr na Fola* **33** B3
Cornanagh **23** C4
Corndarragh **34** F4
Corr na Móna/Cornamona **30** G1
Corrakyle **42** G2
Corrandulla/*Cor an Dola* **31** D3
Correen **11** C1
Corries Cross **53** B1
Corrofin Co Galway **32** E2
Corrofin/*Cora Finne*
Co Clare/*An Clár* **40** H3
Corrondher **50** E3
Corry **16** G4
Cortown/*An Baile Corr* **27** B4
Corvoley **14** F4
Countygate **61** A2
Courthoyle **53** C4
Courtmacsherry/*Cúirt Mhic Shéafraidh* **68** E2
Courtmatrix **49** D3
Courtown/*Baile na Cúirte* **54** F1
Cousane **67** B1
Coxtown **32** H4
Craan **46** E5
Crafield **46** F3
Craggagh **40** G1
Cragroe **42** E3
Craig **10** E2
Craigavad/*Creig an Bhada* **12** F3
Craigavole **4** F5
Craigavon **19** B1
Craigdarragh **10** E1
Craiggore **4** E5
Craigs/*Na Creaga* **11** B1
Cranagh/*An Chrannóg* **10** E2
Crane **54** E2
Cranford/*Creamhghort* **2** G3
Crannford/*Áth an Chorráin* **46** E5
Crannogeboy **7** D2
Cranny Co Londonderry **10** H3
Cranny/*An Chrannaigh*
Co Clare/*An Clár* **40** G5
Cratloe/*An Chreatalach* **42** E5
Craughwell/*Creachmhaoil* **32** F4
Crawfordsburn/*Sruth Chráfard* **12** F3
Crazy Corner **34** G1
Creagh Co Cork **67** A3
Creagh/*Créach*
Co Fermanagh/*Fear Manach* **17** C2
Creaghanroe/*Crícheán Rua* **18** H4
Crecora/*Craobh Chomhartha* **50** F2
Creegh/*An Chríoch* **40** F5
Creeslough/*An Craoslach* **2** F3
Creevagh **14** G3
Creeves **49** D2
Cregg Co Cork **67** C3
Creggan **11** B3
Creggan Co Offaly **33** C4
Creggan/*An Creagan*
Co Armagh/*Ard Mhaca* **19** A5
Creggan/*An Creagán*
Co Tyrone/*Tír Eoghain* **10** F4
Cregganbaun/*An Creagán Bán* **22** E4
Creggs/*Na Creaga* **24** H5
Crettyard **44** H4
Crindle **3** D4
Crinkill/*Crionchoill* **43** C1
Croagh **50** E2
Croagh/*An Chruach* **8** E3
Crockets Town **14** H4
Croghan Co Roscommon **25** A2
Croghan/*Cruachán*
Co Offaly/*Uíbh Fhailí* **34** G3
Croithlí/Crolly **1** D5
Cromane/*An Cromán* **58** E2
Cromlin **17** A5
Crookedwood/*Tigh Munna* **26** G5
Crookhaven/*An Cruachán* **66** G4
Crookstown Co Kildare **45** B2
Crookstown/*An Baile Gallda*
Co Cork/*Corcaigh* **60** E5
Croom/*Cromadh* **50** F2
Cross Barry/*Croisan Bharraigh* **60** F5
Cross Keys Co Meath **26** H4
Cross Keys Co Meath **35** D1
Cross Keys/*Carraig an Tobair*
Co Cavan/*An Cabhán* **26** G2
Cross Mahon **68** E1
Cross Roads/*An Clochar* **9** A2
Cross/*An Chrois* **30** H1
Cross/*An Chrois*
Co Clare/*An Clár* **48** F1
Crossabeg/*Na Crosa Beaga* **54** E4
Crossakeel/*Crosa Caoil* **27** A4
Crossboyne **23** D4
Crossconnell **33** A4
Crossdoney/*Cros Domhnaigh* **26** F1
Crossea **26** E5
Crosserlough/*Crois ar Loch* **26** G2
Crossgar/*An Chrois Ghearr* **20** F1
Crossgare **4** F4
Crosshaven/*Bun an Tábhairne* **60** H5
Crosskeys/*Na hEochracha* **45** A1
Crossmaglen/*Crois Mhic Lionnáin* **19** A5
Crossmolina/*Crois Mhaoilíona* **14** G5
Crossna **25** A1
Crossooha **31** D5
Crosspatrick Co Wicklow **46** E5
Crosspatrick/*Crois Phádraig*
Co Kilkenny/*Cill Chainnigh* **44** E5

Crosswell **24** H5
Crowbally **61** B4
Cruachroim Beag **22** G4
Crumlin/*Cromghlinn* **11** C4
Crumpane **66** E1
Crusheen/*Croisín* **41** D3
Crutt **44** H4
Cúil Aodha/Coolea **59** B4
Cuilkillew **22** H1
Culcavy **19** D1
Culdaff/*Cuil Dábhcha* **3** C2
Culfadda **24** G1
Culkeeny **3** C1
Cullahill/*An Chúlchoill* **44** F4
Cullane **50** H4
Cullaville/*Baile Mhic Cullach* **18** H5
Culleen **42** E5
Culleens/*Na Coillíní* **15** A4
Cullen/*Cuilleann*
Co Tipperary/*Tiobraid Árann* **51** A2
Cullen/*Cuillin* Co Cork/*Corcaigh* **59** C2
Cullenagh **50** H5
Cullenstown **63** D3
Cullin **23** D1
Cullybackey/*Coill na Baice* **11** B1
Cullyhanna/*Coilleach Eanach* **19** A4
Culmore **3** B4
Culnady/*Cúil Chnáidí* **10** H1
Cultra **12** E3
Currabeha/*An Chorr Bheithe* **61** B2
Curracloe/*Currach Cló* **54** E4
Curraclogh **59** D5
Curragh Camp **35** B5
Curragh West/*An Currach Thiar* **24** F5
Curragh/*An Currach* **61** D4
Curragha **36** E1
Curraghalicky **67** C2
Curraghboy/*An Currach Buí* **33** B2
Curraghlawn **46** E4
Curraghmore **53** A3
Curraghroe/*An Currach Rua* **25** B4
Curraglass/*Cora Chlas* **61** B2
Curragunneen/*Currach Guinín* **43** D3
Curran/*An Corrán* **10** H2
Currans **58** H1
Curreeny/*Na Coirríní* **43** B5
Currow/*Corra* **58** H1
Curry/*An Choraidh* **24** E1
Curryglass **66** F2
Cushendall/*Bun Abhann Dalla* **6** E4
Cushendun/*Bun Abhann Duinne* **6** E3
Cushina **34** H5

D

Daingean/*An Daingean* **34** G4
Daingean Uí Chúis/Dingle **57** C1
Dalkey/*Deilginis* **36** G4
Dalystown **34** G2
Damastown **36** F1
Damhead **4** F4
Danesfort/*Dún Feart* **25** D4
Dangandargan **51** C3
Darkley/*Dearclaigh* **18** H3
Darragh Cross **20** F1
Dartry **18** F5
Davidstown/*Baile Dháith* **53** D3
Deerpark/*Páirc an bhFia* **31** C1
Delgany/*Deilgne* **36** G5
Delphi **22** E5
Delvin/*Dealbhna* **27** A5
Dernagree/*Doire na Graí* **59** C2
Derradda/*Doire Fhada* **17** A5
Derragh **40** H4
Derreen Co Clare **40** F3
Derreen Co Kerry **57** C4
Derreenacarrin **66** G1
Derreenard **67** A3
Derreenauliff **58** E5
Derreeny **66** F2
Derries **34** E4
Derrineel **33** B3
Derrinturn **35** B3
Derry/Londonderry/*Doire* **3** B5
Derryadd/*Doire Fhada* **11** B5
Derryboye/*Doire Buí* **20** F1
Derrybrien/*Daraidh Braoin* **42** F1
Derrycanan **25** B4
Derryclogh **67** B2
Derrycon **44** F1
Derrycooly **34** E4
Derrycrin **11** A4
Derrydolney **33** D5
Derryfadda **44** E5
Derrygareen **42** H5
Derrygile **44** G1
Derrygolan **34** F3
Derrygonnelly/*Doire Ó gConaile* **17** A1
Derrygowna **25** C5
Derrygrath **51** C4
Derrygrogan **34** G4
Derrykeighan **4** G3
Derrylahan **33** B3
Derrylin/*Doire Loinn* **17** B4
Derryloughlin **58** E5
Derrymacash **19** B1
Derrymore **48** F5
Derrynacaheragh **67** B1
Derrynoose/*Doire Núis* **18** H3
Derrytrasna **11** A5
Derrywode **24** G5
Dervock/*Dearbhóg* **4** G3
Desert **61** A3
Desertmartin/*Diseart Mhártain* **10** H2
Devenish/*Daimhinis* **17** B2
Doagh/*Dumhach* **11** D3
Doire Bhó Riada/Derryvoreada **30** E1
Doire Iorrais **30** E3
Doirí Beaga/Derrybeg **1** D4
Dolla/*An Doladh* **43** A4
Dollingstown **19** C1
Dollymount/*Cnocán Doirinne* **36** G3
Donabate/*Domhnach Bat* **36** G1
Donacarney **28** F4
Donadea **35** C3
Donagh **17** C3
Donaghadee/*Domhnach Daoi* **12** G4
Donaghcloney/*Domhnach Cluana* **19** C1
Donaghmore Co Meath **36** E1
Donaghmore Co Tyrone **10** G5
Donaghmore/*Domhnach Mór*
Co Laois/*Laois* **44** E3
Donaghpatrick/*Domhnach Phadráig* **27** C4
Donard Co Wexford **53** B3
Donard/*Dún Ard*
Co Wicklow/*Cill Mhantáin* **45** D2
Donaskeagh **51** B2
Donegal/*Dún na nGall* **8** G4
Doneraile/*Dún ar Aill* **60** F1
Donohill/*Dún Eochaille* **51** B2
Donore Co Meath **35** B1
Donore/*Dún Uabhair* **28** E4
Donoughmore/*Domhnach Mór* **60** E3
Dooagh/Dumha Acha **21** B1
Doocarrick **18** E5
Doocastle/*Caisleán an Dumha* **24** F1
Doogary **26** E1
Doogort/*Dumha Goirt* **21** C1
Doohamlat **18** G4
Doohat/*Dúháite* **18** E5
Dooleeg **14** F5
Doolieve **68** G1
Doolin/*Dúlainn* **40** F2
Doon Co Galway **32** H3
Doon Co Tipperary **61** B1
Doon/*Dún*
Co Limerick/*Luimneach* **51** A1
Doonaha/*Dún Átha* **48** G1
Doonbeg/*An Dún Beag* **40** E5
Doornane **52** H5
Dough **66** F4
Doughiska **31** D4
Douglas Bridge **9** C3
Douglas/*Dúglas* **60** G5
Dovea/*Dubhfhéith* **43** C5
Dowling **52** G4
Downhill/*Dún Bó* **4** E3
Downing **60** H1
Downpatrick/*Dún Pádraig* **20** F2
Dowra/*An Damhshraith* **16** G4
Drangan/*Drongan* **52** E2
Draperstown/*Baile na Croise* **10** G2
Dreen **10** F1
Dreenagh **48** E3
Drehidasillagh **48** F5
Driminidy **67** B2
Drimmo **44** F2
Drimoleague/*Drom Dhá Liag* **67** B2
Drinagh Co Galway **29** C2
Drinagh Co Roscommon **25** C4
Drinagh Co Wexford **54** E5
Drinagh/*Draighneagh*
Co Cork/*Corcaigh* **67** B2
Drinaghan **15** A3
Dring/*Droing* **26** F3
Dripsey/*An Druipseach* **60** E4
Drogheda/*Droichead Átha* **28** E4
Droichead Núa (Newbridge) **35** B5
Drom Oireach **57** D4
Drom/*An Drom* **43** C5
Dromagh **59** D2
Dromahair/*Droim dhá Thiar* **16** F3
Dromara/*Droim Bearach* **19** D2
Dromboy South **60** G3
Dromcolliher/*Drom Collachair* **49** D4
Dromcunnig **48** G4
Dromgariff **60** G3
Dromin Co Limerick **50** G3
Dromin/*Droim Ing* Co Louth/*Lú* **28** E3
Dromina/*Drom Aidhhne* **50** E5

36 G4

Dromineer/*Drom Inbhir* 43 A3
Dromiskin/*Droim Ineasclainn* 28 E2
Drommahane/*Droim Átháin* 60 F2
Dromnea 66 G3
Dromod/*Dromad* 25 C3
Dromore 67 A2
Dromore West/*An Droim Mór Thiar* 15 B3
Dromore/*An Droim Mór*
Co Tyrone/*Tír Eoghain* 9 C5
Dromore/*Droim an Mór*
Co Down/*An Dún* 19 D1
Dromtrasna 49 B4
Drum Co Roscommon 33 B3
Drum/*An Droim*
Co Monaghan/*Muineachán* 18 E5
Drumahoe 3 B5
Drumakill/*Droim na Coille* 18 H5
Drumandoora/*Drom An Dúdhoire* 42 F2
Drumaness/*Droim an Easda* 20 F2
Drumanure 40 H4
Drumard 15 C3
Drumaroad 20 E2
Drumatober 32 H5
Drumbane/*An Drom Bán* 51 C1
Drumbaun 42 H5
Drumbeg 12 E5
Drumbo 12 E5
Drumcar/*Droim Chora* 28 E2
Drumcharley 42 F3
Drumcliff Co Clare 41 D3
Drumcliff/*Droim Chliabh*
Co Sligo/*Sligeach* 15 D2
Drumcondra/*Droim Conrach* 27 C2
Drumcree/*Droim Cria* 26 H5
Drumfin/*Droim Fionn* 16 E5
Drumfree/*Droim Fraoigh* 3 A3
Drumgriftin 31 D3
Druminnin 8 G3
Drumintee 19 B5
Drumkeary 42 G1
Drumkeen/*Droim Caoin* 9 A1
Drumkeeran/*Droim Caorthainn* 16 F4
Drumlea/*Droim Léith* 25 D1
Drumlish/*Droim Lis* 25 D3
Drumlosh 33 C3
Drummacool 16 E4
Drummin Co Mayo 22 F4
Drummullin/*Droim Ailí* 25 B3
Drumna 25 D1
Drumnagreagh Port 6 F6
Drumnakilly/*Droim na Coille* 10 E4
Drumoghill 9 B1
Drumone 26 H4
Drumquin/*Droim Caoin* 9 C4
Drumraney/*Droim Raithne* 33 D2
Drumree/*Droim Rí* 35 D1
Drumroe 61 C2
Drumshanbo/*Droim Seanbhó* 16 G5
Drumskinny/*Droim Scine* 9 A5
Drumsna/*Droim ar Snámh* 25 B2
Drumsurn/*Droim Sorn* 4 E5
Drung 18 E5
Duagh/*Dubháth* 49 A3
Dually 51 D2
Dublin/*Baile Átha Cliath* 36 F3
Duggarry 33 B3
Duleek/*Damhliag* 28 E5
Dumfea 53 B1
Dumha Dhearc 13 C5
Dún Chaoin/Dunquin 13 C5
Dumha Éige/Dooega 21 C2
Dún Laoghaire 57 B1
Dún Lúiche 2 E5
Dún Riacháin/Doonreaghan 29 C5
Dumha Thuama/Doohooma 13 D2
Dunadry/*Dún Eadradh* 11 D3
Dunaff/*Dún Damh* 3 A2
Dunaghy 4 G4
Dunamon 24 H5
Dunany/*Dún Áine* 28 F2
Dunbell 52 H1
Dunboyne/*Dún Búinne* 36 E2
Dunbyrne 35 B4
Duncannon/*Dún Canann* 63 C3
Duncormick/*Dún Chormaic* 64 E3
Dundalk/*Dún Dealgan* 28 E1
Dunderrow/*Dún Darú* 68 F1
Dunderry 27 B5
Dundian 18 F2
Dundonald/*Dún Dónaill* 12 F4
Dundoogan 32 H3
Dundrod/*Dún dTrod* 11 D4
Dundrum Co Dublin 36 F4
Dundrum Co Tipperary 51 B2
Dundrum/*Dún Droma*
Co Down/*An Dún* 20 F3
Dunfanaghy/*Dún Fionnachaidh* 2 F3
Dungannon/*Dún Geanainn* 10 G5
Dunganstown 53 A4
Dungarvan/*Dún Garbhán*
Co Kilkenny/*Cill Chainnigh* 53 A2
Dungarvan/*Dún Garbháin*
Co Waterford/*Port Láirge* 62 E2
Dungivin/*Dún Geimhin* 10 F1
Dungourney/*Dún Guairne* 61 B4
Dunhill 62 H1
Duniry 42 H1
Dunkerrin/*Dún Cairin* 43 C3
Dunkineely/*Dún Cionnaola* 8 E4
Dunkitt 52 H5
Dunlavin/*Dún Luáin* 45 C1
Dunleer/*Dún Léire* 28 E3
Dunloy/*Dún Lúiche* 4 H5
Dunmanus 66 G3
Dunmanway/*Dún Mánmhaí* 67 C1
Dunmoon 61 C3
Dunmore East/*Dún Mór* 63 B3
Dunmore/*Dún Mór* 24 E5
Dunmurry/*Dún Muirigh* 11 D5
Dunnamaggan/*Dún Iomagáin* 52 G3
Dunnamanagh/*Dún na Manach* 9 D1
Dunnamore/*Domhnach Mór* 10 F3
Dunnaval 20 E5
Dunningstown 52 G1
Dunsany 35 D1
Dunseverick/*Dún Sobhairce* 4 G2
Dunshaughlin/*Dún Seachlainn* 35 D1
Durrow/*Darú* 44 G4
Durrus/*Dúras* 66 H2
Dysart/*An Diseart* 34 F2

E

Eadargúil 31 D3
Eadestown 35 D5
Eanach Dhúin 31 C3
Earlshill 52 E1
Easky/*Iascaigh* 15 A3
East Barrs 16 G3
Eden/*An tEadan* 12 F3
Edenderry/*Éadan Doire* 35 A3
Ederney/*Eadarnaidh* 9 B5
Edgeworthstown/*Meathas Troim* 26 E4
Eglinton/*An Mhagh* 3 C4
Eglish/*An Eaglais* 18 G1
Eighter/*Iochtar* 26 H3
Ellistrin/*Eileastran* 2 G5
Elphin/*Ail Finn* 25 A3
Elton/*Eiltiún* 50 G3
Emlagh 32 F5
Emlaghmore 57 C4
Emly/*Imleach* 50 H3
Emmoo 25 B5
Emo/*Ioma* 44 H1
Emyvale/*Scairbh na gCaorach* 18 F2
Ennis/*Inis* 41 D4
Enniscorthy/*Inis Córthaidh* 53 D2
Enniskean/*Inis Céin* 67 D1
Enniskerry/*Áth na Sceire* 36 G5
Enniskillen/*Inis Ceithleann* 17 B2
Ennistimon/*Inis Díomáin* 40 G3
Eoghanacht/Onaght 30 E5
Erganagh 9 B3
Erra 25 C4
Errill/*Eiréil* 44 E4
Esker South 25 D3
Esker/*An Eiscir* 32 F4
Esknaloughoge 58 E5
Eskragh/*Eiscreach* 18 E1
Eyeries/*Na hAoraí* 66 E1
Eyrecourt/*Dún an Uchta* 33 B5

F

Faha 58 G2
Fahaduff 49 A5
Fahamore 48 E5
Fahan/*Fathain*
Co Donegal/*Dún na nGall* 3 A4
Fahanasoodry 50 H4
Fahy Co Galway 32 H4
Fahy Co Galway 33 A5
Fairfield 33 D2
Fairymount/*Mullach na Sí* 24 G3
Fán/Fahan 57 B2
Fanore 40 G1
Farahy 60 G1
Fardrum/*Fardroim* 33 C3
Farmer's Bridge 48 G5
Farnagh 33 D3
Farnaght 25 D2
Farnanes 60 E5
Farnanes/*Na Fearnáin* 67 B1
Farnoge 53 A4
Farran/*An Fearann* 60 E5
Farranfore/*An Fearann Fuar* 58 H1
Fauna 45 D2
Feakle/*An Fhiacail* 42 F3
Feaklecally 58 E3
Fedamore/*Feadamair* 50 F2
Feeard 48 F1
Feenagh Co Clare 40 G1
Feenagh/*Fionach*
Co Limerick/*Luimneach* 50 E4
Feeny/*Na Fineadha* 10 F1
Fenagh/*Fionnmhach* 25 C1
Fenit/*An Fhianait* 48 F5

Fennagh/*Fionnmhach* 45 B5
Fennor Co Westmeath 34 H1
Fennor/*Fionnúir*
Co Waterford/*Port Láirge* 62 H1
Feohanagh/*An Fheothanach*
Co Limerick/*Luimneach* 49 D4
Feoramore 58 G5
Ferbane/*An Féar Bán* 33 D4
Fermoy/*Mainistir Fhear Maí* 61 A2
Ferns/*Fearna* 54 E1
Ferry Bridge 50 E1
Ferrybank/*Portan Chalaidh* 46 G4
Fethard/*Fiodh Ard*
Co Tipperary/*Tiobraid Árann* 52 E3
Fethard/*Fiodh Ard*
Co Wexford/*Loch Garman* 63 C3
Fews 62 F1
Fiddane 42 H5
Fiddown/*Fiodh Dúin* 52 G4
Fieries 58 H1
Figlash 52 F4
Finavarra 31 C5
Finnea/*Fiodh an Átha* 26 G3
Finnis 19 D2
Fintona/*Fionntamhnach* 9 D5
Finuge/*Fionnúig* 48 H3
Finvoy/*An Fhionnbhoith* 4 G5
Fionnaithe/Finny 30 G1
Firkeel 65 D2
Firmount 61 A3
Fisherstreet 40 F2
Five Corners 11 D2
Fiveally/*An Chúirt* 33 D5
Fivemilebourne/*Abhainn an Chartúin* 16 E3
Fivemilebridge 60 G5
Fivemiletown/*Baile na Lorgan* 17 D2
Flagford 25 B2
Flagmount Co Kilkenny 53 A1
Flagmount/*Leacain an Éadain*
Co Clare/*An Clár* 42 F2
Flatfield 11 C5
Flemingstown 58 E1
Florence Court/*Mullach na Seangán* 17 A3
Foilnamuck 66 H3
Fontstown 45 B1
Fordstown/*Baile Forda* 27 B5
Fore/*Baile Fhobhair* 26 H5
Forkhill/*Foirceal* 19 B5
Formoyle Co Clare 40 G1
Formoyle Co Longford 25 B5
Formoyle/*Cnoc an tSionnaigh*
Co Mayo 21 D4
Fornaght 60 F3
Fort Middle 50 E4
Fort William 43 B3
Forthill 33 C1
Foulkesmill/*Muileann Fúca* 53 C5
Foulkstown 51 D2
Four Mile House/*Teach na gCeithre Mhile* 25 A4
Four Roads/*Tigh Sratha* 33 A1
Foxfield/*Cnocán an Mhada Rua* 25 C1
Foxford/*Béal Easa* 23 C1
Foxhall 23 D5
Foynes/*Faing* 49 C1
Freemount/*Cillín an Chrónáin* 49 D5
Frenchpark/*Dún Gar* 24 G2
Freshford/*Achadh Úr* 44 G5
Freynestown 45 C2
Friarstown 50 F2
Frogmore 48 F5
Frosses/*Na Frosa* 8 F4
Fuerty 25 A5
Funshin More 41 D1
Furraleigh 62 F1
Furroor 40 G5
Furrow 51 A5
Fybagh 58 F1

G

Gainstown 34 G2
Galbally Co Wexford 53 D4
Galbally/*An Gallbhaile*
Co Limerick/*Luimneach* 50 H4
Galbertstown 51 D1
Galgorm 11 B1
Gallagh 25 B5
Galmoy/*Gabhalmhaigh* 44 E4
Galtrim 35 C1
Galway/*Gaillimh* 31 D4
Gannavane 51 A1
Gaoth Dobhair/Gweedore 1 D4
Gaoth Sáile/Gweesalia 13 C5
Garadice/*Garairis* 35 C2
Garbally 33 A3
Garlow Cross/*Crois Chearla* 27 D5
Garnavilla 51 C4
Garr 34 H3
Garrafrauns 24 E5
Garranard 14 G4
Garranereagh 59 D5
Garranlahan/*An Garrán Leathan* 24 F4
Garraun Co Clare 48 H1
Garraun Co Galway 32 H5
Garraun Co Kerry 58 G1
Garravoone 52 G5
Garrettstown 45 C3
Garrison/*An Garastún* 16 G1
Garristown/*Baile Gháire* 36 E1
Garrycaheragh 61 A3
Garrycloonagh 14 G5
Garrycullen 53 C5
Garryduff 4 G4
Garryfine/*Garrai Phaghain* 50 F4
Garryhill 53 B1
Garrymore 61 B4
Garrynafana 43 B4
Garryspillane 50 H4
Garryvoe 61 B5
Garvagh/*Garbhach*
Co Leitrim/*Liatroim* 25 D1
Garvagh/*Garbhachadh*
Co Londonderry/*Doire* 4 F5
Garvaghy/*Garbhachadh* 10 E5
Garvetagh 9 B3
Gattabaun/*An Geata Bán* 44 F5
Gawleys Gate/*Geata Mhic Amhlaí* 11 B5
Gaybrook/*Baile Réamainn* 34 G2
Geashill/*Géisill* 34 G4
Geevagh/*An Ghaobhach* 16 F5
Georgestown 62 G1
Gerahies 66 H2
Gilford/*Áth Mhic Giolla* 19 B2
Glanalin 66 G3
Glandart 67 A2
Glandore/*Cuan Dor* 67 C3
Glangevlin 16 H4
Glanlough 66 G2
Glanmire/*Gleann Maghair* 60 H4
Glanoe 48 H4
Glanroon 66 F3
Glantane/*An Gleanntán* 60 E2
Glanworth/*Gleannúir* 60 H1
Glarryford/*An tÁth Glárach* 4 H5
Glashaboy East 60 G3
Glashaboy North 60 G3
Glashananoon 49 A4
Glasleck/*Glasleic* 27 A1
Glaslough/*Glasloch* 18 G2
Glassan/*Glasán* 33 C2
Glastry 12 H5
Gleann Aird 62 E3
Gleann Bhaire/Glenvar 2 H3
Gleann Domhain/Glendowan 2 F5
Gleann Cholm Cille/Glencolumbkille 7 C3
Gleann Lára 13 B3
Gleann na Muaidhe/Glenamoy 14 E3
Gleann Trasna 30 F2
Glebe 3 D3
Glen 19 B3
Glen Co Londonderry 10 H1
Glen Of Imail/*Gleann Ó Máil* 45 D2
Glen Of The Downs 36 G5
Glen/*An Gleann*
Co Donegal/*Dún na nGall* 2 G3
Glenacroghery 61 B3
Glenade 16 E2
Glenagort 22 G1
Glenahilty 43 B3
Glenariff or Waterfoot/*Gleann Aireamh* 6 E4
Glenarm/*Gleann Arma* 6 F5
Glenavy/*Lann Abhaidh* 11 C4
Glenbeigh/*Gleann Beithe* 58 E2
Glenboy/*Gleann Buí* 16 G3
Glenbrien/*Gleann Bhriain* 54 E3
Glenbrohane 50 H4
Glencar Co Kerry 58 F3
Glencar/*Gleann an Chairthe*
Co Leitrim 16 E2
Glencree 36 F5
Glencullen 36 F4
Glendalough Co Waterford 52 E5
Glendarragh 46 G1
Glenderry 48 F4
Glendree 42 F3
Glenealy 46 G2
Gleneely/*Gleann Daoile* 3 C2
Glenfarne/*Gleann Fearna* 16 H3
Glenflesk 59 A3
Glengariff/*An Gleann Garbh* 66 H1
Glengoura 61 B2
Glenhead 3 D5
Glenhull 10 F3
Glenmaquin 9 B1
Glenmore Co Clare 40 G5
Glenmore/*An Gleann Mór*
Co Kilkenny/*Cill Chainnigh* 53 A4
Glennagat 51 D4
Glennaknockane 49 B5
Glennamaddy/*Gleann na Madadh* 24 G5
Glennascaul 31 D4
Glenoe 12 F2
Glenough Lower 51 B1
Glenough Upper 51 B1
Glenroe 50 H5

Glenshelane 61 D1
Glentane Co Cork 61 B3
Glentane Co Galway 32 G2
Glenties/*Na Gleannta* 8 F2
Glentogher/*Gleann Tóchair* 3 B2
Glenvale 4 H5
Glenville/*Gleann an Phréacháin* 60 H3
Glin/*An Ghleann* 49 B2
Glinn Chatha 30 F3
Glinsce/Glinsk (Connemara) 29 D3
Glinsk Co Galway 24 H5
Glounthaune 60 H4
Glynn Co Wexford 53 B3
Glynn Co Wexford 53 D4
Glynn/*An Gleann*
Co Antrim/*Aontroim* 12 F2
Gneevgullia/*Gníomh go Leith* 59 B2
Gob an Choire/Achill Sound 21 D2
Golden Ball 36 G4
Golden/*An Gabhailín* 51 C3
Goleen/*An Góilín* 66 G4
Goold's Cross/*Crois an Ghúlaigh* 51 C2
Goresbridge/*An Droichead Nua* 53 A1
Gorey/*Guaire* 54 F1
Gormanstown Co Tipperary 51 C5
Gormanstown/*Baile Mhic Gormáin*
Co Meath/*An Mhí* 28 F5
Gort/*An Gort* 42 E1
Gort an Choirce/Gortahork 2 E3
Gort Liatuile 14 E3
Gortaclady 10 G4
Gortagowan 58 F5
Gortalough 43 C5
Gortarevan 33 B5
Gortaroo 61 C4
Gorteen Co Kilkenny 44 H4
Gorteen Co Limerick 50 E4
Gorteen Co Sligo 24 G1
Gorteen/*Goirtín*
Co Galway/*Gaillimh* 32 G3
Gorteens 53 A5
Gorteeny/*Goirtíní* 42 H2
Gortgarriff 66 E1
Gortgarrigan/*Gort Geargáin* 16 F3
Gortglass 59 A1
Gortin/*An Goirtín* 9 D3
Gortletteragh 25 D2
Gortmore Co Mayo 14 G3
Gortnadeeve 24 H5
Gortnahaha 49 C1
Gortnahey 3 D5
Gortnahoo/*Gort na hUamha* 52 E1
Gortnahoughtee 59 B5
Gortnahurra 14 F4
Gortnaleaha 48 G5
Gortnamearacaun 42 E3
Gortnasillagh 24 H3
Gortreagh/*An Gort Riabhach* 10 G4
Gortrelig 58 F3
Gortskeagh 41 D1
Gowlaun 21 D5
Gowlin 53 B2
Gowran/*Gabhrán* 53 A1
Gracehill/*Baile Uí Chinnéide* 11 B1
Graiguearush 62 F1
Graiguenamanagh/*Gráig na Manach* 53 B2
Granabeg 46 E1
Granagh 50 E3
Granard/*Granard* 26 F3
Graney 45 B3
Grange Beg Co Kildare 35 A5
Grange Beg Co Laois 44 E3
Grange Co Kilkenny 52 H5
Grange Co Louth 28 F1
Grange Co Offaly 35 A3
Grange Co Tipperary 51 D4
Grange Co Wexford 64 E3
Grange Con/*Gráinseach Choinn* 45 C2
Grange Corner 11 B2
Grange/*An Ghráinseach*
Co Sligo/*Sligeach* 15 D2
Grange/*An Greainsigh*
Co Waterford/*Port Láirge* 61 D3
Grange/*Gráinseach Chuffe*
Co Kilkenny/*Cill Chainigh* 52 G2
Grangebellew/*Greainseach an Oisirt* 28 F3
Grangeford/*An Ghráinseach* 45 C4
Grangegeeth 27 D4
Grangemockler 52 F3
Graniamore 16 E5
Grannagh 32 E5
Grant House 18 F1
Granville/*An Doire Mhin* 10 G5
Greenan/*An Grainán* 46 F3
Greenanstown/*Baile Uí Ghrianáin* 28 F4
Greencastle Co Tyrone 10 F3
Greencastle/*An Caisléan Nua*
Co Donegal/*Dún na nGall* 3 D2
Greencastle/*Caisleán na hOireanaí*
Co Down/*An Dún* 19 D5
Greenisland/*Inis Glas* 12 E3
Greenland 61 C4
Greenore/*An Grianfort* 19 D5
Grenagh/*Grenach* 60 F3
Greyabbey/*An Mhainistir Liath* 12 G5
Greygrove 40 G5
Greysteel 3 C4
Greystone/*An Chloch Liath* 18 G1
Greystones/*Na Clocha Liath* 36 G5
Griston 50 H4
Grogan 33 D3
Groomsport/*Port an Ghiolla Ghruama* 12 G3
Gubaveeny 16 H3
Gulladuff 10 H2
Gullaun 59 B2
Gurteen/*Goirtín* 16 F2
Gusserane/*Ráth na gCosarean* 53 B5
Gyleen 61 A5

H

Hackball's Cross 27 D1
Hacketstown/*Baile Haicéid* 45 D3
Halfway 60 F5
Halfway House/*Tigh Leath Slí* 63 B3
Hamiltonsbawn/*Bábhún Hamaltún* 19 A2
Hannahstown/*Baile Haine* 11 D4
Harristown 52 H4
Hays 27 D4
Headford/*Áth Cinn* 31 C2
Headfort 59 A3
Heathfield 68 G1
Heavenstown 53 D5
Heirhill 48 F3
Helen's Bay/*Cuan Héilin* 12 F3
Herbertstown/*Baile Hiobaird* 50 G2
Highstreet 33 C4
Hightown 61 A3
Hill of Down/*Cnoc an Dúin* 35 A2
Hill Street 25 B2
Hillhall 11 D5
Hillsborough/*Cromghlinn* 19 D1
Hilltown Co Wexford 53 C5
Hilltown Co Wexford 54 E5
Hilltown/*Baile Hill*
Co Down/*An Dún* 19 D4
Hollyford/*Áth an Chuillinn* 51 B1
Hollyfort/*Ráth an Chuillinn* 46 F5
Hollymount Co Galway 42 F1
Hollymount/*Maolla*
Co Mayo/*Maigh Eo* 23 C5
Hollywood/*Cillín Chaoimhín* 45 D1
Holycross/*Gaile na gCailleach*
Co Limerick/*Luimneach* 50 G3
Holycross/*Mainistir na Croiche*
Co Tipperary/*Tiobraid Árann* 51 C1
Holywell 16 H2
Holywood/*Ard Mhic Nasca* 12 F4
Horetown 54 E5
Horse and Jockey/*An Marcach* 51 D1
Horseleap/*Baile Átha an Urchair* 34 E3
Hospital/*An tOspidéal* 50 H3
Hough 51 C1
Howth/*Binn Éadair* 36 G3
Hugginstown 52 H3
Hurlers Cross 42 E5
Hyde Park 11 D3

I

Illaunstookagh 58 E2
Inagh/*Eidhneach* 40 H3
Inch Co Tipperary 51 B1
Inch/*An Inis*
Co Donegal/*Dún na nGall* 3 A4
Inch/*An Inis*
Co Wexford/*Loch Garman* 46 F5
Inch/*Inse* Co Kerry/*Ciarraí* 58 E1
Inchabaun 49 C4
Inchbeg 44 G5
Inchigeelagh/*Inse Geimleach* 59 C5
Inchinapallas 60 H1
Inchnamuck 51 B5
Indreabhán/Inveran 30 G4
Inis Ní 29 D2
Inishannon/*Inis Eonáin* 68 F1
Inishcrone/*Inis Crabhann* 14 H3
Inishrush 11 A1
Iniskeen/*Inis Caoin* 27 D1
Inistioge/*Inis Tíog* 53 A3
Innfield/*An Bóthar Buí* 35 B2
Inver/*Inbhear* 8 F4
Irishtown/*An Baile Gaelach* 24 E5
Irvinestown/*Baile an Irbhinigh* 17 B1

J

Jamestown Co Laois 45 A1
Jamestown Co Leitrim 25 B2
Jenkinstown 28 F1
Jenkinstown Co Kilkenny 44 G5
Jerrettspass/*Bealach Sheirit* 19 B3
Johnsfort 23 D2
Johnstown Bridge 35 B3
Johnstown Co Kildare 35 D4
Johnstown Co Wexford 53 C5
Johnstown Co Wicklow 46 F4
Johnstown/*Baile Sheáin*
Co Kilkenny/*Cill Chainnigh* 44 F5

Johnstown/*Cill Sheanaigh* Co Cork/*Corcaigh* 60 H5
Johnstownbridge 25 C3
Johnswell/*Tobar Eoin* 44 H5
Johstown Co Meath 27 C5
Jonesborough/*Baile an Chláir* 19 B5
Julianstown/*Baile Iuiliáin* 28 F4

K

Kanturk/*Ceann Toirc* 59 D1
Katesbridge/*Droichead Cháit* 19 D2
Keadew/*Céideadh* 16 G5
Keady/*An Céide* 18 H3
Kealkill/*An Chaolchoill* 67 A1
Keel/*An Caol* 21 C1
Keelnagore/*Máistir Gaoithe* 57 D4
Keeloges 24 G5
Keem 21 B1
Keenagh Co Mayo 14 F5
Keenagh/*Caonach* Co Longford/*An Longfort* 25 D5
Keereen 61 D2
Kells Co Kerry 57 D3
Kells/*Ceannas*/Co Meath/*An Mhí* 27 B4
Kells/*Ceanannas* Co Kilkenny/*Cill Chainigh* 52 G2
Kells/*Na Cealla* Co Antrim/*Aontroim* 11 C2
Kelshabeg 45 D3
Kenmare/*Neidín* 58 H4
Kentstown 27 D5
Kerloge 54 E5
Kesh Co Sligo 16 E5
Kesh/*An Cheis* Co Fermanagh/*Fear Manach* 9 A5
Keshcarrigan/*Ceis Charraigín* 25 C1
Kilbaha/*Cill Bheathach* 48 F2
Kilbane/*An Choill Bhán* 42 G4
Kilbarry 59 C5
Kilbarry/*Cill Barra* 52 H5
Kilbeacanty 42 E1
Kilbeg 62 G1
Kilbeggan/*Cill Bheagáin* 34 F3
Kilbegnet 24 H5
Kilbeheny/*Coill Bheithne* 51 A5
Kilbenan 32 E1
Kilberry/*Cill Bhearaigh* Co Kildare/*Cill Dara* 45 A2
Kilberry/*Inis Ní Co Meath* 27 C4
Kilbrack 52 F5
Kilbreedy Co Limerick 50 E2
Kilbreedy Co Limerick 50 F4
Kilbreedy Co Tipperary 51 C2
Kilbrickane 43 D5
Kilbricken/*Cill Bhriocáin* 44 F2
Kilbride Co Mayo 23 D2
Kilbride Co Meath 27 B5
Kilbride Co Wicklow 36 E5
Kilbride/*Cill Bhride* Co Wicklow/*Cill Mhantáin* 46 G3
Kilbrien Co Cork 60 H2
Kilbrien Co Waterford 62 E1
Kilbrin 60 E1
Kilbrittain/*Cill Briotáin* 68 F2
Kilcaimin 31 D4
Kilcappagh 34 H5
Kilcarney 45 D3
Kilcarroll 49 A1
Kilcash 52 F4
Kilcashel 33 B3
Kilcavan 34 G5
Kilchreest/*Cill Chriost* 32 F5
Kilclaran 42 F3
Kilclief 20 G2
Kilclonfert 34 G3
Kilcock/*Cill Choca* 35 C2
Kilcoe 67 A3
Kilcogy/*Cill Chóige* 26 F3
Kilcohan 63 B3
Kilcolgan/*Cill Cholgáin* 32 E5
Kilcolman Co Cork 68 E1
Kilcolman/*Cill Cholmain* Co Limerick/*Luimneach* 49 C2
Kilcomin 43 C2
Kilcommon Co Tipperary 43 B5
Kilcommon/*Cill Chuimín* Co Tipperary/*Tiobraid Árann* 51 C4
Kilconierin 32 F4
Kilconly/*Cill Chonla* 31 D1
Kilconnell/*Cill Chonaill* 32 H3
Kilconnor 50 G5
Kilcoo/*Cill Chua* 19 D3
Kilcoole/*Cill Chomhghaill* 46 G1
Kilcor 61 A2
Kilcorkan 41 D2
Kilcormac (Frankford)/*Cill Chormaic* 33 D5
Kilcornan 50 E1
Kilcorney/*Cill Coirne* 59 D2
Kilcotty/*Cill Chota* 54 E3
Kilcredan 61 C4
Kilcrohane/*Cill Chróchåin* 66 G3
Kilcronat 61 B3
Kilcullen/*Cill Chuillin* 45 C1
Kilcummin Co Kerry 58 H2
Kilcurly/*Cill Choirle* 28 E1
Kilcurry/*Cill an Churraigh* 19 B5
Kilcusnaun 49 A5
Kildalkey/*Cill Dealga* 35 B1
Kildangan/*Cill Daingin* 45 A1
Kildanoge 51 C5
Kildare/*Cill Dara* 35 B5
Kildavin/*Cill Damhain* 53 C1
Kildermody 52 G5
Kildorrery/*Cill Dairbhre* 50 H5
Kildress 10 G4
Kilduffahoo 50 H1
Kilfeakle 51 B3
Kilfearagh 48 G1
Kilfenora/*Cill Fhionnúrach* 40 G2
Kilfinnane/*Cill Fhíonáin* 50 G4
Kilfinny 50 E2
Kilflyn/*Cill Flainn* 48 G4
Kilgarvan/*Cill Gharbhain* 59 A4
Kilglass Co Galway 32 H2
Kilglass/*Cill Ghlais* Co Roscommon/*Ros Comáin* 33 B1
Kilglass/*Cill Ghlas* Co Sligo/*Sligeach* 15 A3
Kilgobnet/*Cill Ghobnait* Co Kerry/*Ciarraí* 58 G2
Kilgowan 45 C1
Kilgrogan 50 E2
Kilkea 45 B3
Kilkeasy 52 H3
Kilkee/*Cill Chaoi* 39 D5
Kilkeel/*Cill Chaoil* 20 E5
Kilkelly/*Cill Cheallaigh* 24 E2
Kilkenny West 33 D2
Kilkenny/*Cill Chainnigh* 52 G1
Kilkerran 68 F2
Kilkerrin/*Cill Choirín* 32 G1
Kilkilleen 67 A3
Kilkinlea 49 B4
Kilkishen/*Cill Chisín* 42 E4
Kill 29 C1
Kill Co Waterford 62 G1
Kill/*An Chill* Co Cavan/*An Cabhán* 26 H1
Kill/*An Chill* Co Kildare/*Cill Dara* 35 D4
Killachonna 33 D2
Killaclug 50 H5
Killacolla 50 E4
Killadeas/*Cill Chéile Dé* 17 B1
Killaderry 32 H2
Killadoon/*Coill an tSiáin* 21 D4
Killadysert/*Cill an Dísirt* 49 C1
Killafeen 42 E2
Killag 64 E3
Killaghteen 49 C3
Killahaly 61 C2
Killala/*Cill Ala* 14 H3
Killallon 27 A4
Killaloe 42 G4
Killaloo/*Cill Dalua* 10 E1
Killamery 52 F3
Killane 35 A3
Killanena 42 F2
Killann/*Cill Anna* 53 C2
Killard 40 E5
Killare 34 E2
Killarga/*Cill Fhearga* 16 F3
Killarney/*Cill Airne* 58 H2
Killarone 30 H2
Killaroo 34 E2
Killashandra/*Cill na Seanrátha* 26 E1
Killashee/*Cill na Sí* 25 C4
Killasser/*Cill Lasrach* 23 D1
Killaun 43 D1
Killavally/*An Nuachabháil* 22 G4
Killavarilly 61 A2
Killavarrig 60 G3
Killavil/*Cill Fhábhail* 15 D5
Killavoher 32 F1
Killavullen/*Cill an Mhuilinn* 60 G2
Killea Co Donegal 3 A5
Killea Co Leitrim 16 G2
Killea Co Waterford 63 B3
Killea/*Cill Sléibhe* Co Tipperary/*Tiobrain Árann* 43 C4
Killead/*Cill Éad* 11 C3
Killeagh/*Cill la* 61 C4
Killedmund 53 B1
Killeedy 49 C4
Killeen Co Galway 42 E2
Killeen Co Mayo 21 D4
Killeen Co Tipperary 43 C1
Killeen Co Tyrone 10 H5
Killeenaran 31 D5
Killeenasteena 51 C3
Killeenavarra 32 E5
Killeeneenmore 32 E5
Killeenleagh 67 A2
Killeens Cross 60 G4
Killeevan 18 E4

Killeglan 33 A2
Killeigh/*Cill Aichidh* 34 F5
Killemadeema 32 G5
Killen/*Cillin* 9 B3
Killenagh 54 F1
Killenard 44 H1
Killenaule/*Cill Náile*
Co Tipperary/*Tiobraid Árann* 43 C1
Killenaule/*Cill Náile*
Co Tipperary/*Tiobraid Árann* 52 E2
Killerrig 45 C4
Killeshil 34 G3
Killeshin 45 A4
Killeter/*Coill Iochtair* 9 B4
Killimer 49 A1
Killimor/*Cill Iomair* 33 A5
Killinaboy/*Cill Inine Baoith* 40 H2
Killinardrish/*Cill an Ard-dorais* 60 E4
Killinaspick 52 H4
Killinchy/*Cill Dhuinsí* 12 G5
Killincooly 54 F3
Killiney Co Kerry 48 E5
Killiney/*Cill Iníon Léinin*
Co Dublin/*Baile Átha Cliath* 36 G4
Killinick/*Cill Fhionnóg* 54 E5
Killinierin/*Cill an Iarain* 46 F5
Killinkere/*Cillin Chéir* 27 A2
Killinny 41 D1
Killinthomas 35 A4
Killiskey 46 G1
Killmacahill 61 B5
Killoe 26 E4
Killogeary 14 G3
Killogeenaghan 33 D3
Killoluaig 57 C4
Killomoran 42 E1
Killoneen 34 G4
Killoran/*Cill Odhráin* 32 H4
Killorglin/*Cill Orglan* 58 F2
Killoscobe 32 G2
Killough/*Cill Locha* 20 G3
Killour 22 H5
Killsallaghan 36 F2
Killucan/*Cill Liúcainne* 34 H1
Killukin 25 B2
Killurin Co Offaly 34 E5
Killurin Co Wexford/*Cill Liúráin* 53 D4
Killusty 52 E3
Killybegs Co Antrim 11 B2
Killybegs/*Na Cealla Beaga*
Co Donegal/*Dún na nGall* 8 E4
Killyclogher 9 D4
Killygar 26 E1
Killygordon/*Cúil na gCuiridín* 9 B2
Killykergan/*Coill Uí Chiaragain* 4 F5
Killylea/*Coillidh Léith* 18 G2
Killyleagh/*Cill Ó Laoch* 20 F1
Killyneill 18 G3
Killyon 43 D1
Kilmacanoge/*Cill Mocheanóg* 36 G5
Kilmacow/*Cill Mhic Bhúith* 52 H5
Kilmacrenan/*Cill Mhic Réanáin* 2 G4
Kilmacthomas/*Coill Mhic Thomáisín* 62 F1
Kilmactranny/*Cill Mhic Treana* 16 F5
Kilmaganny/*Cill Mogeanna* 52 G3
Kilmaine/*Cill Mheáin* 31 C1
Kilmainham Wood/*Cill Maighneann* 27 B3
Kilmalady 34 E3
Kilmaley/*Cill Mháille* 40 H4
Kilmalin 36 F5
Kilmallock/*Cill Mocheallóg* 50 G4
Kilmanagh/*Cill Mhanach* 52 F1
Kilmaniheen 49 A4
Kilmead 45 B2
Kilmeadan/*Cill Mhíodháin* 52 H5
Kilmeage/*Cill Maodhog* 35 B4
Kilmeedy/*Cill Mide* 49 D4
Kilmessan/*Cill Mheasáin* 35 C1
Kilmichael/*Cill Mhichil* 59 C5
Kilmihil/*Cill Mhichil* 40 G5
Kilmona 60 G3
Kilmoon 67 A4
Kilmore Co Cavan 26 F1
Kilmore Co Clare 42 F5
Kilmore Co Down 20 F1
Kilmore Co Mayo 23 C1
Kilmore Quay/*Cé na Cille Móire* 64 E3
Kilmore Upper 25 C4
Kilmore/*An Chill Mhór*
Co Armagh/*Ard Mhaca* 19 A1
Kilmore/*An Chill Mhór*
Co Wexford/*Loch Garman* 64 E3
Kilmore/*Cill Mhór*
Co Roscommon/*Ros Comáin* 25 B2
Kilmorna/*Cill Mhaonaigh* 49 A3
Kilmorony 45 A3
Kilmovee 24 F2
Kilmuckridge/*Cill Mhucraise* 54 F2
Kilmurry Co Limerick 50 H2
Kilmurry Co Wicklow 45 C3
Kilmurry McMahon/*Cill Mhuire Mhic Mhathúna* 49 B1
Kilmurry/*Cill Mhuire*
Co Clare/*An Clár* 40 F4
Kilmurry/*Cill Mhuire*
Co Clare/*An Clár* 42 E4
Kilmurry/*Cill Mhuire*
Co Cork/*Corcaigh* 59 D5
Kilmyshall 53 D1
Kilnacreagh 42 F5
Kilnagross/*Coill na gCros* 25 C1
Kilnahown 32 H4
Kilnaleck/*Cill na Leice* 26 G2
Kilnamanagh/*Cill na Manach* 54 E2
Kilnamona/*Cill na Móna* 40 H3
Kilpatrick 68 F1
Kilpedder 46 G1
Kilquiggin 45 D4
Kilraghts/*Cill Reachtais* 4 H4
Kilrane/*Cill Ruáin* 54 F5
Kilrea/*Cill Ria* 4 G5
Kilrean/*Cill Riáin* 8 E2
Kilreekill/*Cill Ricill* 32 H4
Kilroosky 25 B5
Kilrush/*Cill Rois* 48 H1
Kilsallagh/*Coil Salach*
Co Galway/*Gaillimh* 24 G5
Kilsallagh/*Coil Salach*
Co Mayo/*Maigh Eo* 22 E3
Kilsaran 28 E2
Kilshanchoe 35 B3
Kilshannig 48 E5
Kilshanny/*Cill Seanaigh* 40 G2
Kilsheelan 52 E4
Kilshinahan 68 E2
Kilskeer/*Cill Scire* 27 A4
Kilskeery/*Cill Scire* 17 B1
Kiltamagh/*Coillte Mach* 23 D2
Kiltarsaghaun/*Cnoc an tSionnaigh* 22 G4
Kiltartan 42 E1
Kiltealy/*Cill Téile* 53 C2
Kilteel 35 D4
Kilteely/*Cill Tíle* 50 H2
Kilteevan 25 B5
Kiltegan 45 D3
Kiltiernan Co Galway 32 E5
Kiltiernan Co Dublin 36 G4
Kiltober 34 F3
Kiltoom Co Westmeath 26 G5
Kiltoom/*Cill Tuama*
Co Roscommon/*Ros Camáin* 33 B2
Kiltormer/*Cill Tormóir* 33 A4
Kiltullagh/*Cill Tulach* 32 F4
Kiltyclogher/*Coillte Clochair* 16 G2
Kilvemnon 52 F3
Kilvine 24 E5
Kilwaughter/*Cill Uachtair* 12 E1
Kilwoghan 35 D3
Kilworth Camp 61 A1
Kilworth/*Cill Uird* 61 A1
Kinallen 19 D1
Kinard 49 B2
Kinawley/*Cill Náile* 17 B3
Kincon 14 G4
Kingscourt/*Dún an Rí* 27 B2
Kingsland 24 H2
Kinlough/*Cionn Locha* 16 F1
Kinnacorra/*Cruachroim Beag* 21 D3
Kinnegad/*Cionn Átha Gad* 34 H2
Kinnitty/*Cionn Eitigh* 43 D1
Kinsale/*Cionn tSáile* 68 G1
Kinsalebeg/*Baile an Phoill* 61 D3
Kinsaley 36 G2
Kinsmill 10 H4
Kinvarra/*Cinn Mhara*
Co Galway/*Gaillimh* 31 D5
Kircubbin/*Cill Ghobáin* 12 G5
Kirkhills 4 G4
Kirkistown 20 H1
Kishkeam/*Coiscím na Caillí* 59 C1
Knights Town 57 C4
Knock Co Tipperary 44 E3
Knock/*An Cnoc* Co Clare/*An Clár* 49 A1
Knock/*Cnoc Mhuire*
Co Mayo/*Maigh Eo* 23 D3
Knockacaurhin 40 H3
Knockaderry/*Cnoc an Doire* 49 D3
Knockainy/*Cnoc Áine* 50 G3
Knockalafalla 52 F5
Knockalaghta 24 H4
Knockalough/*Cnoc an Eanaigh* 40 G5
Knockalunkard 40 H3
Knockananna/*Cnoc an Eanaigh* 46 E3
Knockanarra 24 E4
Knockane 59 D5
Knockanevin/*Cnocán Aobhainn* 50 H5
Knockanore 61 C3
Knockanure 49 A3
Knockaroe 44 E3
Knockaun 32 H5
Knockaunarast 61 C1
Knockaunbrack 49 A4
Knockaunnaglashy 58 F2
Knockaunroe 58 E2

Knockboy/*An Cnoc Buí* **62** E1
Knockbrack Co Clare **42** F4
Knockbrack Co Kerry **48** G4
Knockbrack/*An Cnoc Breac*
Co Donegal/*Dún na nGall* **9** B1
Knockbride **27** A1
Knockbridge/*Droichead an Cnoic* **27** D1
Knockbrit/*Cnoc an Bhriotaigh* **51** D3
Knockbrown **68** E2
Knockburden **60** F5
Knockcloghhrim/*Cnoc Clochdhroma* **10** H2
Knockcroghery/*Cnoc an Chrochaire* **33** B1
Knockdarnan **50** F3
Knockdrin **34** G1
Knockdrislagh **60** F2
Knockeenadallane **59** B1
Knockeencreen **49** A5
Knocklofty **51** D4
Knocklong/*Cnoc Loinge* **50** H3
Knockmael **42** E2
Knockmore/*An Cnoc Mór* **23** C1
Knockmourne **61** B2
Knocknaboley **40** G4
Knocknacarry **6** E3
Knocknacurra **68** F1
Knocknagashal/*Cnoc na gCaiseal* **49** A4
Knocknageeha **66** H3
Knocknagower **42** G3
Knocknagree **59** B2
Knocknahaha **48** G5
Knocknahila **40** F5
Knocknahilan **60** E5
Knocknaskagh **61** B4
Knockraha/*Cnoc Rátha* **60** *H4*
Knockroe Co Cork **67** A3
Knockroe Co Kerry **58** E4
Knockroe Co Waterford **62** E2
Knocks Co Cork **67** D2
Knocks Co Laois **44** F2
Knockskagh **67** D2
Knockskavane **49** D5
Knocktopher/*Cnoc an Tóchair* **52** H3
Knockvicar **25** A1
Knuttery **60** G2
Kyle **44** H2
Kyleballyhue **45** B4
Kylebrack/*An Choill Bhreac* **42** G1
Kylegarve **51** A1

L

Laagganstown **51** C3
Laban **32** E5
Labasheeda/*Leaba Shíoda* **49** B1
Lack/*An Leac* **9** B5
Lackagh **35** A5
Lackamore/*An Leac Mhór* **42** H4
Lackan Co Carlow **45** A5
Lackan Co Roscommon **25** B4
Lackan Co Westmeath **26** F5
Lackan Cross **33** A1
Lackan/*An Leacain*
Co Wicklow/*Cill Mhantáin* **36** E5
Lackareagh **59** D5
Lackbrooder **49** A5
Lacken Co Kilkenny **52** G1
Lacken/*Leacain* **53** B4
Lackendarragh North **60** H2
Lackey **44** E2
Lady's Island **64** G3
Lady's Island **64** G3
Ladysbridge/*Droichead na Scuab* **61** B4
Lagavara **4** H2
Laghey Corner **10** H5
Laghy/*An Lathaigh* **8** G4
Lahardaun/*Leathardán* **22** H1
Lakyle **49** B1
Lambeg/*Lann Bheag* **11** D5
Lamoge **52** G3
Lanesborough/*Béal Átha Liag* **25** C4
Lannaght **42** F2
Laracor **35** B1
Laragh Co Kildare **35** C3
Laragh/*Láithreach* Co Monaghan **18** H5
Laragh/*Láithreach* Co Wicklow **46** F2
Largan Co Mayo **14** E4
Largan Co Rosommon **25** B3
Largan Co Sligo **15** A5
Largydonnell **16** F1
Larne/*Latharna* **12** E1
Latnamard **18** F4
Lattin/*Laitean* **51** A3
Latton **18** F5
Lauragh/*Láithreach* **66** F1
Laurelvale/*Tamhnaigh Bhealtaine* **19** B2
Laurencetown/*An Baile Mór* **33** A4
Lavagh/*Leamhach* **15** C5
Lawrencetown/*Baile Labhráis* **19** B2
Laytown/*An Inse* **28** F4
Leamlara/*Léim Lára* **61** A3
Leap/*An Léim* **67** C3
Lecarrow/*An Leithcheathrú* **33** B1
Leckaun **16** F3
Leckemy/*Leic Éime* **3** C2
Leenaun/*An Líonán* **22** E5
Legan or Lenamore **26** E5
Leggah **26** E2
Legoniel/*Lag an Aoil* **11** D4
Lehinch/*An Leacht* **40** F3
Leighlinbridge/*Leithghlinn Droichid* **45** A5
Leitir Mealláin/Lettermullan **30** E4
Leitir Móir/Lettermore **30** E4
Leitrim /*Liatrom*
Co Leitrim/*Liatrom* **25** B1
Leitrim Co Clare **40** F5
Leitrim Co Down **20** E3
Leitrim East **49** A2
Leixlip/*Léim an Bhradáin* **36** E3
Lemanaghan **33** D4
Lemybrien/*Léim Uí Bhriain* **62** F1
Leperstown **63** B3
Lerrig **48** G4
Letterbarra **8** F3
Letterbreen/*Leitir Bhruín* **17** A2
Letterfrack/*Leitir Fraic* **29** D1
Letterkelly **40** F4
Letterkenny/*Leitir Ceanainn* **2** G5
Letterloan **4** E4
Lettermacaward/*Leitir Mhic an Bhaird* **8** E1
Lettershendoney **3** C5
Levally Co Mayo **23** C5
Levally/*An Leathbhaile*
Co Galway/*Gaillimh* **32** F1
Licketstown **52** H5
Lifford/*Leifear* **9** C2
Limavady/*Léim an Mhadaidh* **3** D4
Limerick Junction/*Gabhal Luimnigh* **51** A3
Limerick/*Luimneach* **50** F1
Linsfort/*Lios Lionn* **3** A3
Lios an Chraosaigh/Lisacresig **59** C4
Lios Ceanannáin **31** D3
Lios Deargáin **57** D1
Lios Ó Móine **66** H4
Lios Póil/Lispole **57** D1
Lisbane **12** F5
Lisbellaw/*Lios Béal Átha* **17** C2
Lisboduff **18** E5
Lisburn/*Lios na gCearrbhach* **11** D5
Liscannor/*Lios Ceannúir* **40** F3
Liscarney/*Lios Cearnaigh* **22** F4
Liscarroll/*Lios Cearuill* **50** E5
Liscloon/*Lios Claon* **9** D1
Liscrona **48** G1
Lisdoonvarna/*Lios Dúin Bhearna* **40** G2
Lisdowney **44** G4
Lisduff Co Cork **60** G3
Lisduff Co Offaly **33** D5
Lisduff/*An Lios Dubh*
Co Cavan/*An Cabhán* **27** A3
Lisgarode **43** B3
Lisgoold **61** A3
Lisheen **41** D5
Lisheenaguile **33** A5
Liskeagh **24** H1
Lislea **19** B4
Lismacaffry **26** F4
Lismire **59** D1
Lismore/*Lios Mór* **61** C2
Lismoyle **33** B1
Lisnadill/*Lios na Daille* **18** H3
Lisnageer/*Lios na gCaor* **18** E5
Lisnagry/*Lios na Graí* **50** G1
Lisnakill Cross **62** H1
Lisnalong **18** F5
Lisnamuck/*Lios na Muc* **10** G2
Lisnarick/*Lios na nDaróg* **17** A1
Lisnaskea/*Lios na Scéithe* **17** C3
Lispatrick **68** G2
Lisroe **40** H4
Lisronagh/*Lios Ruanach* **52** E4
Lisryan **26** F4
Lissaha **51** D2
Lissalway/*Lios Sealbhaigh* **24** H4
Lissanacody **33** A5
Lissananny **24** G3
Lissavard **67** D3
Lisselton/*Lios Eiltín* **48** H3
Lissycasey/*Lios Uí Chathasaigh* **40** H5
Listellick **48** G5
Listerlin **53** A4
Listooder **20** F1
Listowel/*Lios Tuathail* **48** H3
Lisvarrinane/*Lios Fearnáin* **51** A4
Littleton/*An Baile Beag* **51** D1
Lixnaw/*Leic Snámha* **48** G4
Loanends/*Carn Mhéabha* **11** D3
Lobinstown/*Baile Lóibín* **27** C3
Loch an Iúir/Loughanure **1** D5
Loch Gowna/*Loch Gamhna* **26** F2
Loghill Co Limerick **49** D3
Loghill/*Leamhchoill*
Co Limerick/*Luimneach* **49** B2
Logleagh **61** B1
Loiscreán/Loskeran **62** E3
Lombardstown/*Baile Limbaird* **60** E2
Longford Co Offaly **43** D1

Longford/*An Longfort*
Co Longford/*An Longfort* 25 D4
Longhaclerybeg 32 G3
Longwood/*Maigh Dearmahaí* 35 B2
Lorrha/*Lothra* 43 B1
Lorum 53 B1
Lough Morne/*Loch Morn* 18 G5
Loughacutteen 51 C4
Loughanaboll 15 B4
Loughanavally 34 F2
Loughbrickland/*Loch Bricleann* 19 C2
Loughduff 26 F2
Lougher 58 E1
Loughgall/*Loch gCál* 19 A1
Loughglinn/*Loch Glinne* 24 G3
Loughguile/*Loch gCaol* 4 H4
Loughinisland/*Loch an Oileáin* 20 F2
Loughmacrory Co Tyrone 10 E4
Loughmoe/*Luachma* 43 D5
Loughrea/*Baile Locha Riach* 32 G5
Loughries 12 G4
Loughshinny 36 G1
Louisburgh/*Cluain Cearbán* 22 E3
Louth/*Lú* 27 D1
Lowertown 66 G3
Lowtown 19 D2
Lucan/*Leamhcán* 36 E3
Lugdoon 15 B3
Luggacurren/*Log an Churraigh* 44 H3
Lukeswell 52 H4
Lullymore 35 B4
Lurga Co Mayo 24 E2
Lurgan Co Roscommon 24 H2
Lurgan/*An Lorgain*
Co Armagh/*Ard Mhaca* 19 B1
Lurganare 19 B3
Lurganboy Co Donegal 2 H3
Lurganboy Co Leitrim 16 F2
Lusk/*Lusca* 36 G1
Lyracrumpane/*Ladhar an Chrompáin* 48 H4
Lyradane 60 F3
Lyre Co Kerry 49 A5
Lyre Co Waterford 61 B3
Lyre/*Ladhar an Chrompáin* or
An Ladhar Co Cork/*Corcaigh* 60 E2
Lyrenaglogh 61 B1

M

Maas 8 E2
Maam Cross 30 F2
Mace 22 G3
Mackan/*Macan* 17 B3
Macosquin/*Maigh Choscáin* 4 F4
Macroney 61 A1
Macroom/*Maigh Chromtha* 59 D4
Madabawn 27 A1
Maddockstown/*Baile Mhadóg* 52 H1
Maganey/*Maigh Geine* 45 B3
Maghaberry 11 C5
Maghera Co Down 20 E3
Maghera Cross 42 E3
Maghera/*Machaire Rátha*
Co Londonderry/*Doire* 10 H1
Magherafelt/*Machaire Fíolta* 11 A2
Magheralin/*Machaire Lainne* 19 C1
Magheramason 3 B5
Magheramorne/*Machaire Morna* 12 F2
Magheraveely/*Machaire Mhílie* 17 D4
Maghery Co Armagh 11 A5
Maghery/*An Machaire*
Co Donegal/*Dún na nGall* 8 E1
Magilligan/*Aird Mhic Giollagain* 3 D3
Maguiresbridge/*Droichead Mhig Uidir* 17 C3
Maigh Cuilinn/Moycullen 31 C3
Maigh Raithin 13 C3
Mainham 35 C3
Máistir Gaoithe/Mastergeehy 57 D4
Malahide/*Mullach Íde* 36 G2
Málainn Bhig/Malin Beg 7 C3
Málainn Mhóir/Malin More 7 B3
Malin/*Málainn* 3 B1
Mallaranny/*An Mhala Raithní* 22 E2
Mallow/*Mala* 60 F2
Mallusk/*Maigh Bhloisce* 11 D3
Manorcunningham/*Mainéar Uí Chuinneagáin* 2 H5
Manorhamilton/*Cluainín* 16 F2
Manselstown 43 D5
Mansfieldstown 28 E2
Mantua/*An Mointeach* 25 A3
Manulla 23 C3
Marble Arch 17 A3
Mardyke 52 E2
Margymonaghan 3 D3
Markethill/*Cnoc an Mhargaidh* 19 A3
Marlfield 51 D4
Marshalstown/*Baile Mharascail* 53 D2
Martinstown Co Limerick 50 G4
Martinstown/*Baile Uí Mháirtín* 5 D5
Marty 27 B4
Masterstown 51 C3
Matehy 60 F4
Maulatrahane 67 B3
Maulavanig 67 A1
Maulawaddra 66 G3
Mauricesmills/*Muilte Mhuiris* 40 H3
Mayglass 54 E5
Maynooth/*Maigh Nuad* 35 D3
Mayo/*Maigh Eo* 23 C3
Mayobridge/*Droichead Mhaigh Eo* 19 C4
Mazetown 11 D5
McGregor's Corner 5 D5
McLaughlins Corner 4 G5
Meanus/*Méanas* 50 F2
Meelick 33 B5
Meelin/*An Mhaoilinn* 49 D5
Meenacross 8 E1
Meenbannivane 49 A5
Meenglass 9 A2
Meennaraheeny 49 B5
Meigh 19 B4
Mellifont 28 E4
Menlough/*Mionlach*
Co Galway/*Gaillimh* 32 G2
Middlequarter 61 D1
Middletown/*Coillidh Chanannáin* 18 G3
Midfield/*An Trian Láir* 23 D2
Midleton/*Mainistir na Corann* 61 A4
Milehouse/*Teach an Mhíle* 53 D2
Milemill 45 C1
Milestone/*Cloch an Mhile* 51 B1
Milford/*Áth an Mhuilinn*
Co Armagh/*Ard Mhacha* 18 H2
Milford/*Átha an Mhuilinn*
Co Cork/*Corcaigh* 50 E4
Mill Brook 17 D4
Mill Town/*Baile an Mhuilinn* 11 C3
Millbank 11 D3
Millbrook/*Sruthán an Mhuilinn* 12 E1
Millford/*Baile na nGallóglach* 2 G4
Millisle/*Oilean an Mhuilinn* 12 H4
Millstreet /*Sráid an Mhuilinn*
Co Cork/*Corcaigh* 59 C2
Millstreet Co Waterford 61 D1
Millstreet/*Sráid an Mhuilinn*
Co Cork/Corcaigh 61 A1
Milltown Co Armagh 19 A2
Milltown Co Donegal 2 G3
Milltown Co Donegal 8 F4
Milltown Co Dublin 36 E3
Milltown Co Galway 24 E5
Milltown Co Galway 32 G1
Milltown Co Kildare 35 B5
Milltown Co Kilkenny 52 H4
Milltown Co Londonderry 4 E3
Milltown Co Londonderry 4 F4
Milltown Co Westmeath 34 F1
Milltown Malbay/*Sráid na Cathrach* 40 F4
Milltown/*Baile an Mhuilinn*
Co Cavan/*An Cabhán* 17 C5
Milltown/*Baile an Mhuilinn*
Co Kerry/*Ciarraí* 58 G1
Milltownpass/*Belach Bhaile an Mhuilinn* 34 G2
Mín an Aoire/Meenaneary 7 D3
Mín an Chladaigh/Meenaclady 1 D3
Mín Beannaid/Meenbannad 1 C5
Mín Larach/Meenlaragh 1 D3
Mín na Croise/Meenacross 7 C3
Mín na Croise/Meenacross 8 E1
Minane Bridge/*Droichead an Mhionnáin* 68 H1
Minerstown/Baile na Mianadóirí 20 F3
Minorstown 52 E4
Mionlach/Menlough 31 C4
Mitchelstown/Baile Mhistéala 51 A5
Moanmore Co Clare 48 H1
Moanmore Co Tipperary 50 H3
Moat Farrell 26 E4
Moat/*An Móta* 33 D3
Model Village 60 E4
Modelligo 61 D2
Modreeny 43 B3
Mogeely/*Maigh Dhíle* 61 B4
Mohil 44 H5
Mohill/*Maothail* 25 C2
Móin na mBráthar 62 E3
Moira/*Maigh Rath* 11 C5
Moll's Gap 58 G4
Monagear 54 E2
Monaghan/*Muineachán* 18 F3
Monagoun 61 B2
Monaincha Bog 43 D3
Monalour 61 C1
Monamolin/*Muine Moling* 54 F2
Monard Co Tipperary 51 A3
Monard Co Waterford 61 C1
Monaseed/*Móin na Saighead* 46 E5
Monaster/*An Mhainistir* 50 F2
Monasteraden/*Mainistir Réadáin* 24 G2
Monasterevin/*Mainistir Eimhín* 35 A5
Monea/*Maigh Niadh* 17 A2
Moneen Co Clare 48 F2
Moneen Co Galway 31 D2
Moneenroe 44 H4
Monettia Bog 34 F5

Moneycashel 16 H3
Moneycusker 59 C5
Moneydig/*Muine Dige* 4 F5
Moneygall/*Muine Gall* 43 C3
Moneyglass/*An Muine Glas* 11 B2
Moneymore/*Muine Mór* 10 H3
Moneyneany/*Món na nIonadh* 10 G2
Moneyreagh/*Monadh Riabhach* 12 E5
Moneyslane 19 D3
Monilea/*An Muine Liath* 34 G1
Monivea/*Muine Mhéa* 32 F3
Monkstown Co Antrim 12 E3
Monkstown/*Baile na Mhanach* Co Cork/*Corcaigh* 60 H5
Montpelier 42 G5
Mooncoin/*Móin Choinn* 52 H5
Moone/*Maoin* 45 B2
Moord 61 D4
Moorfields/*Páirc an tSléibhe* 11 C2
Moortown 11 A4
Morenane 50 E3
Mornington/*Baile Uí Mhornáin* 28 F4
Moroe/*Maigh Rua* 50 H1
Mortlestown 50 G4
Moskeagh 60 E5
Mosney Camp 28 F5
Mossley/*Maslaí* 12 E3
Moss-Side/*Mas Saíde* 4 H3
Mothel 52 F5
Mount Bellew Bridge/*An Creagán* 32 G2
Mount Nugent/*Droichead Uí Dhálaigh* 26 G3
Mount Stewart 12 G5
Mount Talbot/*Mun Talbóid* 33 A1
Mount Temple Co Sligo 15 D1
Mount Temple/*An Grianan* Co Westmeath/*An Iarmhí* 33 D2
Mount Uniacke/*Cúil Ó gCorra* 61 B3
Mountallen 16 G5
Mountbolus/*Cnocán Bhólais* 34 E5
Mountcatherine 60 H3
Mountcharles/*Moin Searlas* 8 F4
Mountcollins/*Cnoc Uí Choileáin* 49 B5
Mountfield/*Achadh Ard* 10 E4
Mountjoy/*Muinseo* 9 D4
Mountmelleray 61 C1
Mountmellick/*Mointeach Mílic* 44 G1
Mountnorris/*Achadh na Cranncha* 19 A3
Mountrath/*Maighean Rátha* 44 F2
Mountshannon/*Baile Uí Bheoláin* 42 H3
Moveen 48 G1
Moville/*Bun an Phobail* 3 D3
Moy Co Galway 41 D1
Moy/*An Maigh* Co Tyrone/*Tír Eoghain* 18 H1
Moyard/*Maigh Ard* 29 C1
Moyarget 4 H3
Moyasta/*Maigh Sheasta* 48 H1
Moycarky 51 D1
Moydow/*Maigh Dumha* 25 D5
Moygashel/*Maigh gCaisil* 10 H5
Moygawnagh 14 G4
Moyglass/*Maigh Ghlas* 51 D2
Moyle 45 B4
Moylisha 45 D5
Moylough Co Sligo 24 F1
Moylough or Newtown Bellew/*Maigh Locha* Co Galway/*Gaillimh* 32 G2
Moymore 42 E4
Moynalty/*Maigh nEalth* 27 B3
Moynalvy 35 C2
Moyne Co Longford 26 E2
Moyne Co Tipperary 43 D5
Moyne Co Wicklow 46 E3
Moyne/*An Mhaighean* Co Roscommon/*Ros Comáin* 24 G3
Moyreen 49 B2
Moyrus 29 D3
Moys 3 D5
Moyvally/*Maigh Bhealaigh* 35 B2
Moyvane (Newtown Sandes) /*Maigh Mheain* 49 A3
Moyvore/*Maigh Mhórdha* 34 E1
Moyvoughly/*Maigh Bhachla* 33 D2
Muckamore/*Maigh Chomair* 11 C3
Mucklon 35 B3
Muckross 58 H3
Mucrois 31 C3
Muff Glen/*Glas-Staill* 3 C5
Muff/*Magh* 3 B4
Muine Mór 2 E5
Muinganear 49 A5
Muingaphuca 58 F2
Muingwee 49 A4
Muingydowda 57 C4
Mulhuddart/*Mullach Eadrad* 36 E3
Mullafarry 14 G4
Mullagh Co Galway 32 H5
Mullagh Co Mayo 22 E4
Mullagh Co Meath 35 D2
Mullagh/*An Mullach* Co Cavan/*An Cabhán* 27 A3
Mullagh/*Mullach* Co Clare/*An Clár* 40 F4
Mullaghbane 19 A5
Mullaghboy 12 F1
Mullaghglass 19 B3
Mullaghmacormick 25 C3
Mullaghmore/*An Mullach Mór* 16 E1
Mullaghroe 24 G1
Mullan Co Londonderry 4 F4
Mullan Head 4 G5
Mullan/*An Muileann* Co Monaghan/*Muineachán* 18 F2
Mullany's Cross 15 B5
Mullen 24 G3
Mullenaboree 60 G2
Mullennakill 53 A3
Mullinacuff/*Muileann Mhic Dhuibh* 45 D4
Mullinahone/*Muileann na hUamhan* 52 F2
Mullinavat/*Muileann an Bhata* 52 H4
Mullingar/*An Muileann gCearr* 34 F1
Multyfarnham/*Muilte Farannáin* 26 G5
Mungret/*Mungairit* 50 F1
Murher 49 A3
Murntown/*Baile Mhúráin* 54 E5
Murrisk/*Muraisc* 22 F3
Murroogh 40 G1
Mweennalaa 48 H5
Myross 67 C3
Myshall/*Miseal* 45 C5

N

Na Forbhacha/Furbogh 30 H4
Na Dúnaibh/Downies 2 F3
Na Rosa 1 C5
Na Sraithíní 21 D2
Naas/*An Nás* 35 C4
Nad 60 E2
Nahana 34 H5
Naran 8 E2
Narraghmore/*An Fhorrach Mhór* 45 B1
Naul/*An Aill* 28 F5
Navan/*An Uaimh* 27 C5
Neale/*An Éill* 30 H1
Nealstown 44 E2
Nedanone 58 E5
Nenagh/*An tAonach* 43 A4
New Birmingham/*Gleann an Ghuail* 52 E1
New Buildings/*An Baile Nua* 3 B5
New Inn Co Laois 44 H1
New Inn/*An Cnoc Breac* Co Galway/*Gaillimh* 32 G4
New Inn/*An Dromainn* Co Cavan/*An Cabhán* 26 H2
New Kildimo 50 E1
New Ross/*Ros Mhic Thriúin* 53 B4
New Twopothouse Village/*Tigh Nua an Dá Phota* 60 F1
Newbawn/*An Bábhún Nua* 53 C4
Newbliss/*Cúil Darach* 18 E4
Newbridge Co Limerick 49 D2
Newbridge/*An Droichead Nua* Co Galway/*Gaillimh* 32 H1
Newcastle Co Galway 32 F3
Newcastle Co Tipperary 51 D5
Newcastle West/*An Caisleán Nua* 49 C3
Newcastle/*An Caisleán Nua* Co Down/*An Dún* 20 E3
Newcastle/*An Caisleán Nua* Co Dublin/ *Baile Átha Cliat*h 36 E4
Newcastle/*An Caisleán Nua* Co Wicklow 46 G1
Newcestown 67 D1
Newchapel 51 D4
Newferry 11 A2
Newinn/*Loch Ceann* 51 C3
Newmarket Co Kilkenny 52 H3
Newmarket on Fergus/*Cora Chaitlín* 41 D5
Newmarket/*Áth Trasna* Co Cork/*Corcaigh* 59 D1
Newmills Co Cork 67 D3
Newmills/*An Muileann Nua* Co Tyrone/*Tír Eoghain* 10 H5
Newmills/*Gleann Lára* Co Donegal/*Dún na nGall* 9 A1
Newport/*An Port Nua* Co Tipperary/*Tiobraid Árann* 42 H5
Newport/*Baile Uí Fhiacháin* Co Mayo/*Maigh Eo* 22 F2
Newry/*An tIúr* 19 B4
Newtown Cashel/*Baile Nua an Chaisil* 33 C1
Newtown Cloghans/*An Baile Ur* 14 H5
Newtown Co Galway 32 G4
Newtown Co Kildare 35 C3
Newtown Co Kilkenny 52 F1
Newtown Co Laois 45 A4
Newtown Co Limerick 50 G3
Newtown Co Mayo 22 H3
Newtown Co Meath 27 D3
Newtown Co Offaly 33 B5
Newtown Co Roscommon 24 H4
Newtown Co Roscommon 33 A3
Newtown Co Tipperary 43 A3
Newtown Co Tipperary 43 D3
Newtown Co Tipperary 51 A3
Newtown Co Waterford 61 D3

Newtown Co Waterford 62 E2
Newtown Co Waterford 62 G1
Newtown Co Wexford 63 D4
Newtown Co Wexford 64 E3
Newtown Cunningham/*An Baile Nua Chuinneagain* 3 A5
Newtown Forbes/*An Lois Breac* 25 C4
Newtown Gore/*An Dúcharraig* 17 B5
Newtown Mt. Kennedy/*Baile an Chinnéidigh* 46 G1
Newtownabbey/*Baile na Mainstreach* 12 E3
Newtownadam 51 C4
Newtownards/*Baile Nua na hArda* 12 G4
Newtownbutler/*An Baile Nua* 17 C4
Newtown-Crommelin/*Baile Nua Chromalin* 5 D5
Newtownhamilton/*Baile Úr* 19 A4
Newtownlow 34 F3
Newtownlynch 31 D5
Newtownshandrum/*Baile Nua Sheandroma* 50 E4
Newtownstewart/*An Baile Nua* 9 D3
Nicholstown 53 A5
Ninemilehouse/*Tigh na Naoi Míle* 52 F3
Nobber/*An Obair* 27 C3
Nohaval/*Nuach a Bháil* 68 H1
North Ring 68 E2
Northlands/*An Táchairt Thuaidh* 27 B1
Noughaval Co Clare 41 D4
Nurney Co Kildare 45 B1
Nurney/*An Urnaí*
Co Carlow/*Ceatharlach* 45 B5
Nutts Corner/*Coirnéal Nutt* 11 C4

O

O'Briensbridge/*Droichead Uí Bhriain* 42 G5
O'Callaghansmills 42 F4
Oaghley 48 H3
Oatfield 42 F5
Oghill 33 A4
Ogonnelloe/*Tuath Ó gConáile* 42 G3
Oilgate/*Maolán na nGabhar* 54 E3
Old Head 68 G2
Old Kilcullen 45 C1
Old Kildimo 50 E1
Old Ross 53 B4
Old Town Co Laois 44 G3
Old Town Co Wexford 53 C2
Old Town/*An Seanbhaile*
Co Roscommon/*Ros Comáin* 33 B4
Oldcastle/*An Seanchaisleán* 26 H3
Oldgrange 51 D5
Oldleagh 45 A3
Oldleighlin/*Seanleithghlinn* 45 A5
Oldtown Co Dublin 36 F1
Oldtown Co Roscommon 33 C3
Omagh/*An Ómaigh* 9 D4
Omeath/*Ó Méith* 19 C5
Oola/*Úlla* 51 A2
Oranmore/*Órán Mór* 31 D4
Orritor/*Na Coracha Beaga* 10 G4
Oughtdarra 40 F1
Oughter 34 E4
Oughterard/*Uachtar Ard* 30 H2
Oulart/*An tAbhallort* 54 E2
Outeragh 51 C4
Ovens/*Na hUamhanna* 60 F5
Owenbeg/*An Abhainn Bheag* 15 A3
Owenbristy 32 E5
Owning/*Ónainn* 52 G4

P

Palace/*An Phailís* 53 B3
Palatine 45 B4
Palatine Street 50 H2
Pallas Co Galway 32 H3
Pallas Co Laois 44 G2
Pallas Grean (New)/*Pailís Ghréine* 50 H2
Pallas Grean/*An tSeanphailís* 50 H2
Pallasboy 34 G3
Pallaskenry/*Pailís Chaonraí* 50 E1
Pallis 46 F5
Palmerstown/*Baile Phámar* 36 E3
Park Co Londonderry 10 E1
Park Co Mayo 23 C2
Park Co Wexford 64 E3
Parkacunna 60 H1
Parkbane 68 E1
Parkbridge 45 D5
Parkgate 11 D3
Parkmore/*An Phairc Mhór* 31 D5
Parknasilla 58 E5
Parteen 42 F5
Partry/*Partraí* 22 H4
Passage 32 H1
Passage East/*An Pasáiste* 63 B3
Passage West/*An Pasáiste* 60 H5
Patrickswell/*Tobar Phádraig* 50 F2
Paulstown/*Baile Phóil* 53 A1
Peak 32 G4
Peterswell/*Tobar Pheadair* 42 F1
Pettigo/*Paiteagó* 9 A5
Pharis/*Fáras* 4 H4
Piercetown Co Cork 60 G4
Piercetown Co Wexford 54 E5
Pike 43 B1
Pike Corner 35 C1
Pike of Rush Hall/*An Paidhc* 44 E3
Piltown/*Baile an Phoill* 52 G4
Pluck 2 H5
Plumbridge/*Droichead an Phlum* 9 D2
Poll an tSómais/Pollatomish 13 D3
Pollagh Co Galway 31 D5
Pollagh/*Pollach*
Co Offaly/*Uíbh Fhailí* 33 D4
Pollatlugga 32 H4
Pollboy 33 A4
Pollshask 24 G5
Pomeroy/*Pomeroy* 10 F4
Pontoon 23 C1
Port 28 F3
Port an Chlóidh/Portacloy 13 D2
Port Durlainne/Porturlin 13 D2
Port Laoise/Port Laoise 44 G2
Portadown/*Port an Dúnáin* 19 A1
Portaferry/*Port an Pheire* 20 H1
Portaleen 3 C1
Portarlington/*Cúil an tSúdaire* 34 H5
Portavogie/*Port an Bhogaigh* 20 H1
Portballintrae/*Port Bhaile an Trá* 4 G2
Portglenone/*Port Chluain Eoghain* 11 A1
Portland 43 A1
Portlaw/*Port Lách* 52 G5
Portmagee/*An Caladh* 57 B4
Portmarnock/*Port Mearnóg* 36 G2
Portmuck 12 F1
Portnablahy/*Port na Bláiche* 2 F3
Portnashangan 26 G5
Portnoo/*Port Nua* 7 D2
Portraine/*Port Reachrainn* 36 G1
Portroe/*An Port Rua* 42 H3
Portrush/*Port Rois* 4 F3
Portsalon/*Port an tSalainn* 2 H2
Portstewart/*Port Stíobhaird* 4 F3
Portumna/*Port Omna* 43 A1
Pottore 16 H5
Poulanargid 59 D5
Poulnamucky 51 C4
Power's Cross/*Crois an Phaoraigh* 42 H1
Poyntz Pass/*Pas an Phointe* 19 B3
Priest Town 61 D1
Priesthaggard 53 B5
Prosperous/*An Chorrchoill* 35 C4
Puckaun/*Pocán* 43 A3

Q

Quarrytown 11 C1
Querrin/*An Cuibhreann* 48 H1
Quigley's Point/*Rinn Uí Choigligh* 3 C3
Quilty/*Coillte* 40 F4
Quin/*Cuinche* 42 E4

R

Radestown 44 H5
Rae na nDoirí/Reananerree 59 B4
Raffrey/*Rafraidh* 20 F1
Raghly 15 C2
Rahaghy 26 H4
Rahan/*Raithean* 34 E4
Rahara 33 A1
Raharney/*Ráth Fhearna* 35 A1
Raheen Co Carlow 45 D4
Raheen Co Kerry 59 A2
Raheen Co Tipperary 51 C4
Raheen Co Westmeath 34 E2
Raheen/*An Ráithin*
Co Wexford/*Loch Garman* 53 C4
Raheenagh 49 C4
Raheenlusk 54 F2
Raholp 20 G2
Rake Street 14 F5
Ramsgrange/*An Ghráinseach* 53 B5
Ranamackan 32 H5
Randalstown/*Baile Raghnaill* 11 B2
Rann na Feirste/Rannafarset 1 C4
Rapemills 43 C1
Raphoe/*Ráth Bhoth* 9 B1
Rascalstreet 59 C1
Rasharkin/*Ros Earcáin* 4 G5
Rashedoge 2 G5
Rath 43 D1
Ráth Chairn/Rathcarran 27 B5
Rathangan/*Ráth Iomgháin* 35 A5
Rathanny 48 H5
Rathaspick 26 F5
Rathbrit 51 D3
Rathcabban/*Ráth Cabáin* 43 B1
Rathcoffey 35 C3
Rathconor 25 A4
Rathconrath/*Ráth Conarta* 34 F1
Rathcool Co Cork 59 D2
Rathcoole/*Rath Cúil*
Co Dublin/*Baile Átha Cliath* 36 E4
Rathcore/*Ráth Cuair* 35 B2
Rathcormack 15 D2
Rathcormack/*Ráth Chormaic* 61 A2
Rathcrony 40 H4

Rathdangan/*Ráth Daingin* 45 D3
Rathdowney/*Ráth Domhnaigh* 44 E4
Rathdrum/*Ráth Droma* 46 F3
Rathduff 26 E5
Ratheenroe 66 H3
Rathernan 35 B4
Rathfeigh/*Ráth Faiche* 28 E5
Rathfilode 60 H3
Rathfriland/*Ráth Fraoileann* 19 D3
Rathfylane 53 C3
Rathgarry 44 H4
Rathgormuck/*Ráth Ó gCormaic* 52 F5
Rathgranagher 23 C5
Rathkea 51 A3
Rathkeale/*Ráth Caola* 49 D2
Rathkeevin 51 D4
Rathkenny/*Ráth Cheannaigh* 27 C4
Rathkeva 24 H3
Rathkineely 24 H3
Rathlackan 14 G3
Rathlee/*Ráth Lao* 15 A3
Rathlyon 45 C4
Rathmaiden 62 F1
Rathmelton/*Ráth Mealtain* 2 H4
Rathmore Co Meath 27 B5
Rathmore/*An Ráth Mhór*
Co Kerry/*Ciarraí* 59 B2
Rathmore/*An Ráth Mhór*
Co Kildare/*Cill Dara* 35 D5
Rathmoylan Co Meath 35 B2
Rathmoylan Co Waterford 63 B4
Rathmullan/*Ráth Maoláin* 2 H4
Rathnamagh 14 G4
Rathnew/*Ráth Naoi* 46 G2
Rathnure/*Ráth an Iúir* 53 C3
Rathoma 14 G4
Rathorgan 61 A3
Rathowen/*Ráth Eoghainn* 26 F5
Rathroeen 14 H4
Rathruane 66 H3
Rathtoe 45 C4
Rathvilly/*Ráth Bhile* 45 C3
Rathwire 34 H1
Ratoath/*Ráth Tó* 36 E1
Ratooragh 66 G3
Ravensdale/*Gleann na bhFiach* 19 B5
Ravernet/*Ráth Bhearnait* 11 D5
Ray 2 H4
Ré na gCloichín 62 E3
Ré na nDoirí 59 B4
Readypenny 28 E2
Reaghstown 27 D2
Reanascreena/*Rae na Scríne* 67 C2
Rear Cross/*Crois na Rae* 51 A1
Reclain 10 F5
Redcastle 3 C3
Redcross/An *Chrois Dhearg* 46 G3
Redgate 54 E3
Redhills/*An Cnoc Rua* 17 D5
Redwood 43 B1
Renvyle 21 C5
Rerrin/*Raerainn* 66 F2
Revallagh 4 G3
Rhode/*Ród* 34 H3
Richill/*Log an Choire* 19 A2
Riesk 61 A3
Ring/*An Rinn* 64 G3
Ringaskiddy/*Rinn an Scidígh* 60 H5
Ringsend/*Droichead an Carraige* 4 E4
Ringstown 44 F2
Rinneen Co Clare 40 F3
Rinneen Co Cork 67 B3
Rinville 31 D4
Riverchapel 54 F1
Riverstick/*Áth an Mhaide* 68 G1
Riverstown Co Cork 60 H4
Riverstown/*Baile Idir dhá Abhainn*
Co Sligo/*Sligeach* 16 E4
Riverstown/*Baile Uí Lachnáin*
Co Tipperary/*Tiobraid Árann* 43 C1
Robertstown/*Baile Riobaird* 35 B4
Robinstown Co Wexford 53 D5
Robinstown/*Baile Roibín*
Co Meath/*An Mhí* 27 C5
Rochestown Co Kilkenny 52 H4
Rochestown Co Kilkenny 53 A5
Rochestown Co Tipperary 51 C5
Rochfortbridge/*Droichead*
Chaisléan Loiste 34 G2
Rockchapel/*Séipéal na Carraige* 49 C5
Rockcorry/*Buíochar* 18 F5
Rockhill 50 F3
Rockmills 60 H1
Rockstown 46 G3
Rodeen 25 B2
Roevehagh 32 E5
Rooaun 33 B5
Roonah Quay/*An Nuachabháil* 21 D3
Roosky Co Mayo 24 F1
Roosky/*Rúscaigh*
Co Roscommon/*Ros Comáin* 25 C3
Rooty Cross 33 B3
Ros an Mhíl/Rossaveel 30 F4
Ros Dumhach/Ross Port 13 D3
Ros Muc/Rosmuck 30 F3
Rosapenna 2 G3
Rosbercon 53 A4
Roscat 45 C4
Roscommon/*Ros Comáin* 25 A5
Roscrea/*Ros Cré* 43 D2
Rosegreen/*Faiche Ró* 51 D3
Rosemount 34 E2
Rosenallis/*Ros Fhionnghlaise* 44 F1
Rosmult 51 C1
Rosnakill/*Ros na Cille* 2 H3
Ross Behy 58 E2
Ross Carbery/*Ros Ó gCairbre* 67 C3
Ross Dumhach 13 D3
Ross West 22 H2
Ross/*An Ros* Co Meath/*An Mhí* 26 G3
Rossadrehid/*Ross an Droichead* 51 B4
Rossanean 58 H1
Rossbeg/*Ros Beag* 7 D2
Rossbrin 66 H3
Rosscahill 30 H3
Rosses Point/*An Ros* 15 D2
Rossinver/*Ros Inbhir* 16 G2
Rosslare Harbour/*Calafort Ros Láir* 54 F5
Rosslare/*Ros Láir* 54 E5
Rosslea/*Ros Liath* 18 E3
Rossmackowen 66 F2
Rossmore Co Cork 67 D2
Rossmore Co Laois 45 A4
Rossmore Co Monaghan 18 F3
Rossmore Co Tipperary 51 C1
Rossmore/*An Ros Mór*
Co Cork/*Corcaigh* 59 C5
Rossnowlagh/*Ros Neamhlach* 8 F5
Rostellan/*Ros Tialláin* 61 A5
Rostrevor/*Ros Treabhair* 19 C5
Rosturk 22 E2
Roughfort 11 D3
Roundfort 23 C5
Roundstone 29 D2
Roundwood/*An Tóchar* 46 F1
Rousky 10 E3
Roxhill 11 B2
Ruan/*An Ruán* 41 D3
Rubane/*Rú Bán* 12 H5
Rush/*An Ros* 36 G1
Rusheen 59 D4
Rusheeny 30 G2
Ryehill 32 F3
Rylane 60 E3

S

Saggart 36 E4
Saint Johnstown/*Baile Suingean* 9 C1
Saint Mullins 53 B3
Saintfield/*Tamhnaigh Naomh* 20 F1
Saleen 61 A5
Sallins/*Na Solláin* 35 C4
Sallybrook 60 H4
Sallypark 43 B4
Saltmills/*Muillean an tSáile* 63 C3
Sandholes/*Clais an Ghainimh* 10 G4
Sandyford/*Áth an Ghainimh* 36 F4
Santry/*Seantrabh* 36 F2
Saul 20 G2
Scardaun Co Mayo 23 D5
Scarriff/*An Scairbh* 42 G3
Scartaglin/*Scairteach an Ghlinne* 59 A1
Scarva/*Scarbhach* 19 B2
Scotch Corner 18 G4
Scotch Street/*Sráid na hAlbanach* 19 A1
Scotshouse/*Teach an Scotaigh* 17 D5
Scotstown/*Baile an Scotaigh* 18 E3
Scradaun Co Roscommon 33 A1
Scrahan 48 F5
Scrahanfadda 59 A2
Scramoge/*Scramóg* 25 B4
Scrarour 60 H1
Screen/*An Scrín* 54 E3
Screggan/*An Screagán* 34 E4
Scriggan 3 D5
Scurlockstown 27 B4
Seaforde/*Baile Forda* 20 E2
Seapatrick 19 C2
Seskin 52 E4
Seskinore/*Seisceann Odher* 9 D5
Shanacrane 67 B1
Shanagarry/*An Seangharraí* 61 B5
Shanaglish 42 E2
Shanagolden/*Seanghualainn* 49 C2
Shanahoe/*Seanchua* 44 F3
Shanavogh 40 G4
Shanballard 32 G3
Shanbally Co Galway 32 G1
Shanbally/*An Seanbhaile*
Co Cork/*Corcaigh* 60 H5
Shanballyedmond 51 A1
Shanballymore/*An Seanbhaile Mór* 60 G1
Shangarry 32 H5
Shankill/*Seanchill* 36 G4

Shanlaragh/*Seanlárach* 67 C1
Shannakea/*Seanachae* 49 C1
Shannon Harbour/*Caladh na Sionainne* 33 C5
Shannon/*Sionainn* 42 E5
Shannonbridge/*Droichead na Sionainne* 33 B4
Shanragh 45 A3
Shanrahan 51 B5
Shanrath 49 D4
Shantonagh/*Seantonnach* 18 G5
Sharavogue/*Searbhóg* 43 C2
Shercock/*Searcóg* 27 B1
Sheskin 14 E4
Shevry 43 B5
Shillelagh/*Síol Ealaigh* 45 D5
Shinrone/*Suí an Róin* 43 C2
Shrigley 20 S1
Shrone 48 H2
Shronell 51 A3
Shronowen/*Srón Abhann* 48 H2
Shrule/*Sruthair* 31 C1
Sillahertane 67 B1
Silver Stream 18 F3
Silverbridge/*Béal Átha an Airgid* 19 A5
Silvermines/*Béal Átha Gabhann* 43 A4
Sion Mills/*Muileann an tSiáin* 9 C2
Six Crosses 48 H3
Six Road Ends 12 G4
Sixmilebridge/*Droichead Abhann Ó gCearnaigh* 42 E5
Sixmilecross/*Na Coracha Móra* 10 E5
Skahanagh 67 A1
Skahanagh North 60 H3
Skahanagh South 60 H3
Skeagh Co Cork 67 A3
Skeagh Co Westmeath 34 E1
Skeehen 51 A5
Skehanagh Co Galway 32 F2
Skehanagh Co Galway 42 E1
Skerries/*Na Sceirí* 28 G5
Skibbereen/*An Sciobairín* 67 A3
Skreen Co Meath 27 D5
Skreen/*An Scrín* Co Sligo/*Sligeach* 15 C3
Skull/*An Scoil* 66 H3
Slade 63 C4
Slane/*Baile Shláine* 27 D4
Slieveroe/*Sliabh Rua* 53 A5
Sligo/*Sligeach* 15 D3
Smarmore 27 D3
Smithborough/*Na Mullaí* 18 E3
Smithstown 44 H4
Sneem/*An tSnaidhm* 58 E5
Sooey 16 E4
Spa/*An Spá* 48 F5
Spancelhill 41 D3
Spanish Point Co Clare 40 F4
Spanish Point Co Cork 66 G4
Sperrin 10 F2
Spink 44 H3
Spittaltown 34 E3
Spring Town 3 B5
Sraghmore 46 F1
Srahanboy 44 E2
Sraheens/*Na Sraithíní* 23 C2
Srahmore/*An Srath Mór* 13 D4
Sraith Salach/Recess 30 E2
Sruh 61 C1
St Margaret's 36 F2
Stabannan 28 E2
Stackallan/*Stigh Colláin* 27 C4
Stacummer 3 A2
Staffordstown/*Baile Stafard* 11 B3
Stamullin 28 F5
Staplestown 35 C3
Stepaside 36 F4
Stewartstown/*An Chraobh* 10 H4
Stillorgan 36 G4
Stone Bridge 18 E4
Stonepark 50 G2
Stonyford Co Antrim 11 D4
Stonyford/*Áth Stúin* Co Kilkenny/*Cill Chainnigh* 52 H2
Stormont 12 E4
Strabane/*An Srath Bán* 9 C2
Stradbally Co Kerry 47 D5
Stradbally/*An tSráidbhaile* Co Laois/*Laois* 44 H2
Stradbally/*An tSráidbhaile* Co Waterford/*Port Láirge* 62 F2
Strade 23 C2
Stradone/*Sraith an Domhain* 26 H1
Straffan/*Teach Srafáin* 35 D4
Strahart/*Sraith Airt* 53 D1
Straid 11 B2
Straid/*An tSraid* 12 E2
Strand/*An Trá* 49 C4
Strandhill/*An Leathros* 15 D3
Strangford/*Baile Loch Cuan* 20 G2
Stranocum/*Sraith Nócam* 4 H3
Stranorlar/*Srath an Urláir* 9 A2
Stratford/*Áth na Sráide* 45 C2
Straw 10 G2
Streamstown Co Galway 29 C1
Streamstown/*Baile an tSruthain* Co Westmeath/*An Iarmhí* 34 E2
Street/*An tSráid* 26 F4
Strokestown/*Béal na mBuillí* 25 B3
Stroove 3 D2
Stuake 60 E3
Summer Cove 68 G1
Summerhill/*Cnoc an Linsigh* 35 C2
Suncroft/*Crochta na Gréine* 45 B1
Swan 44 H3
Swanlinbar/*An Muilcann Iarainn* 17 A4
Swatragh/*An Suaitreach* 10 H1
Swinford/*Béal Átha na Muice* 23 D1
Swords/*Sord* 36 F2

T

Taghmaconnell 33 A3
Taghmon/*Teach Munna* 53 D5
Taghshinny 34 E1
Tagoat/*Teach Gót* 54 F5
Tahilla 58 F5
Tallaght/*Tamhlacht* 36 E4
Tallanstown/*Baile an Tallúnaigh* 27 D2
Tallow/*Tulach an Iarainn* 61 B2
Tallowbridge 61 C2
Tamlaght O'Crilly 11 A1
Tamlaght/*Tamhlacht* Co Fermanagh/*Fear Manach* 17 B2
Tamnamore/*An Tamhnach Mhór* 10 H5
Tandragee/*Tóin re Gaoith* 19 B2
Tang/*An Teanga* 33 D1
Tankardstown 50 F4
Tara Co Meath 35 D1
Tara Co Offaly 34 E3
Tarbert/*Tairbeart* 49 A2
Tarmon/*An Tearmann* 49 A1
Tassagh/*An Tasach* 18 H3
Taur 59 C1
Tawny/*An Tamhnaigh* 2 G3
Tawnyinah 24 E2
Tawnylea 16 F4
Tedagh 66 H2
Tedavnet/*Tigh Damhnata* 18 F3
Teemore 17 B4
Teerelton/*Tír Eiltín* 59 D5
Teermaclane/*Tír Mhic Calláin* 41 D4
Teevurcher/*Taobh Urchair* 27 B2
Teileann/Teelin 7 C4
Templeboy/*Teampall Baoith* 15 B3
Templecrum 52 G4
Templederry/*Teampall Doire* 43 B5
Templeetney 52 E4
Templemartin/*Teampall Mártan* 60 E5
Templemore/*An Teampall Mór* 43 C4
Templeoran 34 G3
Templepark 43 C3
Templepatrick/*Teampall Phádraig* 11 D3
Templeshanbo/*Teampall Seanbhoth* 53 C2
Templetouhy/*Teampall Tuaithe* 43 D4
Templetown 63 C3
Templeusque 60 H4
Tempo/*An tIompú Deiseal* 17 C2
Termon 2 G4
Termonbarry 25 C4
Termonfeckin/*Tearmann Feichin* 28 F3
Terryglass/*Tír Dhá Ghlas* 43 A1
Tevrin 34 H1
The Bush Co Louth 28 F1
The Bush Co Tyrone 10 H5
The Butts 45 A5
The Cross/*An Chrois* 3 B5
The Curragh/*An Currach* 35 B5
The Diamond Co Tyrone 11 A4
The Diamond/*An Diamant* Co Antrim/*Aontrim* 11 C4
The Downs/*Na Dúnta* 34 H1
The Drones 4 H4
The Dry Arch 4 H3
The Five Roads 36 F1
The Harrow 54 E2
The Heath 44 H1
The Leap 53 C4
The Loup/*An Lúb* 11 A3
The Pigeons/*Na Colúir* 33 D1
The Pike Co Tipperary 43 B2
The Pike Co Waterford 62 F2
The Rock/*An Charraig* 10 G4
The Rower/*An Robhar* 53 B3
The Sheddings 11 D1
The Spa/*An Spá* 20 E2
The Sweep 52 G4
The Temple/*An Teampall* 12 E5
The Vee 51 C5
Thomastown Co Limerick 50 H4
Thomastown Co Meath 27 B3
Thomastown Co Tipperary 51 B3
Thomastown/*Baile Mhic Andáin* Co Kilkenny/*Cill Chainnigh* 52 H2
Thornton 45 C1
Three Mile House 18 F4
Three Wells 46 F3
Threecastles 44 G5

Thurles/*Durlas* **51** D1
Tibohine/*Tigh Baoithán* **24** G2
Tiduff **48** E3
Tikincor **52** E4
Timahoe Co Kildare **35** B3
Timahoe/*Tigh Mochua*
Co Laois/*Laois* **44** H2
Timoleague/*Tigh Molaige* **68** E2
Timolin **45** B2
Tinahely/*Tigh na hÉille* **46** E4
Tinmuck **34** E3
Tinnakilla **53** D4
Tipperary/*Tiobraid Árann* **51** A3
Tír na Spideoige/Turnaspidogy **59** B5
Tirkane/*Tír Chiana* **10** H1
Tirnaneill **18** F3
Tirneevin **42** E1
Toames **59** D5
Tober Co Cavan **16** G4
Tober Co Offaly **34** E3
Toberbeg **45** C2
Tobercurry/*Tobar an Choire* **15** C5
Toberelatan **32** F5
Tobermore/*An Tobar Mór* **10** H2
Tobernadarry **31** C1
Toberscanavan **15** D4
Toem/*Tuaim* **51** A2
Togher Co Cork **67** C1
Togher Co Louth **28** F3
Togher Co Meath **35** B2
Togher Co Offaly **34** H3
Togherbane **48** F4
Tóin na Brocaí **31** C4
Tóin re Gaoth/Tonregee **21** D1
Tomhaggard/*Teach Moshagard* **64** F3
Tonlegee/*Coill an tSiáin* **22** G4
Tonyduff/*An Tonnaigh Dhubh* **27** A1
Toom/*Tuaim* **67** C1
Toomaghera **40** G2
Toomard/*Tuaim Ard* **32** G1
Toombeola **29** D2
Toome/*Droichead Thuama* **11** A3
Toomyvara/*Tuaim Uí Mheára* **43** B4
Toor/*An Tuar* **43** A5
Tooraneena **61** D1
Tooraree **49** B2
Tooreen/*Tuairín* **60** G2
Tooreencahill **59** B1
Tooreendermot **49** C5
Toorgarriff **60** G2
Toorlestraun **15** B5
Toormore/*An Tuar Mór* **66** G3
Toornafulla **49** C4
Torque **34** G3
Towergare **62** H1
Trabolgan **61** A5
Tracton **68** H1
Trafrask **66** G1
Tralee/*Trá Lí* **48** G5
Tramore/*Trá Mhór* **62** H1
Trasternagh **32** F2
Trawlebane **67** A2
Treantagh/*Na Treantachta* **2** F5
Trien/*An Trian* **24** G4
Trillick/*Trileac* **17** C1
Trim/*Baile Átha Troim* **35** C1
Trust **32** H3
Tuam/*Tuaim* **32** E1
Tuamgraney/*Tuaim Gréine* **42** G3
Tuar Mhic Eadaigh/Toormakeady **22** G5
Tubber/*An Tobar* **42** E2
Tubbrid Co Kilkenny **44** F5
Tubbrid Co Tipperary **51** C5
Tulla Co Clare **41** D1
Tulla/*An Tulach*
Co Clare/*An Clár* **42** E3
Tullagh/*Tír na Spideoige* **59** B5
Tullaghaboy **40** G4
Tullaghan/*An Tulachán* **16** E1
Tullagher/*Tulachar* **53** A3
Tullaghought **52** G4
Tullaherin **52** H2
Tullamore Co Kerry **48** H3
Tullamore/*Tulach Mhór*
Co Offaly/*Uíbh Fhailí* **34** F4
Tullaree **48** E5
Tullaroan/*Tulach Ruáin* **52** F1
Tullassa **40** H4
Tullig Co Clare **48** F1
Tullig Co Kerry **48** H4
Tullig Co Kerry **58** F2
Tullow/An Tulch **45** C4
Tully Cross **21** D5
Tullyallen/*Tulaigh Álainn* **28** E4
Tullycanna **53** D5
Tullycoly **16** F4
Tullyhogue/*Tulaigh Óg* **10** H4
Tullylease **49** D5
Tullyroar Corner **18** H1
Tullyvin/*Tulaigh Bhinn* **18** E5
Tulrohaun/*Tulach Shrutháin* **24** E4
Tulsk/*Tuilsce* **25** A3
Tuosist/*Tuath Ó Siosta* **58** F5
Turin **34** H1
Turlough Co Clare **40** H1
Turlough/*Turlach*
Co Mayo/*Maigh Eo* **23** C2
Turloughmore/*An Turlach Mór* **32** E3
Turnpike Cross **60** G1
Turreen **25** C5
Two Mile House **35** C5
Twomileborris/*Buiríos Léith* **51** D1
Tylas **35** D1
Tynagh/*Tíne* **32** H5
Tynan/*Tuíneán* **18** G2
Tyrella **20** F3
Tyrrellspass/*Belach an Tirialaigh* **34** G3

U

Unionhall/*Bréantrá* **67** B3
Upperchurch/*An Teampall Uachtarach* **43** B5
Upperlands/*Áth an Phortáin* **10** H1
Upton/*Garraí Thancaird* **68** F1
Urhin **66** E2
Urlaur/*Urlár* **24** F2
Urlingford/*Áth na nUrlainn* **44** E5

V

Vallymount/*An Chrois* **45** D1
Vicarstown/*Baile an Bhiocáire* **45** A1
Victoria Bridge/*Droichead Victoria* **9** C2
Villierstown/*An Baile Nua* **61** D2
Virginia/*Achadh an Iúir* **27** A3

W

Walterstown **27** D5
Ward **36** F2
Waringsford **19** D2
Waringstown/*Baile an Bhairínigh* **19** C1
Warrenpoint/*An Pointe* **19** C5
Watch House **35** D5
Watch House Village **45** D5
Waterfall/*Tobar an Iarla* **60** G5
Waterford/*Port Láirge* **52** H5
Watergrasshill/*Cnocán na Biolraí* **60** H3
Waterloo **60** F4
Waterville/*An Coireán* **57** C5
Welchtown/*Achadh Dúin* **8** H2
Wellingtonbridge/*Droichead Eoin* **53** C5
Wells **54** F2
Westport Quay **22** F3
Westport/*Cathair na Mart* **22** G3
Westtown **62** H2
Wexford/*Loch Garman* **54** E4
Wheelam **35** B5
White Gate **58** F1
White's Cross/*Crois an Fhaoitigh* **60** G4
Whiteabbey/*An Mhainistir Fhionn* **12** E3
Whitechurch Co Wexford **53** A5
Whitechurch/*An Teampall Geal*
Co Cork/*Corcaigh* **60** G3
Whitecross/*Corr Leacht* **19** A3
Whitegate/*An Geata Bán*
Co Clare/*An Clár* **42** H3
Whitegate/*An Geata Bán*
Co Cork/*Corcaigh* **61** A5
Whitehall Co Westmeath **26** G5
Whitehall/*An Baile Nua*
Co Roscommon/*Ros Comáin* **25** C4
Whitehead/*An Cionn Bán* **12** F2
Whiterock **12** G5
Whites Town **28** G1
Whitesides Corner/*An Phrochlais* **11** B2
Wicklow/*Cill Mhantáin* **46** H2
Wilkinstown/*Baile Uilcín* **27** C4
Willbrook **40** H3
Williamstown/*Baile Liam*
Co Galway/*Gaillimh* **24** F4
Williamstown/*Baile Liam*
Co Westmeath/*An Iarmhí* **33** C2
Windgap/*Bearne na Gaoithe* **52** F3
Wolfhill/*Cnocán na Mactíre* **44** H3
Woodburn/*Sruth na Coille* **12** E3
Woodenbridge **46** F4
Woodford/*An Chráig* **42** H1
Woodlawn/*Móta* **32** G3
Woodstown **63** B3

Y

Yellow Furze **27** D4
Youghal Co Tipperary **42** H3
Youghal/*Eochaill*
Co Cork/*Corcaigh* **61** C4

NOTES

NOTES